エリア・スタディーズ 178

現代ネパールを知るための60章

公益社団法人 日本ネパール協会〔編〕

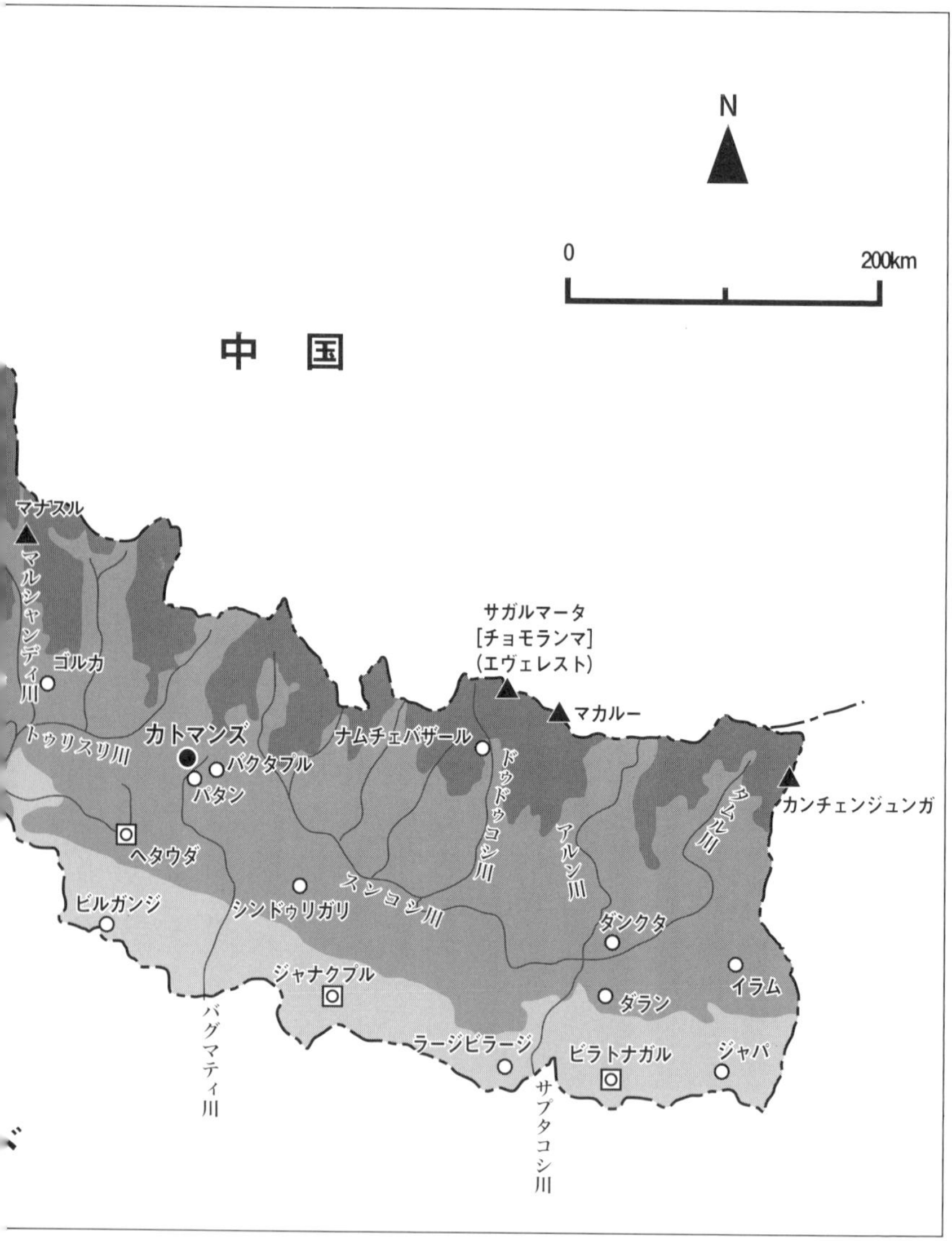
N
0
200km
中　国
マナスル
マルシャンディ川
ゴルカ
トゥリスリ川
カトマンズ
バクタプル
パタン
ヘタウダ
ビルガンジ
シンドゥリガリ
スンコシ川
ナムチェバザール
サガルマータ
[チョモランマ]
(エヴェレスト)
マカルー
ドゥドゥコシ川
アルン川
タムル川
カンチェンジュンガ
ダンクタ
イラム
ダラン
ジャナクプル
ラージビラージ
ビラトナガル
ジャパ
バグマティ川
サプタコシ川

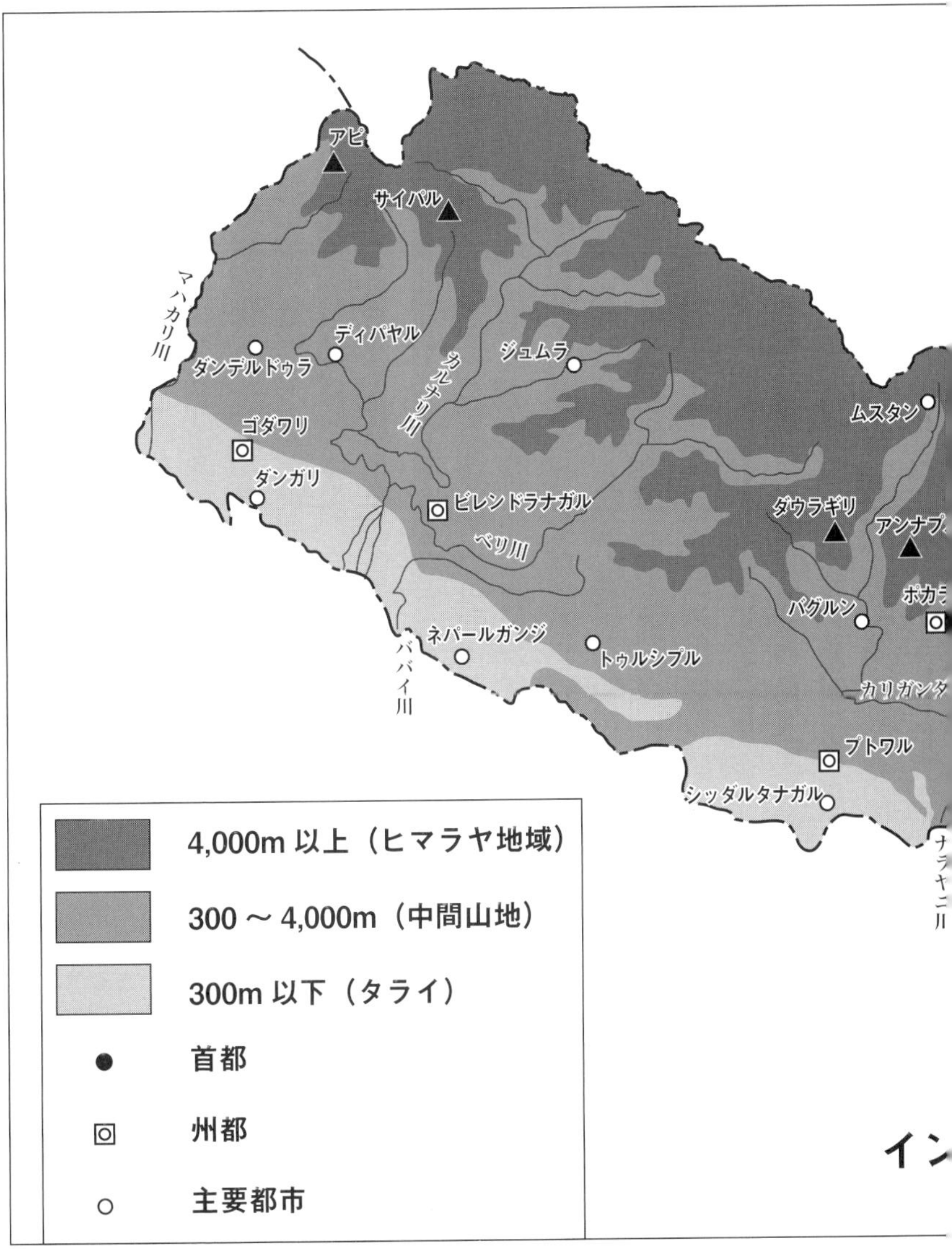
アピ
サイパル
マハカリ川
ディパヤル
ダンデルドゥラ
ジュムラ
カルナリ川
ムスタン
ゴダワリ
ダンガリ
ビレンドラナガル
ダウラギリ
アンナプ
べリ川
ポカラ
バグルン
ネパールガンジ
トゥルシプル
ババイ川
カリガンタ
ブトワル
シッダルタナガル
ナラヤニ川
4,000m 以上（ヒマラヤ地域）
300 ～ 4,000m（中間山地）
300m 以下（タライ）
首都
州都
主要都市
イン

はじめに――大変動の21世紀ネパール

2001年6月2日未明。カトマンズの小さなホテル。電話で起こされた。東京の通信社からで「国王が殺されたという話を聞きたい」とのこと。寝耳に水で「何のことですか」と聞き返すのみだった。起きてみるとテレビは静かな音楽を流すだけ。わずかに在留日本人のブログが情報源になった。後に町へ出たが、(哀悼のため)頭を剃った若い男性が目立ち、バリケードで車の通行がままならない場所も少なくなかった。

この、ビレンドラ国王夫妻などの王族が当時の王宮で射殺された6月1日夜の事件は、振り返れば21世紀ネパールの大変動を加速・左右するものだった。犯人は公式には泥酔し発砲後死亡した皇太子とされ、他の噂も飛びかった。真相はどうあれ、その後の展開は予想外だった。

6月4日に即位したギャネンドラ国王(ビレンドラの弟)は翌年から05年にかけて、首相を罷免し全権を握る超憲法的措置を繰り返した。政治は安定せず、諸政党や国民の反感は増大した。当時のネパールは1996年から10年余続いたマオイスト(ネパール共産党毛沢東主義派)の「人民戦争」の最中だった。諸政党はマオイストと対立していたが、国王の強権的措置に反対し、対立していた二極が連携した。民衆・政党の反国王運動は高揚し、06年には国王は全特権を失い、07年の暫定憲法公布、08年の王制廃止・連邦民主共和制への移行という大変動につながった(第二次民主化)。正式な憲法がようやく決まったのは2015年である。以後、法・行政面の整備が大きな課題で、内戦の事後処理も続いている。連邦制への変革は、国内の多様な要求への対応の面をもつが、州や州都の設定についての議論は絶えず、公務員の配置などを含め問題は山積している。

「ネパール」は、古代から18世紀まではカトマンズ盆地中心の小さな王国だった。18世紀後半、シャハ王朝による軍事的統一で、山地諸地域のみならず、南部平野（タライ）やヒマラヤ周辺のチベット文化圏にも版図が拡大した。支配層はネパール語を母語とする山地のヒンドゥー教徒高位カーストで、征服した多様な人々を、元来カースト的でない諸民族を含め、それぞれのカースト（ネパール語で「ジャート」）として自らの社会すなわちネパール王国の中に位置づけた。それを法制化して強化したラナ宰相による専制体制は1951年まで百年余り続いたが、第二次大戦後の世界的変動の中で倒れた。シャハ王朝は存続し、60〜80年代には、マヘンドラ王、ビレンドラ王主導下、政党禁止のパンチャーヤト制が布かれ、国際援助を導入しての社会経済開発が図られた。

ネパールの開発は、冷戦を背景とした世界的な援助競争の中で進められ、（ほぼ鎖国状態であった）ラナ時代と比べれば、インフラ、経済、教育、医療などさまざまな分野で整備・発展がみられた。一方、人口増加は大きく、生産の増加を打ち消す効果をもった。他の国々と比べれば発展は遅れ、また援助で潤うか否かの（地域、集団、個人間等の）格差も開いた。

ネパールは海をもたず、輸出入のためにインドの港や道路を使わせてもらってきた。1989年、インドとの関係が悪化し、経済封鎖で多くの人々が困窮した。不満はネパール政府に向かい1990年の民主化運動（第一次民主化）、パンチャーヤト制廃止につながった。90年憲法は立憲君主制、主権在民を掲げ政党政治を再び導入するとともに多言語多民族国家とネパールを規定した。これらは東欧の民主化、ソ連崩壊・冷戦終結に向かう時期に重なり、イデオロギー対立から民族的アイデンティティ重視に変わる世界の趨勢と並行的だった。経済面では新自由主義の影響も及び、1990年前後には自由化・構造調整により、銀行、航空業などの分野に民間企業が次々と参入した。

アイデンティティ政治は、第一次民主化以降、連邦制整備の議論に至るまで、ネパールにとって重要で難しい問題である。

国勢調査では1990年以前は（初期を除き）ジャート（カースト／民族、第1章、第42章参照）の人口は調査されなかった。当時重視されていたのは国の統一であり、個々の民族／カーストの独自性の主張や言語・文化の振興・保護は抑えられていた。この状況は民主化で大きく変わり、さまざまな民族やカーストが権利主張や従来の支配層・対立勢力への批判を強めた。諸集団の連携が進み、従来あまりきかれなかった「ジャナジャーティ（諸民族）」「ダリット（旧不可触カースト）」「マデシ（タライ［のインド系］住民）」という包括的な用語が広まった。組織化も進んだが、これは政党とは直結しない。民族、カースト、言語、宗教等のみで政党を結成することは法で規制されている。文化面での結束と政治的結集は別扱いなのである。

第二次民主化では、民衆・政党が権力を掌握した。それは周辺的な位置にあった人々に力や平等への希望を与えるものであった。2015年憲法は同時代の西欧の思潮やインドの制度の影響を受けつつ、国民主権、人権・多様性の尊重、差別撤廃などを掲げている。社会的「包摂」は時代を代表する言葉になった。連邦制はその一環でもあるが、周辺化されてきた地方の人々の自治や力への希求を満たすものと思われた。

２０１５年憲法は連邦を構成する7州を定めたが、連邦の区割りは制定過程から議論の的であった。たとえばマデシの人々・諸政党は、タライ一円を1州（または2州）とするよう主張し、タライの先住民タルーの人々も自治州を要求した。これらは実現せず、抗議行動はその反対者や警察との衝突に至り、多数の死者をだした。マデシ運動は国境封鎖にまで及び、山地部（特に首都）は経済的に困窮した。衝突は収まっても対立は解消せず、連邦の区割りや名称は未だに不安定である。

「包摂」の制度面での代表は留保制である。これは官公庁や学校等で、各集団の人口比に応じて席数を割り振ることで、恵まれない境遇の人々を優遇し平等を達成しようとする措置である。その対象集団の設定・選定は大きな関心事で、「後進」「周辺」「困窮」などを理由に、主流派だった集団も含め、留保対象となるよう目指す傾向がみられる。なお対象集団の中で恵まれない人々を受益者にできるか否かはこの制度の大難題である。

女性は主要な留保対象であり、議員、公務員、学生のかなりの部分を占めるようになった。女性差別撤廃、女性の権利保証や性暴力・家庭内暴力関連の立法も進んだ。注目されるのは２０１５年憲法公布直後の時期で、女性初の下院議長、大統領、最高裁長官が次々と選ばれた。ただ２０１８年３月、大統領は再選されたが、その時点での下院議長、最高裁長官は男性である。他の諸分野で活躍する女性、自立援助活動などに携わる人々が輩出する一方、人身売買やレイプ等の話も絶えない。教育の普及や法整備により人々の自己決定の可能性は高まったが、平等・社会的公正追求の道は長い。

90年民主化以降の大きな関心は従来抑えられていた多様性・平等・人権などに向かったが、そこでも生活の維持は常に課題であった。自然資源の少なさ、内戦でのインフラの破壊、社会資本の未整備などマイナス要因も多いなか、近年の経済指標は悪くないが、第一・二次産業は伸び悩み、国外出稼ぎは顕著で、仕送りによる消費文化が目立つ。国際化は進んでいるが歪みも大きく、また最近の政治は権力争いの場に戻っている感がある。

ネパールは相当数の人口を擁し多様性・変化は大きい。以下の諸章によりその理解が促進されれば幸いである。

石井　溥

【追記】２０２０年3月、新型コロナウイルス関連のニュースが世界を覆っている。ネパールの感染者数は検査機器不足もあり少ないが、当局は帰国者の検疫や濃厚接触者の割り出しに努め、行動・移動制限、封鎖等の措置を段階的にとり、多くの国からの入国を4月15日までネパール人を含めて禁止した。３月24日には1週間の外出制限、官庁や事業所の操業制限も出された。以後、それらの延長もくり返されている。

本書の校正の際、第27章をはじめ関連する若干の章ではスペースの許す範囲での加筆が急遽なされた。国外で働く人々、経済全般あるいは特定の業種への影響は第4、17、19、44章等で触れられる。

多くの商店は閉じ交通は止まったが、政府は食料品や薬、石油、プロパン等の店に対し閉店しないよう要請、必需品の宅配を奨励し、また人々の在宅を促し燃料不足を補うため家庭用電力の割引を決定した。一方、インドから陸路で急いで帰国しようとする人々が国境警備の警察隊にさえぎられる事態もおこった。観光・登山客や仕送りの減少なども懸念されるこの状況は、政府と国民の関係、経済の脆弱性、社会の耐久力、人々の行動様式、グローバル化等々について考えさせるものでもある。

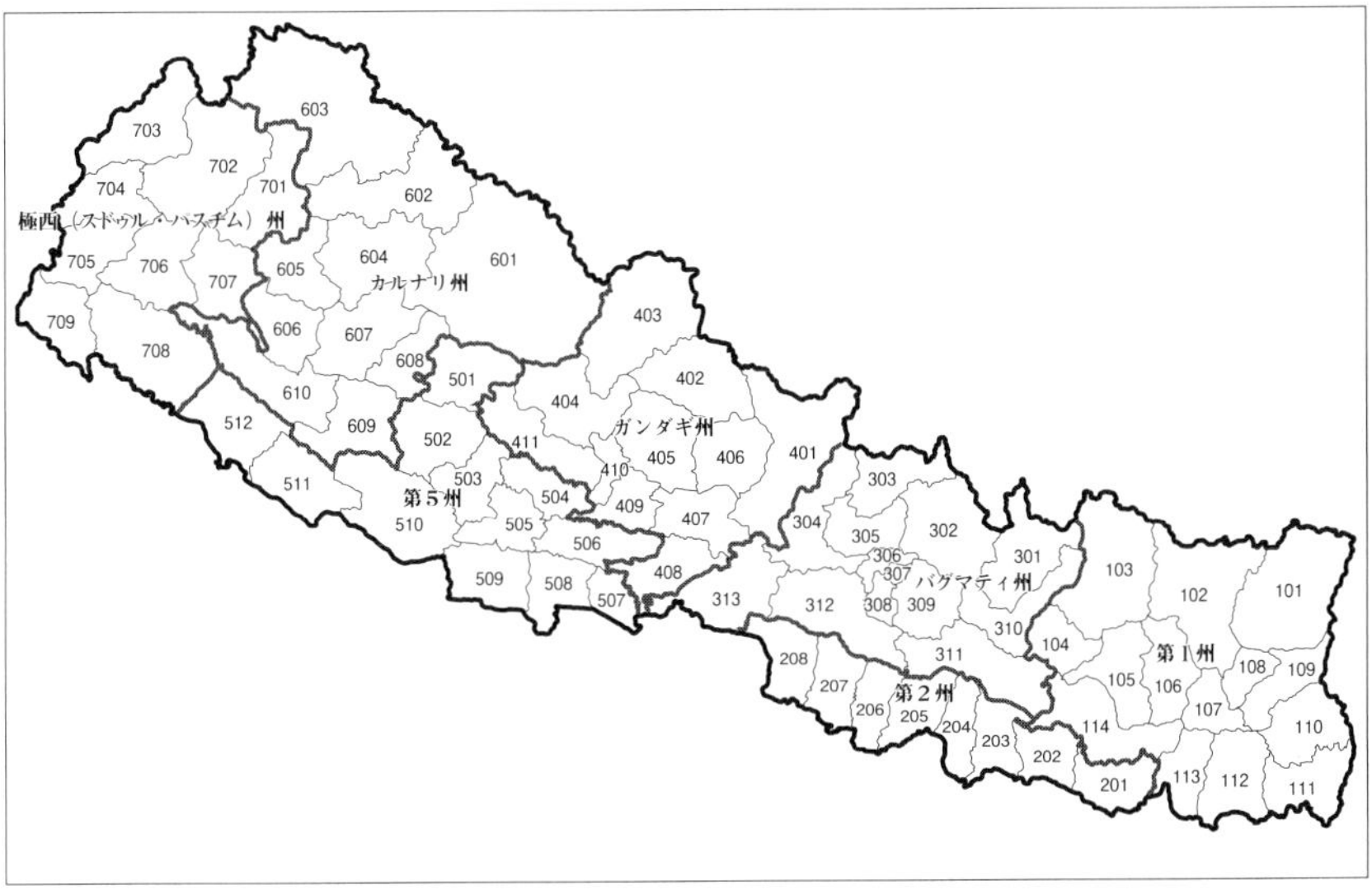

凡例：州名と郡名
(2020 年 3 月現在)

第 1 州
101 タプレジュン
102 サンクワサバ
103 ソルクンブ
104 オカルドゥンガ
105 コタン
106 ボジプル
107 ダンクタ
108 テラトゥム
109 パンチタル
110 イラム
111 ジャパ
112 モラン
113 スンサリ
114 ウダイプル

第 2 州
201 サプタリ
202 シラハ
203 ダヌシャ
204 マホッタリ
205 サルラヒ
206 ラウタハト
207 バラ
208 パルサ

バグマティ州
301 ドラカ
302 シンドゥパルチョク
303 ラスワ
304 ダーディン
305 ヌワコート
306 カトマンズ
307 バクタプル
308 ラリトプル
309 カブレパランチョク
310 ラメチャップ
311 シンドゥリ
312 マクワンプル
313 チトワン

ガンダキ州
401 ゴルカ
402 マナン
403 ムスタン
404 ミャグディ
405 カスキ
406 ラムジュン
407 タナフ
408 東ナワルパラシ
409 シャンジャ
410 パルバット
411 バグルン

第 5 州
501 東ルクム
502 ロルパ
503 ピュータン
504 グルミ
505 アルガカンチ
506 パルパ
507 西ナワルパラシ
508 ルパンデヒ
509 カピラバストゥ
510 ダン
511 バンケ
512 バルディヤ

カルナリ州
601 ドルパ
602 ムグ
603 フムラ
604 ジュムラ
605 カリコート
606 ダイレク
607 ジャジャルコート
608 西ルクム
609 サリヤン
610 スルケット

極西（スドゥル・パスチム）州
701 バジュラ
702 バジャン
703 ダルチュラ
704 バイタディ
705 ダデルドゥラ
706 ドティ
707 アチャム
708 カイラリ
709 カンチャンプル

(第 1, 2, 5 州の州名は未確定。)

国境
州境
郡境

2008 年 4 月	制憲議会選挙：マオイスト第 1 党（議席数 1/3 強）、会議派第 2 党、UML 第 3 党
2008 年 5 月	制憲議会初日：連邦民主共和制へ移行・王制廃止。
2008 年 7 月	大統領：R.B. ヤダブ（ネパール会議派）、8 月：首相：P.K. ダハル（マオイスト、通称プラチャンダ）
2009 年 5 月	ダハル首相辞任（軍に関し大統領と対立）。首相：M.K. ネパール（UML）［会議派と連立］
2010 年 6 月	M.K. ネパール首相辞任（以後数か月、同氏が暫定首相）
2011 年 1 月	UNMIN 撤退
2011 年 2 月	首相：J.N. カナル（UML）［マオイストと連立］
2011 年 8 月	首相：B. バッタライ（マオイスト）［統一マデシ人民戦線と連立］
2012 年 4 月	マオイスト軍武装解除
2012 年 5 月	制憲議会が何も決められないまま任期満了解散
2013 年 3 月	K.R. レグミ最高裁長官、暫定選挙管理内閣「議長」就任（首相格）
2013 年 11 月	第 2 回制憲議会選挙：会議派第 1 党、UML 第 2 党、マオイストは大差で第 3 党
2014 年 2 月	首相：S. コイララ（会議派）［UML と連立］
2015 年 4 月	ネパール大地震
2015 年 9 月	「ネパール憲法」（2015 年憲法）公布
2015 年 9 月〜 2016 年 2 月	マデシの反憲法・反政府闘争。国境（経済）封鎖
2015 年 10 月 11 日	首相：K.P. オリ（UML）［大小 16 党支持］
2015 年 10 月 16 日	下院議長：O.G. マガル（統一共産党マオイスト）［初の女性議長（〜2018 年 1 月）］
2015 年 10 月 28 日	大統領：B.D. バンダリ（UML）［初の女性大統領］
2016 年 7 月	最高裁長官：S. カルキ［初の女性最高裁長官（〜 2017 年 6 月）］
2016 年 8 月	首相：P.K. ダハル（ネパール共産党マオイスト・センター［CPN-MC］）［会議派等と連立］
2017 年 3 月	ネパール投資サミット
2017 年 6 月	首相：S.B. デウバ（会議派）［CPN-MC 等と連立］
2017 年 11 〜 12 月	下院選挙：UML 第 1 党、会議派第 2 党、CPN-MC 第 3 党。州議会選挙：7 州中の 6 州で UML が第 1 党
2018 年 2 月	首相：K.P. オリ（UML）［CPN-MC と連立］）
2018 年 2 月	上院選挙：UML 第 1 党、会議派第 2 党、CPN-MC 第 3 党（UML と CPN-MC の左翼連合で 2/3）
2018 年 3 月	大統領：B.D. バンダリ［再選］
2018 年 5 月	共産党合同：「ネパール共産党（Nepal Communist Party）」（UML と CPN-MC が合併）
2019 年 3 月	ネパール投資サミット
2019 年 3 月	日本との間で、特定技能に係る協力覚書（日本、14 職種で特定技能外国人受け入れへ）
2019 年 5 月	政党の合同進行：(例)「ネパール社会党」(B. バッタライ＋ U. ヤダブ［第三極を目指し］)
2019 年 12 月	第 13 回南アジア競技大会、カトマンズ、ポカラで開催（10 日間）
2020 年 1 月	第 3 州の州議会、州名をバグマティ、州都をヘタウダと決定
2020 年 3 月	ネパール観光年（Visit Nepal Year 2020, Nepal Tourism Year 2020）延期決定
2020 年 3 月	政府が新型コロナウィルス（Covid-19）対策決定：休校、娯楽施設一時閉鎖、集会・移動・入国制限等

（石井　溥）

◆ネパール史略年表◆

4～9世紀	リッチャヴィ王朝〈古代〉：カトマンズ盆地中心。インド的王権。ヒンドゥー教、仏教。ヴァルナ（四種姓）制
9～12世紀	移行期〈中世前期〉：デーヴァ王族時代（カトマンズ盆地中心）、史料少
11～14世紀頃	西ネパールにカス（カサ）・マッラ王国。南ネパールにティルフット王国。
1200～1769年	マッラ王朝〈中世中・後期〉：カトマンズ盆地中心、ネワール文化繁栄。ヒンドゥー教、仏教。カースト制複雑化
1484年	（カトマンズ盆地中心の）マッラ王朝分裂（マッラ三王国に）
1769年	プリトゥビ・ナラヤン・シャハ王（ゴルカを根拠地として勢力拡大）がカトマンズ盆地征服 シャハ王朝［ゴルカ王朝］開始（～2008年） 〈ネパールの版図拡大。ヒンドゥー教・カースト制。諸民族をもカーストとして組み込む国家体制〉
1814～16年	イギリス東インド会社との戦争（ネ英戦争）、ネパールの膨張とまる
1846年	ラナ一族の宰相が実権を掌握 〈ラナ一族の家産制国家、ラナ時代（～1951年）〉
1923年	ネパール・イギリス友好条約：ネパールの独立を明文化
1930年代後半	ネパール・プラジャ・パリシャド（人民評議会）秘密裏に結成［ネパール最初の政党］、弾圧
〈第二次大戦後、1947年：インド・パキスタン分離独立〉	
1949年	ネパール共産党結成（於コルカタ）
1950年	ネパール会議派結成（ネパール国民会議派＋ネパール民主会議派）
1951年	トリブバン国王の王政復古（ラナ体制打倒）、開国
1959年	総選挙、ネパール会議派圧勝、首相：B.P. コイララ
1960年	マヘンドラ国王全権掌握（王様クーデター）、政党禁止
1962年	パンチャーヤト制・憲法：国王主導、無政党、間接選挙（開発、外国援助）
1979年	反政府デモ（学生中心、パキスタンのブットー首相処刑反対等）
1980年	国民投票（僅差でパンチャーヤト制存続決定）
1989年	インドとの関係悪化、通商・通過条約失効（インドによる経済封鎖）
1990年初	（上記や東欧民主化の影響下）反政府・民主化運動高揚
1990年4月	パンチャーヤト制廃止。首相：K.P. バッタライ。第一次民主化へ。
1990年11月	新憲法（立憲君主制、主権在民、議会制、政党政治、多言語多民族国家）
1991年	新憲法下での第1回総選挙、首相：G.P. コイララ（ネ会議派）
1994年	第2回総選挙、首相：M.M. アディカリ（ネパール共産党統一マルクス・レーニン派（UML））
1995年	S.B. デウバ（ネパール会議派）連立内閣（以後、内閣交代頻繁）
1996年	マオイスト（ネパール共産党毛沢東主義派）「人民戦争」を開始
2001年6月	王族射殺事件（王宮でビレンドラ国王等の王族10人死亡）
2002年、2005年	ギャネンドラ国王、繰り返し実権掌握（これに反発し主要7政党とマオイストが連携）
2006年4月	反国王運動の高揚（リングロードを埋めるデモ等）、第二次民主化運動
2006年4月	G.P. コイララ首相に（政党側が決め、国王が任命）
2006年5月	国会宣言「国王の全特権剥奪、主権在民、世俗国家、等」
2006年11月	包括和平協定（主要7政党による政府とマオイストの間で）、「人民戦争」終結
2007年1月	暫定憲法公布、マオイストを含む暫定議会発足
2007年1月	国連ネパール政治ミッション（UNMIN）派遣［包括和平協定に則り武器・兵士の管理の監視。3月：自衛官6人参加］

現代ネパールを知るための60章

目次

Ⅲ　経済の変化と海外労働

IV 開発・農業・インフラ

V 保健医療

Ⅵ 教育

Ⅶ ジェンダー、社会的包摂

X　伝統と信仰

※ネパール語その他のカタカナ表記は、大略2000年刊の『ネパールを知るための60章』にならうが、慣用や執筆者の用法等に留意しつつ、編集委員会の判断で異なる表記とした部分もある。
※本文中、とくに出所の記載のない写真については、原則として執筆者の撮影・提供による。

I

ネパール概観

1

地域的多様性と変容する社会

★ヒンドゥー王国から連邦民主共和国へ★

ネパールはヒマラヤ山脈に抱かれた内陸国である。国土の北側には、サガルマータ（エベレスト）をはじめとした八千メートル級の高峰を擁するヒマラヤ山脈が横たわる。その南斜面にインド洋上を通ってきたモンスーンが降水をもたらし、勢いよく流れ下る川が山を刻み、複雑な地形をつくりだしている。幾筋もの川は合流しながら沖積平野を流れ、国境を越えてやがてガンガー（ガンジス川）に流れ込む。地理的環境は北から南にかけて高度によって大まかに三区分され、一面の銀世界を間近に望むヒマラヤ（高地）から照葉樹が生育する起伏に富んだパハール（山地）、そして犀や虎のような野生動物が棲息する亜熱帯性の密林に覆われていたタライ（平野）が広がる（図1）。また、ネパールの北西部にはモンスーンの影響を受けにくいヒマラヤの北面も含まれ、そこでは乾燥して植生のあまりみられない荒涼とした景観もみられる。約200キロメートルの間にこのような多様な自然がみられる要因として、ヒマラヤ山脈の存在、つまり9千メートル近くに及ぶ高度差が挙げられる。もちろん、ネパールが低緯度に、かつモンスーンの影響を受ける位置にあることも、多様な自然をうみだす条件となっている。

図1　ネパール地勢図

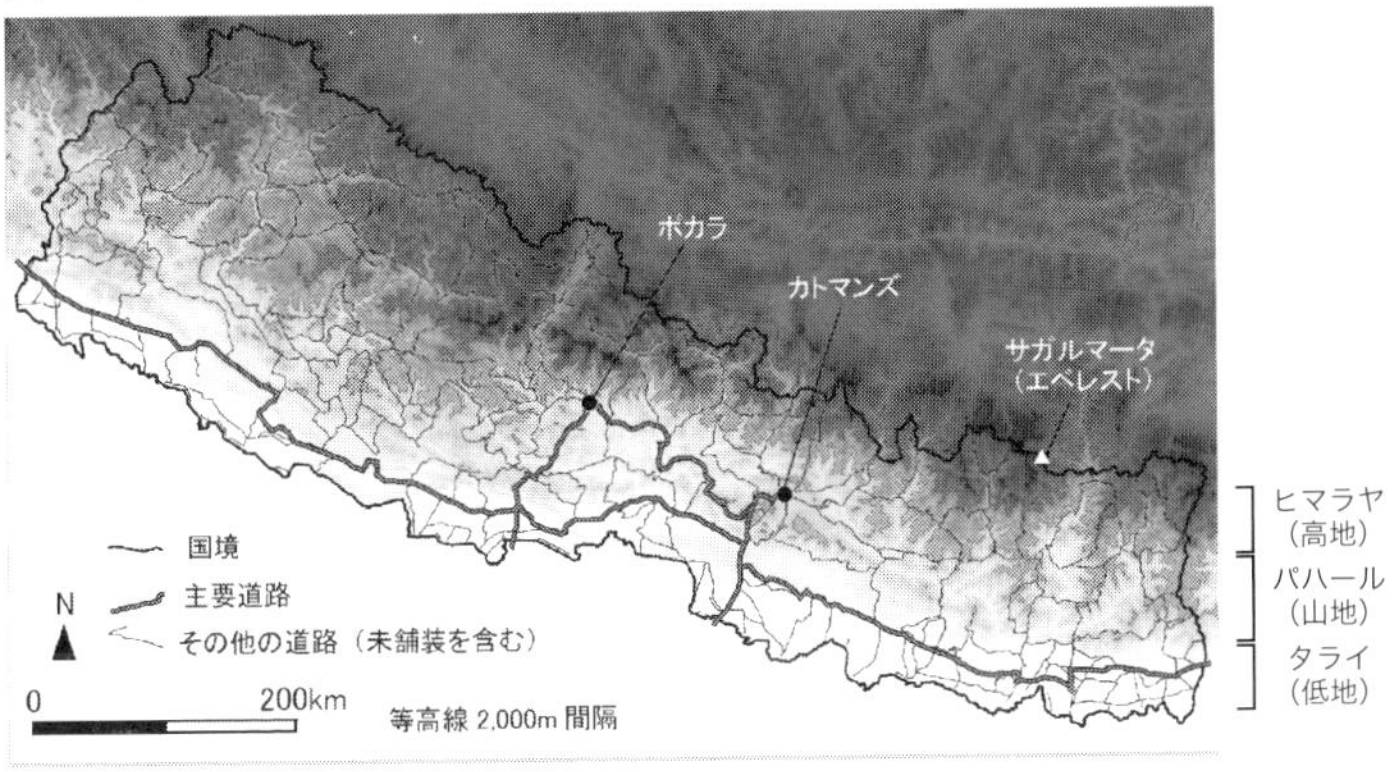

自然環境は、それぞれ特有の生業形態を発達させる条件となってきた。自然の障壁のようにそびえるヒマラヤは人々の生活基盤になってきたし、交易や移牧のような移動を促す要因にもなってきた。ヒマラヤ周辺の高地の人々は、厳しい自然環境を利用しながら主に畑作と牧畜、交易を組合わせて暮らしてきたが、近年人口流出が続いている。他方、ネパールの南縁でガンジス平原に続くタライでは、マラリア撲滅計画が始まる1950年代以降、密林が切り拓かれて開発が進み、稲作中心の農業が広がり工業もある程度育っている。また、ネパール政府の移住政策にも後押しされて、山地からの流入人口が増えている。

ヒマラヤとタライの中間に位置するパハールでは、人々は斜面を開墾し、稲作が可能な地域では稲作を、それ以外の地域では畑作を行ない、いずれも家畜飼育を組み合わせて生活を営んできた。パハールの諸地域の中で最も自然条件に恵まれたカトマンズ盆地は、古くはチベットとインドの中継交易地として栄えてきた。カトマンズ盆地では、そこを故地とするネワールが南北からの影響を受けながら独自の文明を築き、温暖な気候と肥沃な土壌を基盤に都市国家を発展させてきた。このように変化に富んだ自然環境は、さまざまな文化的背景を持つ人々の生活基盤になってきたのだ。この多様な人々をいかに一つの国家のもとに統合・包摂するのか。このことがネパールの課題となってきたし、21世紀に入ってからもその本質は変わらない。

今の大きさに近いネパールが国家として成立したのは、18世紀中葉、プリトゥビ・ナラヤン・シャハ王の率いるゴルカ勢力がカトマンズ盆地を征服した時である。19世紀初頭にイギリス東インド会社との戦争に敗れ、国境線がほぼ現在の位置に確定された。19世紀中ば以降、国王にかわって宰相ラナ一族がネパールの実権を握り、百年間余にわたってヒンドゥー化を進め、ネパール独自のカースト社会を築こうとした。ここで整備されたカースト的な社会的枠組みは、ネパールでは欠落していたインドにみられる中間的な諸カーストの階層に、被征服者、つまり従来カースト制と無関係に暮らしてきた民族集団を組み込むものであった。こうしてネパール独自のカースト制として、高位から順に大まかにバフン、チェトリ、民族集団、不可触カーストといった序列化された枠組みが整備された。この枠組みを構成する社会範疇をあらわすのに、民族やカーストに当たるネパール語のジャートという用語が適用された。ジャートは、地域や時代、教育によって認識に温度差があるものの、20世紀半ばまでは人々を国家に編入する法的な枠組みとして利用され、この用語の定義に修正が加えられながらも、現在も社会範疇を示す単位として認識されている。

1951年にラナによる専制体制が崩壊すると、「開国」して近代化が進められることになった。しかし、1960年代には、マヘンドラ国王のもとで政党を禁止する開発独裁的なパンチャーヤト体制が成立し、国王を中心とする国づくりが行なわれ、ヒンドゥー教とネパール語を核とする統一的なネパール国民の形成が試みられた。この国民統合は1990年の「民主化」で頓挫し、主権在民、政党政治の復活が掲げられた。この時に改正された憲法において国王は象徴的存在となり、多民族・多言語が保障され、ネパール語は国語として、一方、それぞれの民族集団が母語とする言語は国民語として認定された。この多様性の保障が、その後、人々がそれぞれの文化的主張を展開する契機になった。「民主化」後も、1996年以降十年に及んだマオイスト（ネパール共産党毛沢東主義派）による「人民戦争」や、2001年の王宮で起きた王族殺害事件にみられるように、ネパール情勢は緊迫していった。政情不安を背景に、2005年にギャネンドラ国王が直接統治に乗り出し、これに対し主要政党とマオイストが連携し、そこへ大衆運動が合流、2006年に第二次「民主化」が達成された。その後発布された暫定憲法では「世俗的包摂的」民主国家の看板が掲げられ、2008年に王制が廃止されて連邦民主共和国に体制転換し、多民族・多言語に加えて、多宗教・多文化であることが国家規定に加えられた。2015年に起きたネパール地震のしばらく後に定められた2015年憲法は、より妥協的になりつつも、その方向性を受けついでいる。

以上のような政治状況のもと、社会的には、それぞれの文化を政治と関連付けた運動や権利主張等を伴って、ジャートという社会範疇の見直しが進められるようになった。この動きの中で、文化的まとまりを主張する民族集団が、ジャートではなくジャナジャーティ（諸民族）やアディバシ（先住民）・ジャナジャーティを名乗るようになった。他方でジャートであっても不可触扱いを受けてきたダリット（元不可触民）や、ジャートとは別に女性や障害者あるいは性的マイノリティを含むこれまで社会的に周縁化されてきた人々も権利主張を展開するようになった。こうして新たに顕在化してきた人々を、いかに国家に包摂（サマーベーシーカラン）していくかが、第二次「民主化」後の体制転換期におけるネパールの大きな課題となっている。

ネパールの国づくりの過程で、かつてはネパール独自のヒンドゥー化が進められ、その後憲法で多様性が保障されたことで、今日、ネパール・ヒンドゥー的な色彩を背景にさまざまな差異が顕われるようになってきた。こうして顕在化してきた多様な社会的文化的状況を、以下では宗教と言語に着目してみていく。

ネパールの人口の81％はヒンドゥー教徒で占められており、仏教徒やイスラム教徒を大きく引き離している（図2）。1971年センサスではヒンドゥー教徒の人口割合は89・4％であったことから、その人口割合は減少傾向にある。他方で仏教徒やイスラム教徒の人口割合が大きくなり、キリスト教徒も増加していることが新たな変化として指摘できる。

図2　宗教人口割合

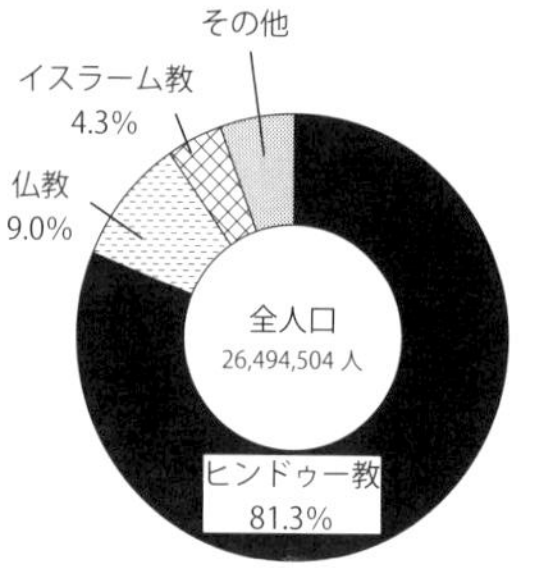

出典：2011 年センサスにより作成

宗教について地域的特徴をみてみよう（図3）。ヒンドゥー教徒は、かつてはパハールに集中していたが、政府の移住政策によって現在ではタライの人口に占める割合が高くなっている（図3―a）。全国的な人口移動に伴い、その分布はパハールからタライにかけて平準化されつつあるといえるが、タライのヒンドゥー教徒には、パハールから移住してきたヒンドゥー教徒とは一線を画し、文化的には北インドに近い人々も少なくない。この差異が、近年のタライにおける社会運動（マデシ運動）の一因となっている。

仏教徒の人口はカトマンズ周辺に分布しているが、とりわけ人口が希薄なヒマラヤ周辺高地においてその存在は際立っている（図3―b）。ヒマラヤを背景にしたチベット仏教寺院の構図は、ネパールの文化景観として国際的にも知られている。一つの民族集団にヒンドゥー教徒と仏教徒が併存するネワールは、ヒンドゥー教と混淆しつつ、チベット仏教とは異なる独自の仏教を発展させてきた。このネワール仏教を信仰する人口は、ヒマラヤ周辺高地よりもカトマンズにおいて顕著である。また、イスラム教徒の人口はタライへの集中が顕著で、北インドの影響が強くみられる（図3―c）。

　ネパールにおける言語系統は、大まかには印欧語族とチベット・ビルマ語族に二分される（図4）。印欧語族が全体の約八割を占めており、そのうちの半分が公用語であるネパール語で、マイティリー語、ボージュプリー語、タルー語が続く。ネパール語を母語とする人々は全人口の44％にすぎず、パハールを中心に広く分布している。他方、マイティリー語を母語とする人々は特にタライの東側に、タルー語はタライの西側を中心に分布しており、同じタライに集住する印欧語族でも棲み分けがみら

図3　ネパールの地域差

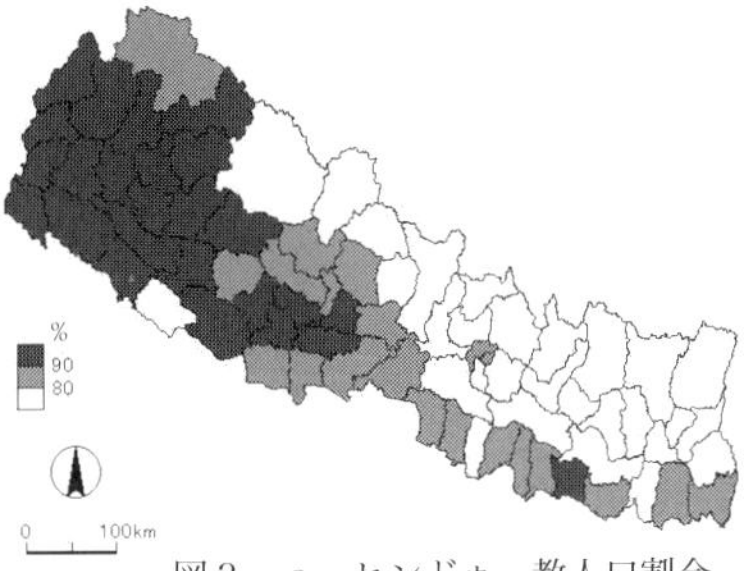

図3―a　ヒンドゥー教人口割合

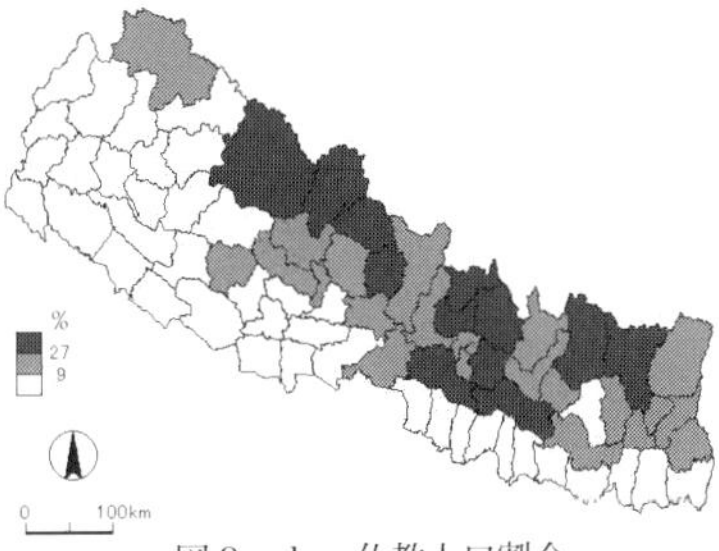

図3―b　仏教人口割合

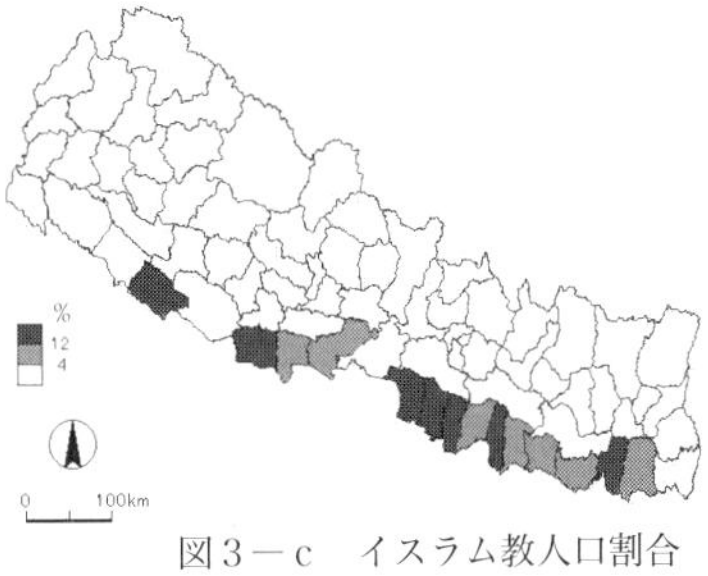

図3―c　イスラム教人口割合

出典：2011年センサスにより作成

図4　母語人口割合

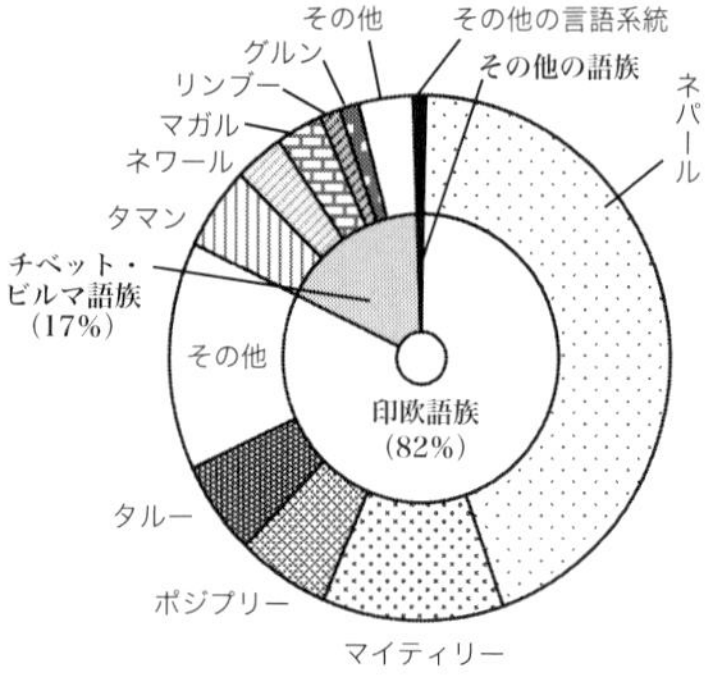

出典：2011年センサスにより作成

れる。タライの人々（マデシ）の権利主張運動に対し、タルーの人々はマデシとは別の社会運動を展開していることから、地理的な棲み分けがアイデンティティの違いと無関係ではないことがうかがえる。また、チベット・ビルマ語族の中で最も多いタマン語を母語とする人々は、カトマンズ周辺のパハールを中心に、ヒマラヤ南麓からタライにかけて居住している。タマン語に次いで多いネワール語を母語とする人々もカトマンズを中心にパハールに集中しており、他の主要カースト／民族に比べて都市人口割合が突出して高いことが特徴として指摘できる。

　これまで宗教と言語の地域的特徴について概観してきたが、ネパールの社会的文化的状況を理解するには、人々のアイデンティティの単位となる社会範疇について考える必要がある。ネパール社会を構成してきた諸社会範疇の中で中心的であったのはジャート（カースト／民族）である。これが、それぞれの紐帯となり得る宗教や言語と一対一で対応していれば分かりやすいのだが、必ずしも対応していない。例えば、チベット・ビルマ語族に属するマガルの人口はカースト／民族人口でいうと三番目に多い約１８９万人であるが、マガル語の母語人口は約78万8千人にすぎない（２０１１年センサス）。マガル語を母語としないマガルの多くは、印欧語族のネパール語を母語としていると考えられる。また、ネワールの中にも同様に、自身の母語としてネワール語ではなくネパール語を申告する人は多いだろうし、この母語の違いは宗教の違い、即ちヒンドゥー教か仏教のいずれかに対応するわけでもない。つまり、母語や宗教が異なりながらも、同じジャートとしてのアイデンティティを共有していることになる。近年では、幼い時から私立の学校に通い英語で教育を受けて育ったネパール語の読み書きが不得手な子どもが増え、移民や留学で国外に行く人口の増加を背景に、家庭内においても祖父母や父母、子どもたちの得意とする言語が異なる例も珍しくない。このような入り組んだ状況を生み出したのは、本来多様であったネパールにおいて、かつてヒンドゥー化やネパール化で国民統合が進められた影響だけでなく、その後多様性が保障されたことや、近代化やグローバル化、先述した近年の社会範疇の見直しを伴う運動による影響も大きく、その社会のあり様はさらに複雑さを増している。

以上のように、ネパールは、巨大なヒマラヤの揺るぎないイメージに反して、社会的にも文化的にも動態的で、ますます入り組んだ様相を呈しているのである。

（森本　泉）

参考文献

川喜田二郎（編）1977『朝日小事典　ヒマラヤ』朝日新聞社。

南真木人・石井溥（編）2015『現代ネパールの政治と社会――民主化とマオイストの影響の拡大』明石書店。

名和克郎（編）2017『体制転換期ネパールにおける「包摂」の諸相――言説政治・社会実践・生活世界』三元社。

Hagen, Toni. 1980. *Nepal: The Kingdom in the Himalayas*. New Delhi, Bombay, Calcutta: Oxford & IBH Publishing Co.

Panday, Ram Kumar. 1995. *The Himalayan Heights: An Altitude Geography: Interpretation of Ecology and Economy to Improve the Condition of Poor People Inhabited in the Rich Country*. Kathmandu: Ratna Pustak Bhandar.

図1参考資料

Department of Roads. 2018. *Strategic Road Network of Nepal*. Kathmandu: Department of Roads (HMIS - ICT Unit).
アメリカ地質調査所による地形データ　https://earthexplorer.usgs.gov/（2020年3月10日閲覧）

2

地域間流動の視点から見るネパールの人口構造

★グローバル化時代の内陸山間国家の行方★

人口構造という観点でのちに振り返った時、２０００年前後は大きな転機だったと考えられるのであろう。一つは後に詳述されるグローバルな人口流動（海外出稼ぎ）の本格化であるが、それと関連して、国内の人口流動の変化も見られる。

ネパールは、ヒマラヤの山国というイメージに反し、人口規模は世界でも上位である。国連の推計で２０１８年の総人口は２９６０万人（『世界国勢図会２０１８／１９年版』）で、世界約２００か国中48位（同じ統計で、国土面積は93位、人口密度は1平方キロあたり２０１人で、中国（１４７人）を上回る）、東方の山国ブータン（人口密度1平方キロあたり21人、総人口82万人）とは、文字通り桁が違う。

とはいえ、国土の三分の二が山間部で、内陸国ゆえ貿易を前提とした産業開発は難しく、ネパールでは、相対的な「過剰人口」にどう対処するかは、「鎖国」時代の20世紀前半から、国の課題であった。総人口の推移を表1に見ると、20世紀前半の総人口は５５０万人でほぼ固定的であるが、これは、当時の死亡率の高さに加え、チベット系民族に見られた一妻多夫制度や出家（イエの数や人口の制限）、チベットやインドとの交易（余剰人口の

表１　ネパールの人口推移

年次	総人口（千人）	直前10年間の年平均人口増加率（%）	人口密度（人／km²）	世帯数（千世帯）	平均世帯人員（人）	性比
1911	5,639		38.3			
1920	5,574	-0.1	37.8			
1930	5,532	-0.1	37.6			
1941	6,284	1.2	42.7			
1952/54	8,257	2.3	56.1			
1961	9,413	1.6	64.0			
1971	11,556	2.1	78.6			
1981	15,023	2.7	102.2	2,585	5.81	105
1991	18,491	2.1	125.8	3,329	5.56	99.5
2001	22,737	2.1	154.2	4,253	5.44	99.8
2011	26,495	1.5	180.0	5,427	4.88	94.2

性比＝（男性人口÷女性人口）×100　データは各年次の政府人口年鑑による

活用による収入）、中山間部（ネパール的には「パハール（山地／丘陵部）」）から「グルカ兵」等の英領インドなどへの出稼ぎ、など、自給的な暮らしを人口の地域流動で補う工夫の反映だったと考えられる。

１９５２年以降は、国が開かれると、先進医療の導入による乳幼児死亡率の低下に、第二次世界大戦後のグルカ兵の帰国もあって、人口の急増期が始まり、結果的に20世紀末までに4倍増を記録する。その初期には、国の南に位置する「タライ地域」（標高３００メートル以下の山麓平野で従来は亜熱帯原生林）で、マラリヤ駆除と機械力導入により開拓が進み（そのため、20世紀のネパールにおける森林減少率は世界最上位クラスである）、中山間部（同３００〜３千メートル）・ヒマラヤ地域（同３千メートル以上）の相対的過剰人口は、インドへの出稼ぎ（グルカ兵に加え、工場労働者や警備員など）とともに、タライなど平地への開拓移動が見られた。１９８０年以降は、低地への開拓移住はピークを越え、代わりにカトマンズでの近代的な就業・進学やタライの小規模な工業集積地への移動が始まる。ただ、20世紀後半は人口の自然増加率がまだ高く、中山間（丘陵）部・ヒマラヤ地域では（地域的には、社会経済の近代化が先行した国の東半分を中心に）、若年層男子の人口流出が見られるものの、出稼ぎ者の多くは家族が待つ故郷に戻ってきたため、総人口は相対的

図　2001 ～ 2011 年の人口増加率と 2011 年の性比

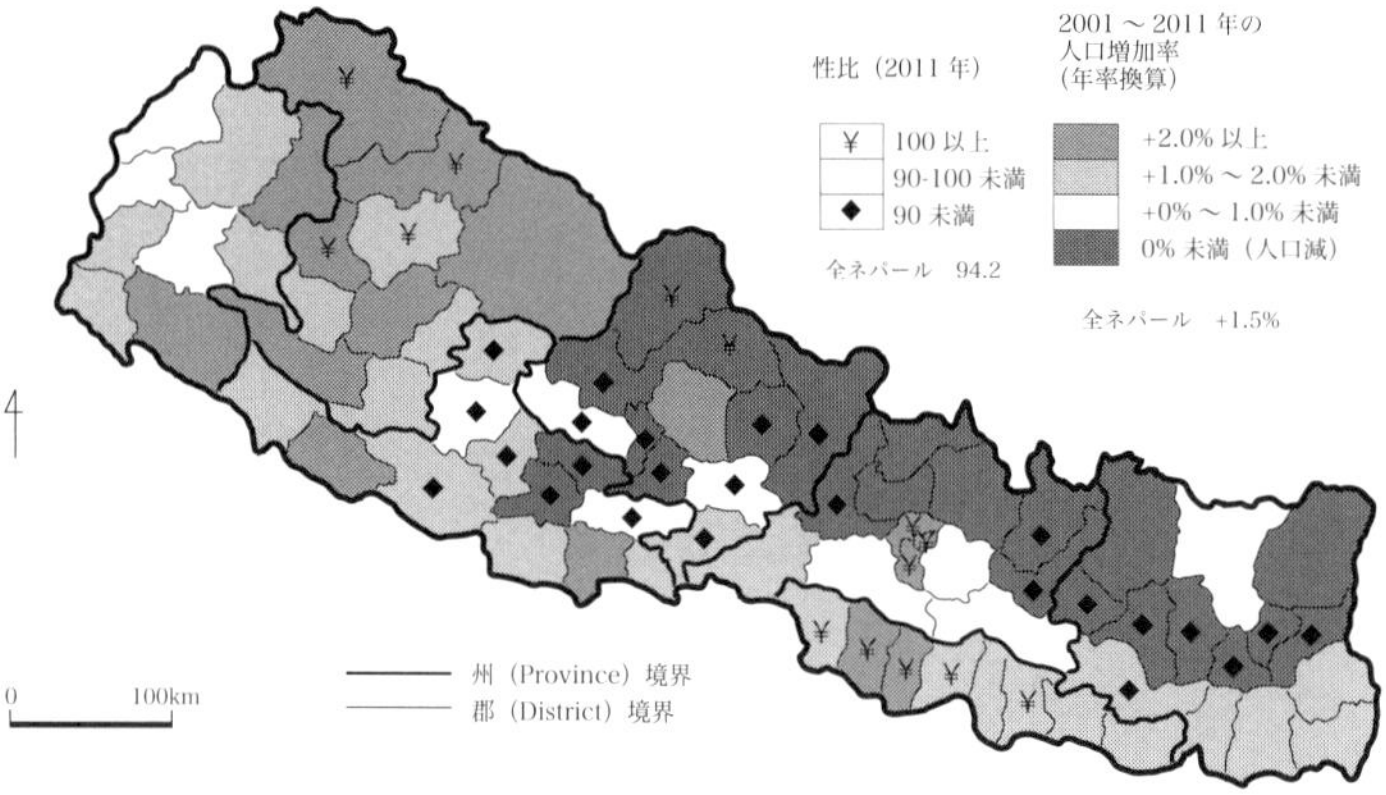

注：2001 ～ 2011 年の人口増加率は年率に換算、性比（2011 年）は男性人口 ÷ 女性人口 × 100
データ出所：ネパール政府の人口センサス　境界線：2018 年確定（人口増加率は旧境界単位で算出）

に低率ながら増加を示していた。

　ところが、冒頭で述べたように、21世紀に入る前後から、全国的な人口増加という状況が転換し始めた。地図を見ると、２０１１年の段階で、中山間（丘陵）部・ヒマラヤ地域のうち東半分において、10年前と比べて総人口が減少する地域が広域に派生している。一方で、この間に国全体の「性比」が急激に低下した（表1）。性比は、生物学的には通常１００を数ポイント超えるのが標準であり、90代の数値は男性が多く地域外（この場合は国外）に流出していることを示唆する。この大幅な低下は、今のネパールを支える海外への出稼ぎが、21世紀に急増したことを示している。そして、総人口が減少した地域は、外国への人口流出先において、伝統的なインド志向に加えて欧州や日本・アジアなどへの海外出稼ぎが多い地域でもある。

　筆者は１９８７年から１９９０年まで、カト

表２　生態（標高）地域別人口統計：（　）は対全国比（%）

		タライ地域	丘陵部	ヒマラヤ地域
面積（千㎢）		34.1 (23.3%)	61.3 (%)	51.8 (35.2%)
総人口（千人）	1971 年	4,346 (37.6%)	6,071 (52.5%)	1,139 (9.9%)
	1981 年	6,557 (43.6%)	7,163 (47.7%)	1,303 (8.7%)
	1991 年	8,606 (46.7%)	8,411 (45.5%)	1,444 (7.8%)
	2001 年	11,155 (49.1%)	10,077 (44.3%)	1,505 (6.6%)
	2011 年	13,319 (50.3%)	11,394 (43.0%)	1,782 (6.7%)
年平均人口増加率	1971-81 年	4.2%	1.7%	1.4%
	1981-91 年	2.8%	1.6%	1.0%
	1991-01 年	2.7%	1.7%	0.4%
	2001-11 年	1.8%	1.2%	1.7%
耕地面積（千 ha）		1325.6 (52.5%)	986.2 (39.0%)	213.8 (8.5%)
米生産高（千 t）		3715.0 (73.3%)	1202.9 (23.7%)	154.5 (3.0%)
小麦生産高（千 t）		1194.5 (66.1%)	545.5 (30.2%)	67.4 (3.7%)
トウモロコシ生産高（千 t）		444.9 (20.4%)	1519.6 (69.8%)	213.6 (9.8%)

1）生態（標高）地域は、各統計年次の「郡」を単位にネパール政府が区分した地域区分による。　耕地面積。穀物生産量は 2011-12 年度のデータ。
2）データは、各年次の政府人口年鑑『Statistical Year Book of Nepal 2013』による。

マンズの西90キロほどに位置する丘陵部（ゴルカ郡）の国立大学にいた。その教育学部新入生は、赴任１年目の約80名が翌年１２０名、翌々年には２００名超に急増した。当時は、周辺の初等中等学校でも同様に生徒数が毎年増えており、優秀な卒業生は、雇用条件を厭わなければ教員として地元に就職する可能性がそれなりにあった。また、仕事を得てインドやカトマンズに出た卒業生も、実家に籍を置き結婚後も家族は実家で暮らす選択をするのが主流だった。

それから30年。現在、中山間（丘陵）部・ヒマラヤ地域では、目立って子どもの姿が減っている。キャンパスの新入生は40人程度となり、地域の学校は、私立の進学校や郡庁とその近隣の一部を除くと、小学校を中心に生徒が減り空き教室も目立つ。それには、ネパールでも進んでいる少子化の影響はあるとはいえ、ゴルカ郡の村落部に関しては、今は結婚する段階で実家から世帯ぐるみで都市部に居を移す選択が主流になったことが大きいように見える。郡内の主要な村は、簡易ではあっても道路と電気が通じ、暮らしは30年前より格段に便利になっているが、昼時も夕刻も、昔の様子と比べると、人気《ひとけ》が、何より子どもたちの声が減り、寂しく感じられる。

一方で、ゴルカ郡の教育局の統計でみると、郡全体では減少している小学校の生徒数や人口も、郡庁がある中心地プリトゥビ・ナラヤン市内に限れば増加傾向で、私立の学校も多い。市街地のアパートや新興住宅地には、郡の周辺部からの移住者とみられる若い核家族（父親は出稼ぎ中で不在の場合も多い）らしき姿も多い。この状況は、かつての高度経済成長期に日本の中山間地域で見られた人口流出・過疎化をほうふつとさせる。

一方で、ネパールは日本と異なり、社会経済の都市部への集中が、内陸国・低開発という立地から限定的であったところ、国境を越える人口流出の波がおこり、国レベルでは少なくない人口が海外に継続的に流出し始めた（後の章で詳しく触れられる）。また、国内的には、海外からの送金を受ける若い家族が村落部を出て都市部へ転出する動きが、市町村単位の細かい人口増減等によって裏付けられる。

ネパール政府による公式の人口調査は、次回2021年に予定されている。グローバル化の中での人口移動の活発化が、居住人口の地域分布・年齢/性別の構成にどのように反映され、地域の暮らしやありかたの変化と結びつくのか、注目して結果を待ちたい。

（小林正夫）

参考文献
小林正夫 2010「ネパールを支える国外への労働力移動」『新地理』第58巻3号。
https://cbs.gov.np/（ネパール政府統計局HP：データの入手が可：日本の技術協力（専門家派遣等）で統計が充実しつつある。

3

エベレストに見るネパールの登山とトレッキングの将来

★持続可能な山旅観光へ★

ネパールには世界最高峰エベレスト（サガルマータ８８４８ｍ）をはじめ、８千メートル峰８座を擁する大ヒマラヤ山脈がある。この世界的大自然の宝庫は発展途上のネパールにとって、就労機会や収益を生み出す重要な資源といえる。世界一という称号とあるがままの自然は、ネパール近代の経済活動分野では、最も成長が期待できる観光産業のベースである。外貨獲得の手段としても重要な位置を占める。

外国人観光客はネパール大震災（２０１５年４月）の痛手を乗り越え２０１７年には94万人と約２割の増加、さらに２０１８年には百万人の大台を越え１１７万３０７２人の最高を記録した。エベレストを訪れるのはその１割強といわれ、約10万余人である。そのうちルクラからのトレッキングを楽しむのは半分、残りはマウンテン・フライトや短期間移動での観光である。大震災から４年目の２０１９年、観光業が復興のエンジンとなり、賑わいが戻ってきた。しかしその反面、山岳観光の抱える行き過ぎたビジネスの歪みが影を落とす。次の話題は負の象徴であり、幾つかは社会問題になっている。

話題１　２０１９年６月18日当局発表「この春のエベレスト

人、人、人、数珠つながりのエベレストの大渋滞（2019年5月、撮影：岩田京子）

登頂者、昨年を上回り最多記録更新の885人、ネパール側からは昨年比81人増の644人、中国チベット側からは昨年比3人減の241人。一方、遭難死も最多の11名にのぼった」。ビジネスを取るか安全を取るか？　お金と命の問題が浮き彫りにされた。悪天候で登頂日和りが少なく、良い日に登山者が集中したことにより、頂上への登路が大渋滞、混雑（渋滞による待ち時間が原因の低体温症、高度障害、酸素欠乏による突然死）の犠牲になった者が内4名。その他の犠牲者は高度障害による肺や心臓の疾患や、凍傷、運動機能障害による転落や滑落である。

話題2　2019年1月27日AFPネット「保険会社の代理で医療救助の業務に関係しているアイルランドの会社 Traveller Assist が、レスキューを理由に多額の保険金がネパールで支払われている実態を指摘し、ネパールでの保険を引き受けないという決定をした。」

事故でもないのに、レスキューを装ってヘリコプターを使った保険金請求の実態は、保険金に群がる看過できない行為である。このままではネパールの観光産業に打撃を与える可能性も大きく、観光省の動きが注目されている。複数の保険会社によれば、欧米からのネパールへの旅行の保険請求は法外な金額が多く、その請求自体が信用できないとし、欧米の保険会社等は観光省に対して調査を依頼し、5月から8月にかけて関係すると思われるヘリコプター会社、病院、ブローカーなどを摘発、さらに詳しい調査を継続している。

モラルのない観光登山の横行は正常な登山やトレッキングとは到底考えられず、登山文化そのものの衰退につながる。ゴミと排泄物の問題はＳＰＣＣ（サガルマータ汚染管理委員会）が主導し、ゴミ担保金と排泄物搬出等細かく取り決められ、問題の改善につながっている。ＳＰＣＣへの一定の評価はあるが、自然の保護保全や温暖化への対応、氷河湖決壊などの課題解決にはさらなる努力が要る。なお、温暖化問題には氷河の融解・後退による景観変化、登山ルートの変更による難易度の変化、危険度の増大等の問題が浮上。解決のためには周辺諸国との協調とともに個々の理解を得るための教育の必要性が問われる。

ヒマラヤ入門の山として人気のあるアイランドピーク。ここ数年、積雪が少なく氷河の崩壊が激しい（2019年3月）

弊害は登山を宇宙旅行並みの観光としてとらえるところにある。高額な費用は「安全、快適、疲れずに登頂を目指せる」という集客キャッチフレーズを伴っている。ガイドをはじめスタッフがクライアントの体力、スキルをカバー、高額費用に添わせた過剰なサービスで対応する。しかし、突然天候が崩れたり、体調不良が起きたりの変化は、経験者ならいざ知らず、付け焼刃の初心者には８千ｍの「死のゾーン」を生き抜く力の持ち合わせはない。富士山のような数珠つながりの登山を目の当たりにしたエベレスト経験者の多くの

言は「今のエベレストに登山は無い」、登山家の嘆きは「高きが故に尊からず」である。初登頂から30数年、登頂者数百人という頃が登山価値として意味のある時代であった。すでに登頂者は６千人になんなんとする。

ちなみにエベレスト登山申請者は２０１７年約４００人、２０１８年約６００人と右肩上がり、２０１９年度は約７００人（うち現地スタッフ３〜４割ほど）。一人１万ＵＳドルの登録料は重要な外貨獲得源で、２０１８年度は日本円で３億８千万円余りの国庫入金である。諸々の経費を入れると「エベレスト登らせます」は合計でお一人様７００万円前後である。現地に使われる費用は７００人で約25億円あまり……。地域住民への貢献はそのうち１〜２割といわれ、数億円ほどが落ちる。本物の登山家はもうエベレストに興味は薄く、魅力を感じていない。お金を出せば登れる登山は登山ではなく、いずれ飽きられると思っている。８千ｍを正常な山に戻すには登山本来の冒険登山の再来や、アクティビティとして登頂を目的としないボードやスキー、パラグライダー等を楽しむ入山、静かに自然を楽しむリゾート感覚の楽しみもあってよい。商業登山を続けるとすれば、安全第一をモットーに、人数規制をすべきである。さらに持続的観光登山の発展を考えるＳＤＧｓ（持続可能な開発目標）を推し進め、地元住民の協力を得て新しいスタイルの登山観光を模索する必要がある。地元の理解と協力が得られれば、地域の活性化にも

眼前に迫る世界最高峰エベレストとクーンブ山群のパノラマは大迫力（提供：㈱アトラストレック）

つながる。

少々古いデータだが２０１１年の調査では、エベレスト・トレッカー１人当たりの平均支出は７００ＵＳドルで、トレッキング・クライアント１に対してスタッフは０・75人の現地雇用が生まれるとしている。エベレスト地域にトレッキングしたトレッカーは、２０１８年度は全外国人観光客の14%、約15万人で、雇用創出が11万２５００人あり、外貨獲得は23億円以上と推測される。ネパールのトレッキング・ランキングはアンナプルナ、チトワン、エベレストの順である。アンナプルナの背景は、①交通アクセスの利便性、②トレック高度が低く安心、③ポカラ等快適なホテルから居ながらにして高峰が眺められる、といった「安・近・短」と快適である。また交通費を含めたツアー予算で比較すると、ポカラ起点のアンナプルナ１００に対しエベレストは１５５である。いずれにせよ自然相手のトレッキングは、素晴らしい設備のホテルでリゾート気分もよいが、鄙《ひな》びたロッジでも衛生的であれば、十分楽しめるという考え方もある。立派で高級な施設を造れば呼び込める訳ではない。観光客の増加とともに観光施設等の整備が進められているが、持続的発展のために必要なのはやはり人材。それには教育などソフト面の充実が必要となる。

（大蔵喜福）

4

変わるネパールの観光

★国内旅行客の増加★

外国人観光客の増加とともに発展してきたネパールの観光業。近年、訪れる人の顔ぶれが変わってきている。私が初めてカトマンズの旅行者街タメルを訪れた1996年当時、すれ違う観光客の多くは欧米人だった。欧米からと比べてアジアからの渡航者は少なかったが、日本人はよく見かけた。客引きをしている店員たちから、「コニチワー」、「チョットミルダケ」と声をかけられ、私自身もよく呼び止められたものだ。しかし、2000年代半ば頃から、片言の日本語の代わりに「ニーハオ」、「アンニョンハセヨ」と声をかけられることが増えていった。ここ数年は、「ノー」と首を振ると「タイ?」、「マレーシア?」と聞かれ、さらに否定すると、では一体どこの出身なんだ、と当惑されることも増えた。彼らの選択肢から「ジャパン」が出てこなかったことも一度だけではない。日本語の看板はめっきり減り、今ではあちこちに中国語の看板が並ぶ。タメルの一角には中華料理屋や漢字表記のあるゲストハウスが立ち並び、チャイナタウン化している場所もある。カトマンズ近郊のナガルコート、ポカラのレイクサイドやチトワンのソウラハなどの観光地やトレッキング・コースでも同様だ。中国をはじ

ネパール入国者数推移（2009～2018年）

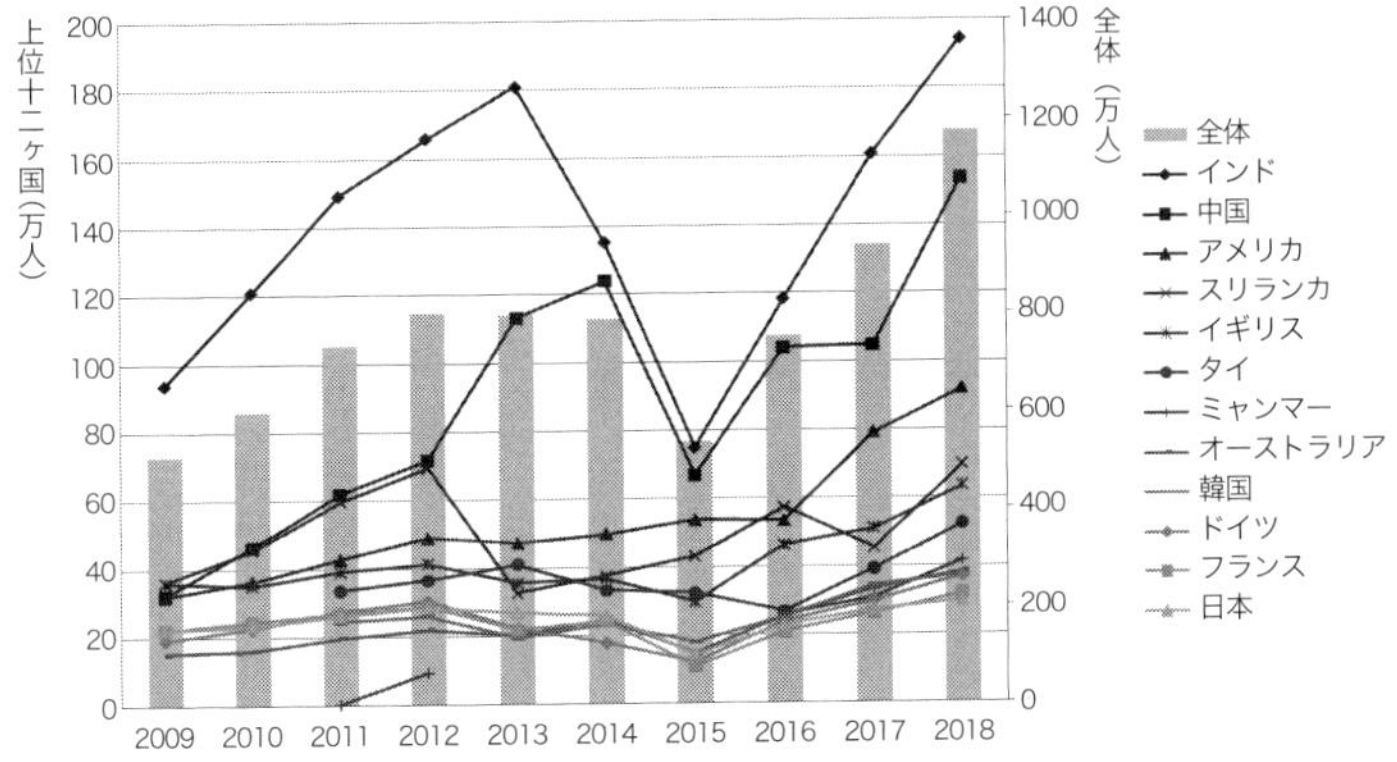

め、日本以外のアジアの国々からの団体客を目にすることが増えた。

２０１８年、ネパールを訪れる外国人旅行者数は、統計史上初めて百万人を超えた。ネパール観光年が企画されている２０２０年に、さらに外国人観光客が増えることを見込んで、２０１８年にはネパール・トレッキング協会がトレッキング・ガイドやポーター向け六か国の語学集中クラスを実施した。対象言語は英語・スペイン語・フランス語・ドイツ語・中国語・韓国語で日本語クラスは開講されなかった。日本が観光ビジネスの対象から外されたようで一抹の寂しさを感じた。中国や韓国、東南アジアからの観光客が増加する一方、日本からは横ばい状態であることを考えれば、納得せざるを得ない（２０２０年に予定されていたネパール観光年は、新型コロナウイルスの影響により年を改め延期されることになった）。

外国人観光客が多く集まる場所で、ネパールの人々もよく見かけるようになった。かつてのタメルは、外国人と付き合いがある人や裕福なネパール人が遊びに行く場所だった。1970年代頃のヒッピーの影響もあり「不健全な外国人が集まる場所」というネガティブなイメージをもつ人もいた。しかし、2000年代半ば以降、休日に家族で食事に出かけたり、友達同士買い物に出かけたりする場所へと変わった。ネパール最大といわれるショッピング・モールもオープンし、タメルは外国人観光客だけではなく、ネパールの人々にとっても身近な娯楽エリアに変わっている。ネパールの慣習にはなかったクリスマスや西暦のニューイヤー、バレンタインやハロウィンなどと絡めたイベントがタメルのレストランやホテルで企画されている。イベントには、外国人観光客や富裕層だけでなく、ネパール人も集まるようになった。

近年、休日に観光に出かけるネパール人も増え始めた。かつて、国内移動の目的は信仰にもとづく参拝や、就学・就職によるものが主で、娯楽目的の観光に出かけることは一般的ではなかったが、その傾向も変わりつつある。カトマンズとポカラの中間に位置し、ヒンドゥー教の寺院があるマナカマナや、ジョムソン街道にあるムクティナートは、かつては徒歩で行かねばならない場所だった。しかし、マナカマナには1998年にネパール初のロープウェイができた。ジョムソンには2008年頃に車道が開通した影響で、参拝だけでなく、観光も組み合わせ気軽に訪れる人が増えた。2016年にはカトマンズ郊外のチャンドラギリに、2018年にはドラカ郡のカリンチョクにもロープウェイが設置され、周辺にリゾート施設やレストランができた。ネパールの人たちが、家族や友だちと訪れる観光地が次々と開発されている。

首都圏に住む学生たちは休暇に入ると、ムスタンのローマンタンやマナンのティリチョ湖、ムグにあるララ湖、ドルパのフォクソンド湖を目指す。外国人観光客に人気の高い秘境は、ネパールの若者の冒険心をくすぐる。かつてはテントと食料持参で何日も歩かないと到達できなかった場所に、今は宿泊施設が造られ、車道もひかれている。仲間でジープをチャーターして訪れることができる魅力的な場所といえよう。

農村でのホームステイにも注目が集まっている。昔ながらの土壁の家に泊まり、牛やヤギの乳しぼりをしたり、かまどに薪をくべて食事を作ったりという体験を地域あげて提供する村が増えている。ネパール全土を見れば、普段からこのような暮らしをしている人は今も多い。それを体験するために、休日にお金を払ってわざわざ出かける、ということが意外に感じられるが、地方から都市に来た者は村の暮らしを懐かしむことができ、都市出身者にとっては異文化のような新鮮さがあり、需要があるのだ。

ネパール人が観光に出かけるようになった背景として、経済的な豊かさだけでなく、ソーシャルメディアの影響も大きい。スマートフォン所有率が増え、ホテルやレストランで無料ＷｉＦｉを提供するのは当たり前、通信環境の発達により地方や山の中でもデータ通信に接続しやすい昨今、各地で体験した非日常を人々はリアルタイムでソーシャルメディアに投稿する。仲間の投稿に誘発され、皆が知る観光地から地方の穴場まで各地に出かける人が増えたのも、近年の特徴だ。

所かまわず自撮りをし、通行を妨げる、大騒ぎをする、外国人観光客を主に受け入れていた時と比べ、ゴミの投げ捨てが目立つようになった、というような公共マナーに関する問題や、にぎわう地域と観光客が素通りしてしまう地域との格差という問題も発生している。国として考えなくてはならないことはたくさんあるが、国内観光を通じて己と自国を知る人が増えることは、国の発展にもつながっていくのではないだろうか。

（春日山紀子）

参考文献

MOCTCA. 2013. *Nepal Tourism Statistics 2012*. Kathmandu: MOCTCA (Ministry of Culture, Tourism and Civil Aviation).
MOCTCA. 2016. *Nepal Tourism Statistics 2015*. Kathmandu: MOCTCA.
MOCTCA. 2019. *Nepal Tourism Statistics 2018*. Kathmandu: MOCTCA.

5

世界遺産と文化財

★ネパールを象徴するものをめぐる動き★

ネパールの特徴は何かと問われたら、一言では説明しきれない自然や文化の多様性が挙げられるだろう。その豊かな自然や文化の中には、世界遺産として、つまり「人類共通の顕著な普遍的価値を有するもの」として登録されているものもある。現在、自然遺産にサガルマータ国立公園とチトワン国立公園が、文化遺産にはカトマンズ盆地とルンビニ仏陀生誕地が登録されている。また、世界遺産の暫定リストには15件の文化財が含まれている（図1）。ここでは、これらの世界遺産に登録されている、あるいは登録されようとしている自然遺産や文化遺産から、ネパールの自然や文化を垣間見てみよう。

世界最高峰であるサガルマータ（エベレスト）は、1976年に国立公園に指定され、1979年に世界遺産（自然遺産）に登録された。この時、サガルマータの他に、ヒマラヤの氷河や深い峡谷といった地形、雪豹等の稀少動物、サガルマータ南麓に暮らす少数民族シェルパの文化も評価されている。この地域の登山やトレッキングの拠点となったソルクンブ郡北部では1960年代以降観光産業が発達し、当該地域を故地とするシェルパは登山・トレッキングガイドや旅行代理店・宿泊施設

図1　世界遺産と文化財

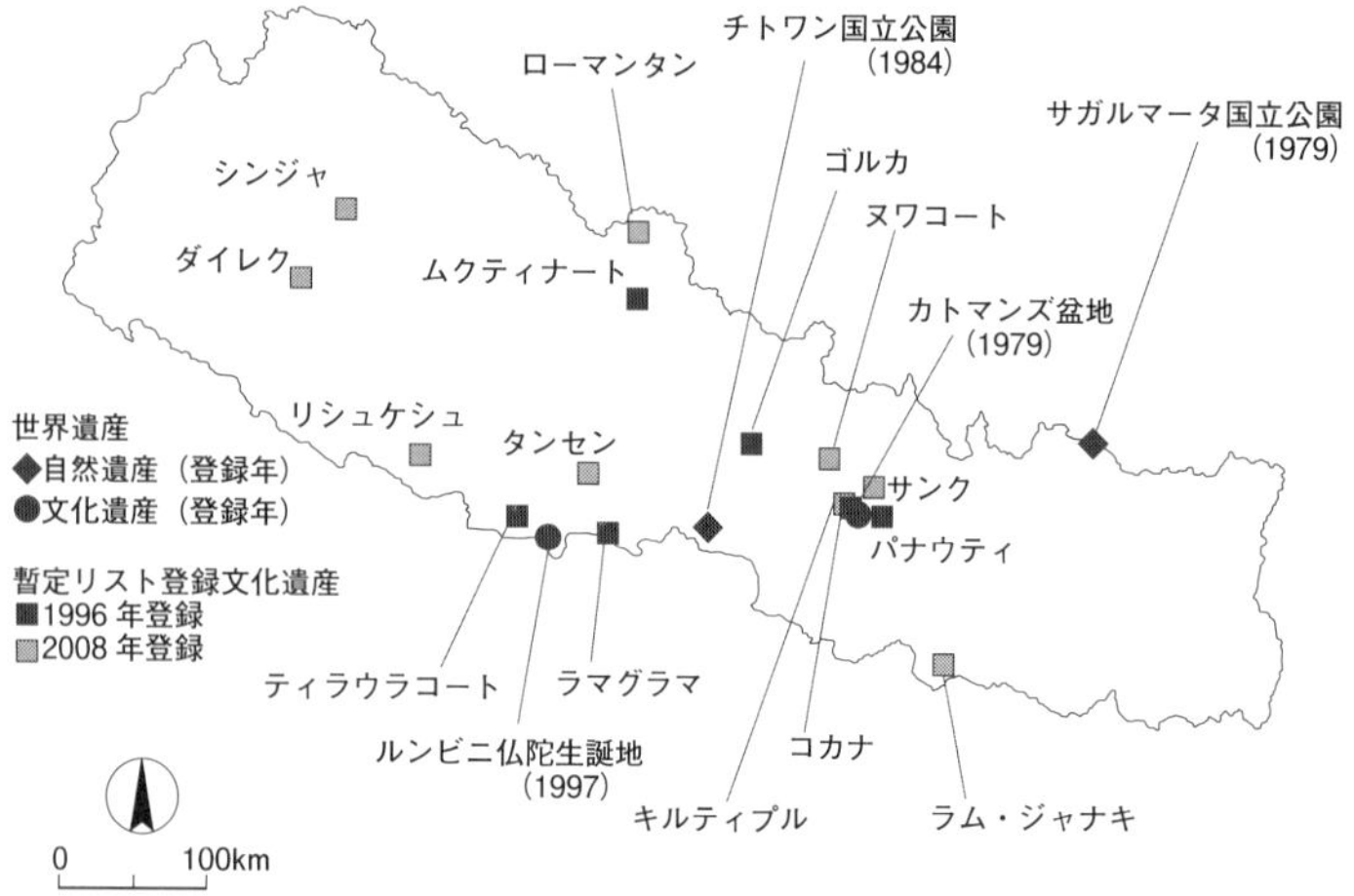

経営者として早くから活躍し、人口が少ないにもかかわらずネパールを代表する民族として知られてきた。生態系が脆弱なヒマラヤでは、環境保全の努力がなされてきたが、一方で観光客増加に伴うゴミの増加やホテル開発によって環境破壊が深刻化しており、国内外のNGOがこれらの問題に取り組んでいる。

ヒマラヤの自然とは対極的に、タライの密林に位置するチトワン国立公園は、１９８４年に世界遺産に登録された。野生動物が狩猟や開発によって激減したことを受け、サガルマータに先駆けて１９７３年に国立公園に指定されている。一角犀やベンガル虎の最後の棲息地とされ、野生動物の宝庫として知られる豊かな動植物相が残されている数少ない地域である。その豊かな自然を利用して暮らしてきた地域住民は、自然保護の観点から公園内への立入りが制限されているが、その周辺に設定された緩衝地帯では資源管理・利用が認められ、地域住民と自然環境の調和的な在り方が目指されてきた。こうした努力が功を奏して、１９８０

年代に300頭にまで減少していた一角犀は2011年には503頭に増加している（UNESCO HP）。こうした野生動物を見るために、象に乗ってジャングルサファリを楽しむ観光客が訪れ、観光産業が発達してきたが、公園周辺では乱開発が問題化している地域もある。また、違法な一角犀や虎の取引を背景に密猟が後を絶たない一方で、虎が緩衝地帯に薪を取りに来た住民を襲ったり、一角犀が公園外に出て町や村に出没し、人間に危害を加えたり畑の作物を食い荒らしたりする等、地域住民と野生動物との共生が大きな課題となっている。

観光客に人気のサガルマータとチトワン以外にも、国立公園や野生動物保護地区、狩猟保護地区等が設置され、自然環境の保全が試みられてきた。これらは、ヒマラヤとタライに集中している。一方、文化遺産（暫定リストにある文化財を含む）は、カトマンズを中心にパハールにも分布している（図1）。1996年に暫定リストに登録された文化財はカトマンズ、ゴルカ、ルンビニ、ムクティナートに位置しているが、2008年には西はシンジャやダイレク、東はジャナクプルのラム・ジャナキ寺院、北はローマンタンというようにネパールの周縁地域の文化財も含まれ、国を代表しうる文化が地理的により広い範囲で認められるようになった。広範囲に分布する文化遺産を大まかに分類すると、建国の歴史、カトマンズ盆地の歴史やそこを故地とするネワールの文化、ヒンドゥー教や仏教といった宗教に関するものに分けられよう。

これらの要素がほぼ全て含まれている文化遺産が、1979年に登録された七つの建造物群から構成されるカトマンズ盆地である。建造物群として、ネワールによって築かれてきたカトマンズ、ラリトプル、バクタプルの三古都の旧王宮、スワヤンブナートやボーダナートの仏教寺院、パシュパティナートやチャングナラヤンのヒンドゥー寺院が指定されており、カトマンズ盆地はネパールの多様な文化が凝縮された空間といえよう。但し、首都機能を持つカトマンズには多くの人口が集中し、近代化やグローバル化が他地域よりも急速に進み、それに伴う開発によって文化財が破壊・損壊されてきた。この過程で被害を受けた文化財の中には世界遺産に指定された建造物も含まれ、21世紀に入って危機リストに登録されていた期間もある。また、2015年4月に発生したネパール大地震によりカトマンズの旧王宮やバクタプル建物群をはじめ、多くの文化財が倒壊・損壊した。ボーダナートのように世界各地から支援を受けて迅速に復旧した文化財もあるが、予算はもとより伝統建築を耐震構造にしながら再建するための技術的物質的な問題や、文化財の直接の管理・利用者と複雑な行政組織との関係性の問題等により、地震から四年経過した今日でも復興作業が滞っている文化財が少なくない。

インドとの国境近くに位置するルンビニは、マヤデヴィ堂のような仏陀の生誕に関する建造物やアショーカ王が建立した記念碑等を中心に構成され、1997年に世界遺産に登録された。アショーカ王がルンビニを訪れた紀元前3世紀に、既に巡礼地となっていたと考えられるが、世界遺産に登録されて以降、急速に開発が進み、再び巡礼地としてアジアの上座部仏教圏において人気を集めている。とりわけコロンボからインドのボードガヤまで空路が開かれた2002年以降、スリランカからの巡礼者が急増している。筆者が1997年に初めてルンビニを訪れた際にはマヤデヴィ堂は発掘作業中で煉瓦が積み上げられていたが、今日では美しい白亜の建物に生まれ変わっている（写真）。また、万年灯の背後に整備された水路の両脇には、世界各地の様々な宗派の仏教寺院が建ち並んでいる。色彩豊かで個性的な仏教寺院を世界各地から訪れる僧侶や巡礼者が行き交い、さながら仏教テーマパーク

ルンビニ、マヤデヴィ堂の変化（上が1996年、下は2012年）

のような様相を呈している。ルンビニは近代化やグローバル化から距離があるかのように見えるが、近年中国による巨大開発プロジェクトも浮上し、開発の渦中にあると言えよう。

世界遺産に登録された／されようとしている文化財は図1に示したように17件あるが、これらの他にもネパールの文化財は多種多様にある。その多くはカトマンズ盆地に集中しており、2015年の地震による被害を受けたものが多い。カトマンズ盆地のランドマークとして親しまれてきた白亜の塔ダラハラ（ビムセン・タワー）もその一つであり、地震で倒壊して多くの死傷者を出したが、現在国を挙げて復興に取り組んでいる。他方で、地震によって倒壊し消失したものもあり、また地震以前に進められた道路拡幅工事等の都市開発によって人知れず姿を消していったものも少なくない。

（森本　泉）

参考文献
UNESCO　HP: https://whc.unesco.org/en/statesparties/np（2019年8月3日閲覧）
Chitwan National Park Office HP: https://www.chitwannationalpark.gov.np/index.php/news（2019年8月3日閲覧）

6

国際関係

★インド、中国、欧米★

国際政治において小国は地政学的戦略を常に考え現実主義をとる傾向がある。ネパールが世界をみる見方は、主に、二つの巨大な隣国（インド、中国）に対するイメージおよび首都カトマンズとその両国との関係を反映してきた。ネパールは最初にイギリスと1816年に外交関係を結び、次いで1947年にアメリカ、インドと、1955年に中国と、翌年には日本と国交を樹立している。

ネパールとインドは隣接し、歴史、地理、経済協力、社会文化的紐帯、人々同士の関係によって結ばれてきた。国境の行き来は自由で、友好・協力的な関係があったが、両国間の正式な国交樹立は1947年である。1950年の平和友好条約は、相互主義的とされたものの、ネパールをインドの傘の下、勢力圏に入れた。地理的な現実と条約の諸条項により、ネパールはどの国よりもインドに対して経済・戦略面で従属的になっている。

ネパールは陸封国で、1960年代まではインドを越えて外交政策を多様化することが困難だった。しかし60年代以降は、外交政策の多様化、多面的地域連携の努力が進められている。国連加盟は1955年、また同年のバンドン会議を通じ非同盟運動の設立メンバーとなり、1985年の南アジア地域協力連合（SAARC）設立では能動的・先駆的役割を果たした。ネパールは（港湾の使用などで）インドに一方的に依存しているため、1969、1989、2015年には経済封鎖を被っている。ネパールでは一般的にインドからの内政干渉があると思われているが、それは両国関係を非生産的にしている。ネパールとの戦略的利害関係に関し、インドのネルー首相は1950年の国会演説で「ヒマラヤは太古からインドの巨大なフロンティアであり主要な障壁でもある。そこへの侵入は許さない」と述べている。このネルーの現実主義・理想主義的な外交政策はそれ以降、ネパールとの交渉で常にもち出されている。中国の台頭と（一帯一路などでの）交通・通商のつながりを通したネパールへの関心の高まりで、インドは以前より神経質になっている。しかし2015年の経済封鎖がネパールの反インド感情を高めてしまったことを考慮し、インドはネパールを主権国として対等に扱う方向に態度を変えたようである。これは現N・モディ首相の第二期目に実るよう期待される。

ネパールは18世紀以来、中国との関係をチベットを通じて拡大した。両国関係は、相互尊重、不侵略、内政不干渉に基づいている。ネパールは一つの中国原則に一貫して賛成し、中華人民共和国を国連の成員とするロビー活動も行なった。一方、中国は常にネパールの社会経済発展を内政干渉せずに支えてきた。ネパールは中国との平和友好条約に1960年に調印、一帯一路構想に2017年に参加、通商通過議定書に2019年に調印している。両国ともに戦略的、地政学的現実に留意してきた。以前、英国はネパールを半植民地的中国と植民地インドの間の緩衝国とみなしていた。冷戦期、米国はネパールを共産主義の南アジアでの拡大防止のために重要視し、封じ込め政策の一環として1950年代末、「カンパ」と呼ばれたチベット武装反乱者がネパールのムスタン地方から反中国チベット解放闘争に向かうのを援助した。ネパールはビレンドラ国王主導のもと、自らの安全保障を犠牲にしつつカンパを制圧し、これを巧みに解決した。中国はこの危険に満ちた戦略的処置を評価し続けている。

2006年、南アジア地域協力連合にオブザーバー参加した際、中国はインドへの懸念を表明した。台頭する大国として中国は世界政治の中での発言力・存在感を高めており、ネパールもその外交政策の中で特有の位置を占めている。野心的な一帯一路構想への参加や通商通過議定書調印は近隣諸国や諸大国に疑念・懸念を抱かせてもいる。一帯一路と米国のインド太平洋戦略の間の競合はネパールにおいても明らかに見てとれる。ネパールは非同盟、均衡を旨とする外交政策により、これまで地域的、世界的な諸大国と等距離を保ってきたが、この政策は将来も継続されるべきである。

ネパールと英国は協力関係の200周年を祝った。両国は1815〜16年のスガウリ条約で正式に国交を樹立、1923年の（恒久）平和友好条約はそれにとって代わった。それ以来、友好、調和、相互理解、協力、国益の相互尊重は両国間関係の特徴である。1923年の条約はネパールを独立国として正式に承認するものでもあった。英国はネパールが国交を樹立した最初の国であり、また初めてカトマンズに大使館をおいた国である。1934年にロンドンに開設されたネパール最初の国外公館（公使館）は1947年に大使館となった。今日、英国はネパールにとって最大の援助国の一つであり、その年間援助額は増加傾向にある。

現在、両国関係において有望なのは観光、貿易、教育、グルカ兵関連のつながり、である。その関係には近隣諸国、特に1947年の独立まで英植民地だったインドの影響がある。ネパールの憲法制定過程に言及した2015年の印英合同の新聞紙上の声明はその一例である。ネパールはこれに対し例外的に強い姿勢をとり、憲法制定は内政事項であり自国のみで扱い得ると主張した。また英国政府はネパール陸軍のクマール・ラマ大佐を戦争犯罪人容疑でロンドンで逮捕したが、ネパール政府は報復措置として2015年大震災後の英軍機の救援活動従事を不許可としている。

ネパールと米国の間には軍事・経済の問題や文化面での関係があるが、それらは冷戦下の高度な緊張、冷戦終了直後の政治変動・体制変化、ネパールの自由化の時代などと関わりをもちつつ展開している。米国はネパールが第二番目（英国の次、1947年）に国交樹立した友好国である。米国は主導的な援助国となったが、両国関係を方向づけるのは主に戦略的、軍事的、政治的、経済的利害である。米国との関係はネパールが印・中との友好関係のバランスを保つ支えになってきたが、中国主導の一帯一路構想へのネパールの参加に米国は不快感を表明している。これからの米・ネ関係は、米国の中・印との関係を反映した国際的組織やネットワークに大きく影響されることになろう。

ネパールは印・中というアジアの新世紀の二大主導国にはさまれている。中国は国際舞台の指定席を既に獲得し、インドもまもなく席を得ようとしている。インド、中国はともに今世紀の早い時期に世界の政治的、経済的、戦略的秩序を組み替えるであろう。そこでネパールは、これまでのように均衡のとれた外交政策をとる必要がある。とるべきは隣国優先外交であるが、2015年新憲法が国益に関わる条項とネパールが進めるべき国際関係の大枠を定めていることは注目される。アジアはこれから何十年も国際情勢に大きな影響を与えると考えられる。従ってネパールは対外政策において、もっとアジアに舵を切るべきである。アジアの世紀において、ネパールにさらに必要なのは隣接する二大国の台頭をプラスに評価することである。ただ、両隣国との均衡のとれた関係維持のためには、米国のインド太平洋戦略と中国の一帯一路構想との間での賢明な舵取りが重要であり続ける。

（カドガ K. C. ／石井 溥 訳）

参考文献
Jaiswal, Pramod. 2019. *Nepal and the Great Powers*. New Delhi: Synergy Books.
MOFA. 2018. *Reorienting Nepal's Foreign Policy in a Rapidly Changing World: Report of the High Level Task Force*. Kathmandu: MOFA, Government of Nepal.
Nayak, Nihar. 2014. *Strategic Himalayas: Republican Nepal and External Powers*. New Delhi: IDSA.

II

現代政治の激動

7

農民を中核としたネパールで最初のマオイスト運動

★共和制の実現と議会における包摂へ★

1996年2月13日夜、「マオイスト」ことネパール共産党毛沢東主義派は、ネパールの山岳地帯にある3カ所の警察詰め所を同時襲撃して、「人民戦争」と呼ばれる反政府武装闘争を開始した。ネパールでは国王に権力が集中したパンチャーヤト制度が約30年間続いたあと、1990年の民主化運動により複数政党制が復活した。政治家や政党活動家が最も自由を謳歌していた時期に、マオイストは武装闘争を始めたことになる。

人民戦争を始めた当初、マオイストの武装勢力は全国で約200人ほどしかおらず、その活動も一部の山岳地帯に限られていた。しかし、マオイストはゲリラ戦法により農村部から都市部を包囲するという毛沢東の戦略に忠実に従って、徐々にその勢力を拡大していった。もともと強い支持基盤をもっていた西ネパールの山岳地帯の村々を中心に、地主や金貸しなどを襲撃する活動を始め、治安悪化とともに政府機関や銀行、警察詰め所が村から撤退すると、その空白地帯に人民政府を樹立して、独自の支配を始めた。同時に警官隊や警察詰め所を襲撃して武器を奪い、武装勢力を段階的に拡大していった。2001年7月から11月に政府との最初の和平交渉を行なったころには、郡庁所在地の国軍と警察署を襲撃するほどの武装勢力を抱え、平野部を除く大半の郡で人民政府を樹立して、国土の約8割を支配するとまで言われていた。２００１年11月23日に最初の和平交渉が決裂すると、マオイストは大規模襲撃を再開し、政府は国家非常事態宣言を発令してマオイスト掃討のために国軍を展開した。この後、ネパールは実質的に内戦状態となった。

ネパールの政治を大きく変えるきっかけとなったのは、２００５年2月1日のギャネンドラ国王によるクーデターである。国王政府は政党や市民による反国王運動への弾圧を強め、国民の間で国王に対する反発が強まるなか、マオイストは同年10月に開かれた中央委員会議で、国王政府を打倒するためにネパール会議派や統一共産党などの議会政党7党と手を組む方針を決めた。２００６年4月6日に七つの議会政党の呼びかけで、国王による独裁体制に反対する全国ゼネストが始まると、マオイストは都市部での停戦を一方的に宣言することにより、7政党による街頭運動を支持することを表明した。首都カトマンズでは国王政府が外出禁止令を発令するなか、何十万人もの市民が連日デモに参加し、ゼネストは銀行や役所にも拡大して国家の機能が停止した。19日間におよんだゼネストのあと4月24日深夜、ギャネンドラ国王は主権を国民に返し、議会を復活させることを宣言した。この後、ネパールは一気に王制

ロルパ郡タバン村にあるマオイストの学校の生徒たち

から共和制へ移行する道を進むことになった。

マオイストの登場による最大の政治的変化は、いうまでもなく王制が廃止されて、連邦共和制に移行したことである。もっとも、マオイストは人民戦争を開始した当初から、王制廃止の実現を目指していたわけではない。武装闘争を始める9日前の1996年2月4日に、マオイストのトップイデオローグであるバブラム・バッタライがシェル・バハドゥル・デウバ首相と会い、40項目からなる要求書を手渡したが、この要求のなかには王制の廃止・共和制の実現を求める項目は含まれていなかった。2001年6月1日にナラヤンヒティ王宮内でビレンドラ国王一家全員を含む王族10人が死亡した王宮虐殺事件が起きる前に、マオイストが国王の弟のディレンドラを通じて、国王と交渉していたことは周知の事実となっている。王室との交渉の場で、マオイストはカンボジアの国王のように象徴的な国王でいるのであれば、ビレンドラ国王を受け入れると伝えている。にもかかわらず、王制廃止にまで進んだのは、王宮虐殺事件後、国民の王室に対する不信が強まったこと、ビレンドラ国王亡きあとに戴冠したギャネンドラ国王が政党を弾圧して独裁体制を布こうとしたことから、それまで王制を支持してきた議会政党まで、反国王の運動を始めたことにある。王制廃止の実現にマオイストが果たした役割は無視できないが、それは議会政党による街頭運動とそれに対する国民の支持なくしては不可能だったろう。

一方、マオイストの人民戦争はネパール社会にいくつかの大きな変化をもたらした。それはマオイストが短期間にその勢力を全国に拡大することに成功した背景にも通じている。マオイストの多くは農民たちだったが、人民戦争は農民が中心的役割を果たした、ネパールの歴史上最初で最大の民衆運動だったと言える。彼らは社会的・経済的に平等な社会の実現を最大のスローガンとして、貧困層やカースト制度の最底辺にいるダリットの人たち、さらにヒンドゥー教では地位が低い女性たちを惹きつけた。マオイストの武装勢力は当初、ロルパやルクムなどのマガル（マガール）と呼ばれる山岳民族を中核にして拡大していったが、その過程で歴史的に中央政府からなおざりにされてきたとされる女性やダリット、「ジャナジャーティ」と呼ばれる民族系の人たちを武装勢力や人民政府に取り込んでいった。大勢の女性が男性と同じように武器をもって、襲撃の際には前線で戦った。人民解放軍として武装勢力が拡大するにつれて、部隊を率いる女性コマンダーも大勢誕生した。マオイストの戦う女性の姿が、その後の政界を含む各界における女性の進出の礎となったことは確かである。

ロルパ郡ババン村で開かれた人民集会で武器を披露する人民解放軍の兵士たち（2005 年）

　マオイストの運動は女性だけでなく、民族系の人たちや「マデシ」と呼ばれるインド系ネパール人の自治権要求運動の礎ともなった。マオイストは人民戦争の後半で、民族による自治区の樹立という新しい政策を導入した。２００４年１月にはマガル、グルン、タマン、タルー、キラート（ライ、リンブー）といったジャナジャーティや、マデシの人たちの自治区とその人民政府を次々に樹立した。この動きはのちに連邦制への移行につながることになる。２００６年11月21日に

とする批判もある。

人民解放軍の兵士（ロルパ郡タバン村、2003年）

政府とマオイストの間で包括和平協定が成立し、新しい憲法を制定するために2008年5月に樹立された第一次制憲議会では、初めて比例代表制が導入されて、議会の約3分の1を女性議員が占め、大勢のジャナジャーティやダリットの議員が選出され、包摂を実現した初めての議会となった。ジャナジャーティやマデシの議員は、かつてマオイストが自治区として実現を試みた、民族のアイデンティティに基づく連邦制の導入を試みたが、主要政党間の合意が成立せず、第一次制憲議会は2012年5月に解散となった。議会における包摂の実現は確かにマオイスト運動がもたらした大きな変化とみることができる。しかし、マオイストが政治の主流に入ったあとも、政党幹部に女性やダリットが皆無であることから、真の包摂は実現していない

（小倉清子）

8

包括和平合意から憲法制定にいたる10年

★政権をめぐる対立で遅れた憲法の制定★

２００６年11月21日、国王政府が倒れたあとの暫定政府を率いるギリジャ・プラサド・コイララ首相と、マオイストのプスパ・カマル・ダハル党首が包括和平合意に調印した。この日をもって、マオイストは10年間に及ぶ反政府武装闘争に正式に終止符を打った。政府との合意にしたがって、1万人を超えるマオイストの武装勢力は全国にある宿営地に滞在し、その後国連の監視下に置かれた。２００７年1月15日には73人のマオイストが暫定議会の議員となり、議会政党の仲間入りをした。ネパールにおける和平プロセスは、約２４０年間続いた王制を廃止したあとの新憲法の制定と、マオイストの武装勢力と国軍であるネパール軍の統合、紛争に関連して起きた重大

2006 年 4 月の反国王民主化運動（カトマンズ）

2008 年に開かれた第 1 次制憲議会選挙で演説をするマオイストのダハル党首

な人権侵害の被害者に対する正義の実現という三つの柱を中心に進んだ。マオイスト軍は5年半後の2012年4月10日にようやく武装解除された。マオイストは当初、戦闘員全員を国軍に統合することを要求していたが、最終的に国軍に統合されたのは全体の約1割にあたる1400人あまりだった。

新憲法制定については、包括和平合意により2007年6月に制憲議会選挙が行なわれることになっていた。しかし、同年1月にインド国境に近いタライで、マオイスト軍戦闘員がインド系ネパール人からなるマデシ政党の支持者を射殺したことが引き金となって、マデシ暴動が始まったことから、治安が悪化し選挙は延期された。二度の延期を経て2008年4月10日に行なわれた制憲議会選挙では、紛争中に村々にまで党組織を拡大していたマオイストが他の主要政党の基盤が弱まった農村部で最も活発な選挙活動を展開した。それでも大半の関係者がマオイストはネパール会議派と統一共産党に次ぐ第三政党になると予測していたが、開票が始まると、主要二党の古参政治家が次々に落選して、マオイストの無名の候補者が当選する現象が全国で巻き起こった。マオイストは大方の予測を裏切って、601議席中220議席を獲得して最大政党に躍り出た。

2008年5月28日に開かれた制憲議会の最初の議会で、王制を廃止して連邦共和制に移行する動議が圧倒的多数の議席の支持により可決された。8月15日にはマオイストのプスパ・カマル・ダハル党首が首相に選出され、最初のマオイスト政府が発足したものの、この政府は8カ月半しか続かなかった。ダハル政府が倒れるきっかけになったのは、国軍のルクマンガト・カトワル参謀長とラム・バハドゥル・タパ国防大臣の確執だった。ダハル首相がカトワル参謀長を罷免する動きに出ると、野党のネパール会議派だけでなく、連立与党のパートナーである統一共産党内部からも強い反発が巻き起こり、2009年5月3日、ヤダブ大統領が介入してカトワル参謀長にポストにとどまるよう指示をだした。その翌日、ダハル首相は大統領がとった措置が暫定憲法と国軍の文民統制に反するものであると批判して、首相を辞任することを明らかにした。

2009年にマオイスト軍宿営地で開かれた記念集会で行進する女性兵士

ダハル首相の辞任後、ネパールは政権をめぐる政治混乱が続いた。統一共産党のマダブ・クマール・ネパールが首相に選出されてネパール会議派との連立政府を樹立したが、2010年5月28日に制憲議会が憲法を制定せずに2年間の任期を終えたことから、制憲議会の任期延長を支持することと引き換えに、ネパール首相の辞任を求めたマオイストの要求に従って、ネパール首相は同年6月末に辞任した。それでも政界の混乱はおさまらず、その後7カ月間、議会で16回にわたって首相選挙が行なわれたにもかかわらず、首相が決まらない状態が続いた。2011年2月に誕生した統一共産党のジャラナート・カナル首相の政府も6カ月しかもたず、マオイスト軍と国軍の統合を進めることができなかった責任をとって辞任した。

この後、マオイストの二人目の首相としてバブラム・バッタライが新政府を率いることになった。バッタライ首相は反汚職キャンペーンなどの行政改革を最優先政策に掲げて、国民の支持を取り付けようと試みたが、時がたつにつれて、政権維持にばかり務める姿勢が目立ち批判を浴びるようになった。2012年5月27日には新憲法を制定しないままにバッタライ首相が制憲議会を解散した。最初の制憲議会が憲法を制定できなかった最大の理由は、連邦制の基本となる州について、主要政党間で合意を取り付けることができなかったことにある。

主要政党は2013年3月、最高裁判所のキルラージ・レグミ判事長を首相とする内閣の下で第二次制憲議会選挙を行なうことで合意し、8カ月後の11月に選挙が行なわれた。結果はネパール会議派が196議席をとって第一政党に、統一共産党は175議席を獲得して第二政党になった。一方、マオイストは前回よりも議席数を大幅に減らして80議席しか獲得できなかった。第二次制憲議会の任期は1年とされ、2014年1月22日に最初の議会が開かれた。ネパール会議派のスシル・コイララ首相が率いる統一共産党との連立政府は2015年1月22日までに憲法を制定し、その後辞任することを公約したが、憲法制定の作業はなかなか進まなかった。主要政党は連邦制をはじめとする憲法の未解決問題について包括的な合意を試みたが、民族のアイデンティティに基づく連邦制を主張するマオイストとマデシ政党が連合を結成して与党と対立。与党は制憲議会における強行採決を試みたが、野党による強い反発にあって憲法制定の作業は暗礁に乗り上げた。

憲法制定に向けて主要政党がようやく動きだしたのは、2015年4月25日にゴルカを震源とする地震が起きたあとのことである。震災で国家が危機に瀕したことにより、早期の憲法発布に対する主要政党の姿勢が真剣みを帯びたといえる。6月8日には主要政党間で、新憲法の未解決問題と政権交代に関する「16項目の合意」が成立した。この合意で、連邦制の核となる州境と州名を決めずに憲法を公布することを決めたことについて、マデシ政党から強い反対の声が上がった。

与党内の反対とインド政府からの圧力もあり、主要政党は州境を決めて憲法を公布することに方針を変更した。8月9日、制憲議会で州の数を六つとする憲法の改正草案が出されると、スルケットをはじめとする郡で州境に不満を持つ市民が抗議運動をはじめ、デモ隊に警官隊が発砲して死傷者が出た。西ネパールのカイラリとカンチャンプルの2郡では、タルーの人たちが自治州を求めて無期限ゼネストを始めた。その後、主要政党はスルケットなどにおける抗議運動を考慮して、州の数を七つにすることを決めたが、タルーの要求が受け入れられなかったことから、カイラリ郡ティカプルでは暴徒が警官8人と警官の子供1人を殺害する事態になった。

9月5日に主要政党が七つの州のまま憲法の改正草案を制憲議会で採決にかけることを決めると、これに反対するマデシ系政党は制憲議会を離脱した。マデシ政党が不在のまま、9月16日に開かれた制憲議会で憲法草案の全条項が承認され、9月20日に「ネパール憲法2015」が公布された。1951年にトリブバン国王が憲法を制定するための議会選挙を行なうことを約したものの、実現することはなかった。以来、国民の手で憲法を制定するという65年におよぶネパール国民の「夢」がようやくかなったことになる。

一方、和平プロセスの3番目の柱である紛争被害者に対する正義の実現は遅々として進まなかった。10年におよぶマオイストの紛争中にマオイストと政府の側により殺害された人は1万7千人を超え、今も2500人を超える人が行方不明となっている。政府は、紛争被害者とその家族に弁償金を配布するとともに、紛争に関連した人権侵害のケースを調査して被害者と加害者を同定し、和解あるいは法的な措置をとるために、2015年2月10日に真実・和解委員会を設置した。委員会には6万件を超える人権侵害のケースが提出されたが、委員会は4年間の任期中に3千件足らずの前調査しか終えることができず、2019年2月に解散となった。紛争の当事者であるマオイストを含む与党のネパール共産党の政府は、新委員を任命して委員会の任期を延長することを決めた。しかし、委員の人選に政治的な思惑が絡んでいること、国際的な人権団体が転換期における正義に関する法律を国際的な人権法の基準に従って改正するまでは、委員を任命しないよう圧力をかけていることなどから、新委員会の発足が遅れていたが、2020年1月に与野党の合意により、ネパール法科キャンパスの助教授であるガネシュ・ダッタ・バッタを真実・和解委員会の委員長に任命することが決まった。（小倉清子）

9

新憲法の特徴と法の整備

★法の理念と運用のギャップ★

現行ネパール憲法は、2015年9月20日に公布された。長い苦労の末に完成した優れた民主的近代憲法である。

ネパール最初の「憲法」は1948年に生まれたが、あくまで王政下のもので、実質的な立憲君主制が採用されたのは1990年であった。これは王政（パンチャーヤト体制）に対する民主化運動の結果であるが、この1990年憲法も国王に一定の政治的権能を残していたため、民主化・世俗化を求める運動は止まらず、1996年には政治への不満を募らせた民衆の支持を背景にしたマオイストによる内戦に突入した。

10年に及ぶ内戦の後、2007年1月には、遂に王政そのものの廃止・連邦民主共和制への移行に向けた暫定憲法が公布され、制憲議会選挙を経て新憲法制定に向けた作業が始まった。ところが、制憲議会は2012年5月に憲法を制定できないまま任期満了を迎えてしまう。2014年に第二次制憲議会が発足し、2015年9月、ようやく現行の新憲法の成立に至った。

10年間の内戦の後になお約8年間もの憲法の空白ができてしまったことが、この国の難しさを物語る。ネパール社会は100を超える民族ないしカースト（ジャート）というある種のヒエラルキーに組み込まれた諸集団で構成されている複雑な社会である。既存政党（マオイストを含む）、指導者層、上位カーストらの政治主導に反感を抱くグループは多く、利害調整には困難が伴う。この新憲法の制定に際しても、タライ地域のマデシ・グループが州の分割によって地域が分断される可能性や帰化人の権利が限定されることに激しく反対したほか、少数民族や女性団体からも懸念の声が上がった。他方で国家の世俗化に対してはヒンドゥーの保守派から反対の声が上がった。各地で起きた抗議行動に伴い少なくとも40人が死亡したとされる。

現行憲法の目玉は何といっても正式に王政を廃し民主制を規定したこと、連邦制を採用したこと、そしてヒンドゥー教を国教から外し世俗化の流れを決定づけたことであろう。国家の統一性や主権を害することを法によって規制しうるという留保はあるものの、人権規定も充実しており、また多様性への配慮も見られる。

国家の元首は大統領とされるが（61条）、原則として行政権を掌握する内閣（75条1項）の助言と承認（on recommendation and with the consent）に基づき権限を行使する（66条2項）。政治的な実権は首相にある。

連邦制への移行に伴い、行政区分が整理され国土は七つの州に分けられた。地方分権が健全に果たされ行政アクセスの促進や地方のリソース活用が成功すれば、多様な国民のニーズに応えることも期待できよう。もっとも、大規模な行政機構の再構築を進めるには膨大な作業とリソースが必要である。ネパールではこれがなかなか難しい。中央と地方との間では、具体的な権限分配に対するすれ違いも見て取れる。理想は高くとも実務は必ずしも思い通りに動かない。憲法制定にも時間がかかったが、その中身を履行するのもまた容易でない。

人権規定を見ると、例えば情報アクセス権やプライバシー権の明文、死刑の禁止、犯罪被害者の権利、環境に対する権利や保健サービスを受ける権利、食品に関する権利、消費者の権利、社会保障を受ける権利、女性の権利、子どもの権利、高齢者の権利等、我が国の憲法よりも詳細で、手厚く人権を保障しようという理念が読み取れる。

ネパール弁護士会の執行部メンバーと（2019 年 8 月）

もっとも、権利の保障と実現はまた別である。情報アクセス権が認められているものの、性犯罪を助長するとの理由で海外のポルノサイトへのアクセスが一斉にシャットアウトされ議論を呼んでいる。水質汚染や近年特に深刻化する大気汚染の改善の見通しは立っておらず、環境に対する権利がどう実現されていくかは分からない。また、子供の学業の妨げになり暴力性を助長するということで、世界中で人気のある特定のオンラインゲームが突然禁止され、最高裁判所で合憲性が争われることになった。

多様性への配慮という点で目を引くのは、憲法全体を通して、平等権ないしマイノリティの政治的参画の機会保障に目が配られていることだ。およそカーストや民族、性別といった属性による差別は否定されているが、加えて不可触民の差別禁止、ダリットの権利も定められている。他にも、各言語と文化に関する権利や、マイノリティ・被差別属性の人々が公務に参加する権利、更に進んで積極的差別是正措置を設定するための規定もある。連邦議会議員にも多様性が求められる。各政党は下院議員（275名）の3分の1以上を女性としなければならない。新憲法下で初の選挙では選挙区で男性が多く当選したため、比例代表でバランスをとることとなった。また比例代表候補者について、女性やダリット、先住民や障害者等のマイノリティの代表を出すよう連邦法で規定できる。上院議員（59名）は、各州から少なくとも女性3名、ダリット1名、障害者かマイノリティ1名が選ばれる必要がある。また、マイノリティに関する政策立案や条約履行監視・勧告を行なうため、女性委員会、ダリット委員会、先住民委員会、マデシ委員会、タルー委員会、ムスリム委員会等の設置も定められている。

もっとも、慣習化した身分制度はそう簡単に変わるものではなく、社会生活の在り方にまで浸透するにはまだまだ長い時間がかかると思われる。カーストをまたいだ結婚にはまだ困難が伴うし、政府の要職の多くは上位カーストの人々が占めている。

新憲法下で、各法律の整備も併せて進められている。

近年最大の法整備は、2018年8月に施行された民法・民事訴訟法・刑法・刑事訴訟法・量刑法の5法であろう（民法は南アジア初の統一民法典となった）。それまでは、この5法が未分化のまま渾然一体となったMuluki Ain（ムルキ・アイン「国法」）という法律が160年余りにわたって使用されてきたが、これを関係法令と併せて分割・整理・改正したのである。

改正点は多岐にわたるが、民法では、婚姻・後見・保佐・養子縁組等の整備、所有権及び占有権概念の明確化、用益権の整備、不当利得と不法行為制度の採用、国際私法の整備等がなされた。刑事法ではチャウパディ（生理中ないし出産時の女性を屋外の小屋に隔離する風習）の犯罪化、逮捕状、執行猶予制度、仮釈放制度、保護観察制度の採用等が挙げられる。

ネパール憲法及び民法等法整備・略年表

1854 年	ムルキ・アイン法典（ヒンドゥー、カースト規範を含む。慣習法を成文化した民法、刑法、民事訴訟法、刑事訴訟法に相当する規定を含む包括的な法典。憲法とは異なる。）
1948 年	1948 年「憲法」
1951 年	1951 年「憲法」
1959 年	1959 年憲法
1962 年	1962 年憲法　パンチャーヤト制
1990 年	1990 年憲法　民主化　パンチャーヤト制廃止　立憲君主制の採用
1996 ～ 2006 年	マオイストによる内戦　（2006 年包括和平合意）
2007 年 1 月	暫定憲法公布　同年 6 月に予定された制憲議会選挙は暴動により延期
2008 年 4 月	制憲議会選挙　5 月王政廃止・連邦共和制移行の採択
2011 年 2 月	ムルキ・アインに代わる民法、刑法、民事訴訟法、刑事訴訟法、量刑法の各法案が制憲議会に提出される
2012 年 5 月	制憲議会の解散　ムルキ・アインに代わる各法案は審議未了で失効
2013 年 11 月	第 2 次制憲議会選挙
2014 年 1 月	第 2 次制憲議会発足
2014 年 12 月	民法、刑法、民事訴訟法、刑事訴訟法、量刑法の修正草案の制憲議会への提出
2015 年 9 月 20 日	憲法公布　制憲議会は立法議会へ移行
2017 年 10 月	ムルキ・アイン法典の廃止　民法、民事訴訟法、刑法、刑事訴訟法、量刑法の制定、 2018 年施行

もっとも、新法の施行までこぎつけても、普及・運用はなかなか進まない。一般国民への周知啓蒙のみならず、特に地方の弁護士・法律家らにとってもキャッチアップは容易でない。また行政は種々の新制度を運用する体制の整備に手間取っている。

法整備の必要な分野は未だ多く残っているが、ネパールの知識層は優れた知見を持ち、法律の整備や発展に意欲的だ。一方で、実務・運用は大きく後れをとっており、整備・制定された法の理念をいかにして現実のものとするかがこの国にとっての本当の挑戦といえよう。

（石﨑明人）

ネパールの行政単位、各レベルの首長、議会（等）

ネパール連邦民主共和国 Federal Democratic Republic of Nepal [saṅghīya loktantrik ganatantra nepāl]

行政単位	首長・議会	英語名称	ネパール語名称
連邦		Federation	saṅgha
	大統領	President	rāṣṭrapati
	首相	Prime Minister	pradhān mantrī
	下院	House of Representatives	pratinidhi sabhā
	上院	National Assembly	rāṣṭriya sabhā
州（7 州）		Province	pradeś
	州首相 / 州知事	Chief Minister	pradeś pramukh
	州議会	Province Assembly	pradeś sabhā
郡（77 郡）		District	jillā
	郡長官＝郡調整委員会の長官	Exective Head	pramukh
	CDO	Chief District Officer	pramukh jillā adhikārī
	郡議会	District Assembly	jillā sabhā
	（郡調整委員会）	District Coordination Committee	jillā samanvaya samiti
【地方自治体】			
都市（6 都市）		Metropolitan City	mahā-nagarpālikā
	市長＝都市議会議長	Mayor	pramukh
	都市議会	Municipal Assembly	nagar sabhā
市（11 市）		Sub-metropolitan City	upa-mahā-nagarpālikā
	市長＝市議会議長	Mayor	pramukh
	市議会	Municipal Assembly	nagar sabhā
町（267 町）		Municipality	nagarpālikā
	町長＝町議会議長	Mayor	pramukh
	町議会	Municipal Assembly	nagar sabhā
村（460 村）		Rural Municipality	gāũpālikā
	村長＝村議会議長	Chairperson	adhyakṣa
	村議会	Village Assembly	gāũ sabhā
地区（6743 地区）		Ward	vaḍā (samiti)
	区長＝地区委員会委員長	Ward Chairperson	vaḍā adhyakṣa
	地区委員会	Ward Committee	vaḍā samiti

【備考】

大統領	連邦と州の議員が構成する選挙団が選出
首相	下院の第一党党首を大統領が首相に任命
下院	275 人　総選挙、含比例留保
上院	59 人　各州から選出＋任命
州首相 / 州知事	大統領が任命
CDO	政府が任命
郡調整委員会	地方自治体間、中央政府・州との調整、開発等のモニター。成員 9 人以内、郡議会が選出
地方自治体	徴税、政策立案、財政管理等。各レベルでの選挙
6 都市	カトマンズ、ポカラ、ラリトプル、パラトプル、ビラトナガル、ビルガンジ

（石井　溥／中川寛章）

10

法と紛争解決

★紛争とその解決から見るネパール社会★

ネパールでは、基本法として約160年前の1854年に制定された民事・刑事、実体法・手続法が一体となっているムルキ・アイン法典が改正されつつ運用されてきた。しかし、条文の内容が不明瞭な点もあるなど、現代社会における紛争解決の手段としては、十分な機能を果たしていなかった。あわせて、ムルキ・アイン法典はヒンドゥー教、カースト制度を基としており、1963年に改正され差別規定は削除されたものの、国際基準からすると、女性や、エスニック・マイノリティに対する不平等な規定が依然一部残っていた。

ネパールにおける社会の格差・不平等は、1990年半ばから始まった10年に及ぶマオイストによる武装紛争の大きな引き金となっており、紛争終結後の新生ネパール連邦民主共和国では社会の格差・不平等を解消するため、民主化政策の一環の中で、法・司法制度の改革への機運が高まっていた。政府はムルキ・アイン法典を廃止し、同法典に代わる民法、民事訴訟法、刑法、刑事訴訟法、量刑法を制定し、ネパールの社会、伝統とも調和を図りつつ、国際標準に合わせることを目指した。

これらの法律は、2012年の第一次憲法制定議会の解散や、その後も続く政治・社会的混乱により成立に時間を要したが、民法起草・立法過程における日本政府やJICAの支援の後押しも受け、2017年10月に成立し、2018年8月から施行されている。

司法制度は三審制（一部の紛争は特別裁判所が一審となる）で、第一審の地方裁判所は、75郡の郡都（現在は連邦制に移行しており郡は統合改編されている）に置かれている。しかし、地域によっては郡都まで何日もかかる場所もあり、裁判所に対する手数料や弁護士費用等も必要であることと相まって、一般の国民にとって、裁判所へのアクセスは物理的にも心理的にも近いとはいえない状態であった。

ネパール最高裁判所は紛争終結後、司法制度改革のための5カ年計画の策定・更新を継続的に行ない、改革に取り組んできている。2012年6月に行なわれた調査では、結審に3年以上要する事件が全体の40％に上るなど、訴訟の遅延問題も、裁判所における解決が敬遠される理由となっていた。その後の司法制度改革の取組やJICAをはじめとする支援の成果もあり、裁判の迅速化が図られてきており、2015年には2年以上かかる事件が12％まで低下している。また、民事事件については、司法調停制度を採り入れ、一定の事件を調停に付託するための通知を出すなど、当事者間による迅速な紛争解決を図るための取組も行なっている。

しかし、ネパール全土においては、依然、住所制度が整備されていないなか、書状の送達が困難であったり、判決に基づく民事執行ができなかったりする問題等、制度運用上の課題もある。司法制度改善のみならず、社会・インフラ基盤整備の必要性もあり、引き続き長期的な取組みが求められる。

他方、一般の人々の生活上でより身近なもめごとや諍いを解決する手段として、ネパールでは伝統的に、コミュニティにおける紛争解決の仕組みが存在し、村の有力者や長老が仲裁役を担っていた。

１９６０年代以降、パンチャーヤト制が敷かれる中で、紛争解決の仕組みも一定程度制度化され、村人が選出した代表者からなる合議体により、村人間で解決される仕組みが構築された。その後、１９９０年代にマオイストによる実効支配が行なわれた地域では、裁判所が設置され、その地域を支配するマオイストによって紛争が解決されることになった。10年間にわたる紛争が続く中では、マオイストが支配していない地域においても、政治家や政党がコミュニティにも深く浸透し、コミュニティにおける紛争解決にも影響を及ぼすようになっていった。

10年間の紛争に加え、紛争終結後も政治的混乱が続く中、コミュニティにおける紛争の肥大化や政治問題化が新たな国内紛争の火種となることが危惧された。国際機関や国際ＮＧＯはコミュニティにおいて村人を中立な調停人として育成し、住民間の争いを中心に問題解決のファシリテーションを行なうための「コミュニティ調停」の取組を行なってきた。ＪＩＣＡもこの取組の制度化を支援し、コミュニティ調停は２０１７年に制定された地方自治運営法にも反映されるなど、法的枠組みが整備されていった。地方自治運営法の下、２０１７年に20年ぶりの地方選挙が行なわれた後、副市長と市の議員からなる「司法委員会」が設置され、コミュニティ調停は、司法委員会の下に置かれることとなった。また、地方裁判所が司法委員会の監督権を有することとなっており、ネパールにおいては、村々で行なわれていたインフォーマルな紛争解決方法が、徐々に制度化され、公的な司法制度にも近づきながら、互いに影響しつつ、発展している段階にあるといえる。

裁判所やコミュニティ調停に持ち込まれている実際の紛争に関する紛争終結後の変化について、関係者に聞き取りを行なうと、土地問題、相続問題、賃貸借問題などは、パンチャーヤトの時代から現在まで大きな変化はなく、身近な紛争として取り扱われている事案が多いとの意見が聞かれる。

他方、内戦終結後の変化として見られる事案に、ダリット（不可触民）と非ダリット住民間の紛争の減少があげられる。南部の平野部では依然としてダリット住民に対する差別意識が強いものの、新憲法にも掲げられている「社会的包摂」が、民主化後のネパール社会において、重要なキーワードの一つとして浸透していることや、教育・生活水準の向上、NGO等の啓蒙活動による人々の意識向上があると考えられている。

一方で、内戦終結直後には、存在しなかった紛争が増えているとの指摘もある。若者が海外に出稼ぎにいくことが増え、夫が長く家を空けることによって生じる家庭不和や離婚、家庭内暴力、インフラ整備が進み物流がよくなったことによるアルコール・麻薬に端を発する問題など、豊かになってきていることの裏返しともいえる紛争も増加している。

人間が社会で生きる以上、諍いが起きることは不可避である。ただ、紛争が起こった時に両紛争当事者にとって、平等な形で解決されるための手段が確保され、納得のいく形で解決されることが、新たな紛争を惹起せず、社会の安定にも寄与する。そのためには裁判における紛争解決と、コミュニティにおけるインフォーマルな紛争解決をはじめとするADR（Alternative Dispute Resolution）による解決方法の両方が影響しあいつつ発展することが必要であり、ネパールは現在、その途上にあると考えられる。

また、社会の変化・発展によって、人々が納得できる紛争解決手段やその内容も移り変わっていく。内戦終結後のネパール社会の写し鏡として、紛争解決手段やその内容が今後どう変化していくのか、注視していきたい。

（竹内麻衣子）

11

連邦制の行方

★マデシの要求を中心に★

２００６年11月の包括的和平合意によって10年以上続いた武力紛争が正式に終結した。ネパールにふたたび平和が訪れ、カトマンズは幸福感に満ちているように感じられた。しかしその翌月あたりから、タライ平野で情勢が不安定化する。インドとの国境に近いネパールガンジという街で、「マデシ」と呼ばれる人たちが「連邦制」を要求するデモをしようとしたところ、警察がそれを暴力的に阻止し、またパハリと呼ばれる丘陵部出身の若者たちが、マデシが経営する店舗を襲撃したのだ。怪我をしたマデシたちが運び込まれた病院の中にまで、暴徒たちは追いかけてきて、さらに暴力を振るった。この様子を記録したDVDが拡散し、マデシ政党は２００７年１月から２月にかけて、タライ全土でバンダ（ゼネスト）を宣言し、激しい抗議行動を展開した。この鎮圧にあたった警察は30名近くの人々を射殺し、数百名を負傷させたが、抗議は収まらなかった。ギリジャ・プラサド・コイララが首相を務める暫定政府と、マデシのリーダーたちとのあいだで３カ月にわたって交渉が重ねられ、ネパールを連邦国家にするという宣言によって、事態はいったん収束した。

ネパールガンジ、破壊されたトリブバン国王像の土台部分に殉死者「カマル・マデシ」の名がペインティングされている（2008年）

このような抗議を行なった「マデシ」とは誰で、かれらはなぜ、そして、どのような「連邦制」を要求していたのだろうか？

マデシとは、タライ平野に住み、マイティリー、ボージュプリー、アワディーなどの北インド系諸語を話す人々の総称である。18世紀後半のネパール統一以来、その政治と社会を支配してきたネパール語を母語とする丘陵部ヒンドゥーの人たちとは、文化的に異なる。１９６０年代以降、パンチャーヤト体制のもとで制度化されたネパールのナショナリズムの特徴は、インドとの違いを強調することだった。そこではネパール中部丘陵部の文化が真正のネパール文化を代表するものとされ、国語としてのネパール語がナショナリズムの重要な柱となっていた。このなかで、ネパール語を第一言語とせず、その多くがインド側の住民とも親族関係を持つマデシは、常にネパール国家への忠誠を疑われる存在となってきた。マデシの人口構成は複雑で、高カーストから低カースト、教育水準の高い人から低い人も含む。著名な政治家やコラムニスト、エンジニアや教育関係の要職についているマデシの人たちもいる。農業をしたり、雑貨屋を営んだり、路上でものを売っている人たちもいる。しかし、かれらに共通するのは、ネパールに生まれ育ちながら、ネパール社会においてさまざまな差別を経験しているということである。ネパールの全人口に占める割合に比して、軍隊や警察に職を得ているマデシの人数も極端に少ない。

マデシの政治的要求の歴史は、少なくとも1950年代まで遡る。1951年に設立されたネパール・タライ・コングレスは、タライの自治、ヒンディー語の公用語化、公務員へのマデシの積極的採用などを要求していた。1957年にネパール語が初等公教育の唯一の教授言語に定められると、これに反対するタライ・コングレスとネパール・ナショナリストとの間で衝突が起こった。家庭や日常生活でネパール語を使わないマデシの人たちにとって、学校での勉強が難しくなり、公務員試験でも不利になる。ある程度の社会的地位を得たとしても、日常的にネパール語の発音や服装をからかわれ、「ネパール人ではないだろう」と言われる。連邦制が導入され、タライ平野が自治州となることで、このような問題を解決できると期待されたのである。マオイストは、民族自治を「人民戦争」の目的の一つに掲げており、2000年には「マデシ国民解放戦線」という名の下部組織も設立していた。しかし包括的和平合意や暫定憲法の制定過程で、マオイストも、他の主要政党も、連邦制を重要課題には挙げず、これに多くのマデシが怒ったのだ。

しかしタライ平野がマデシの自治州となるという可能性は、すぐに別の抵抗を呼び起こす。東ネパールのリンブーやライの民族活動家たちは、東ネパールは丘陵部もタライ平野も含めて、かれらの自治州の一部であると強く反発した。またタライ平野西部のタルーは、タライの先住民である自分たちは、マデシとはまったく異なる民族であり、タライの少なくとも西半分はタルーの自治州とすべきだと主張した。さらに、もっと原理的な反対もあった。100を超える民族/カーストが混ざり合って住むネパールを、いくつかの民族アイデンティティによって分割すれば、民族間の溝が深まり、国の統一が脅かされるというものだ。

図１　第一回制憲議会に提出された、連邦区分け案（10 州案）、斜線部分がタライで、東半分は「マデシュ-ミティラー-ボージュプリー」、西半分は「マデシュ-アワド-タルーワン」と呼ぶことが提案されていた

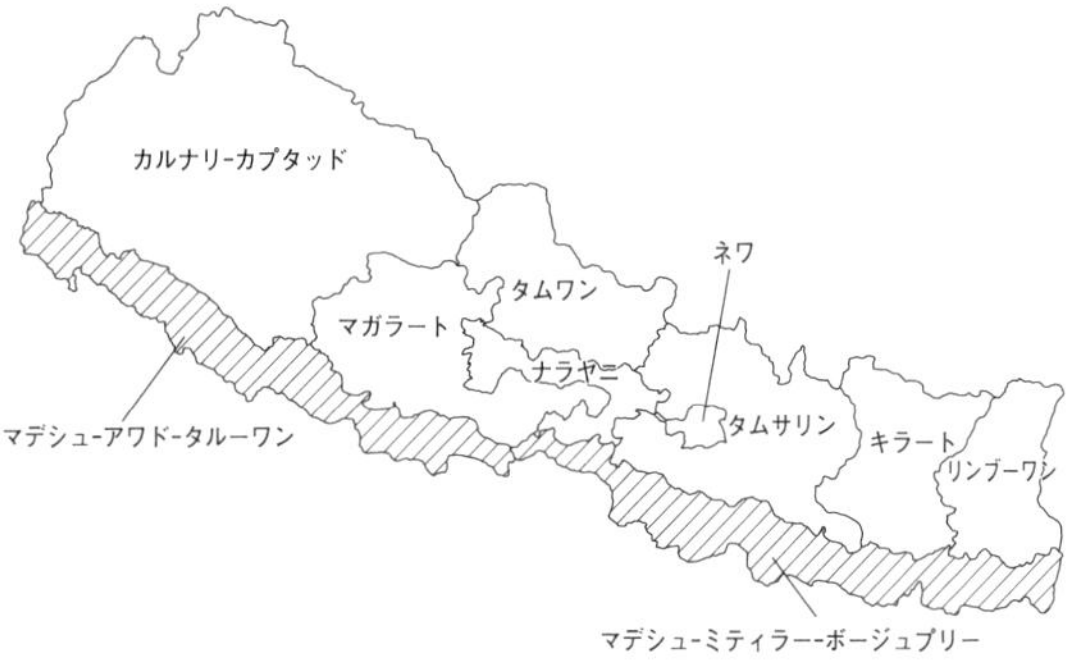

図２　新憲法下の７州からなる連邦地区。斜線部が第二州

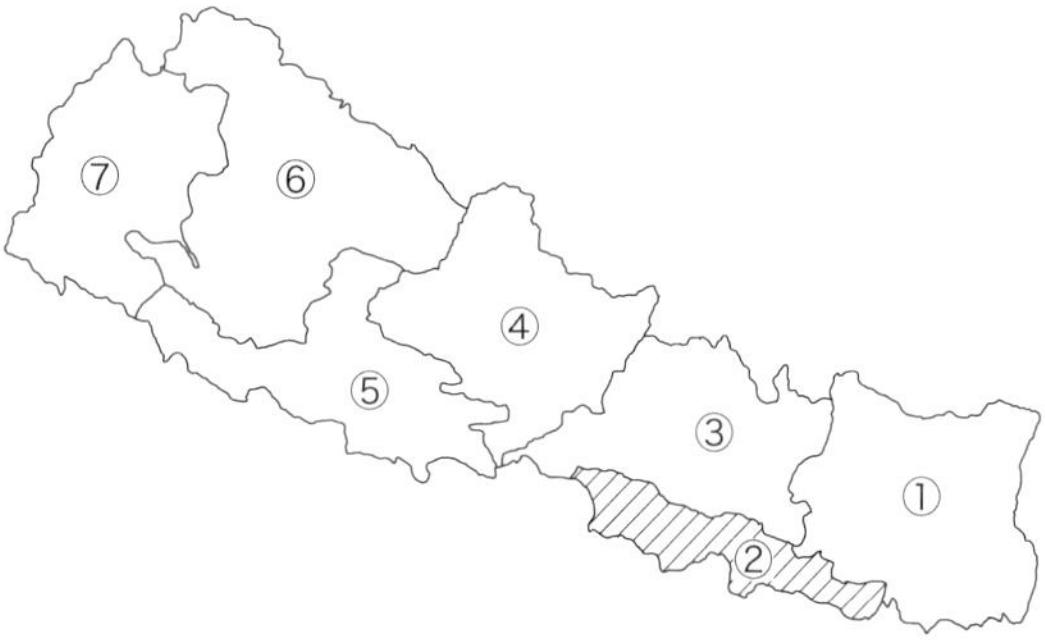

第一次制憲議会（２００８〜１２年）においては、民族的アイデンティティに配慮した連邦制案が構想されていたが、マオイストとマデシ政党が大きく議席を減らした第二次制憲議会（２０１４〜１７年）では、そのような配慮も大きく後退した。新憲法制定にともなう連邦州の区分けは、最終的には、主要政党リーダーによる密室での交渉によって決められた。憲法発布を前にタライでは激しい抗議行動が行なわれ、民間人と警察官を含む、50人以上の死者が出た。インド政府は、ネパール政府に対して、憲法発布を延期するように働きかけていたが、それを無視して憲法が発布されると、その直後から半年以上にわたって、ネパールへの非公式の物流停止を行なった。

新しい憲法では、連邦、州、地方自治体（市、村）の三つのレベルが設けられ、中央から地方への抜本的な権力の移譲が謳われている。新憲法下の最初の地方自治体選挙に際しては、「それぞれの村

に政府ができる」というスローガンが流布した。地方自治体が扱う予算も、これまでとは桁違いに大きなものとなる。新憲法に激しく反対していた民族活動家の多くも、その憲法の下での選挙に参加した。

新憲法によって定められた七つの州のうち、第二州は東タライの八つの郡からなる州である。この州はそもそもマデシが要求していた「タライ全体」に比べれば遥かに小さい。しかし、この州の540万に上る人口のうち、圧倒的多数はマデシであり、ネパール語を第一言語とする人は6・7％にとどまる。マデシが大多数を占める州で、どのような「自治」が行なわれるかという実験がなされる場所だとも言える。2017年の州議会選挙を経て、マデシでムスリムであるラールバブ・ラウトが初代の州首相に就任した。州政府は「豊かで差別のない社会」を目標として掲げ、州の警察官を含む公務員の半数は女性を採用すると宣言した。しかし、連邦中央政府は、州警察の指揮権も、州レベルの公務員の人事権も、中央政府が管轄するという方針を示し、州政府側はこれを「憲法違反である」として、激しく反発している。第二州の州都であるジャナクプルに住むスレンドラ・ラブ教授は、「ここで連邦制が失敗すれば、連邦制は全国的に失敗するだろう」と述べている（*Nepali Times* 2018.6.15）。このさき、連邦制は、地方自治をとおして、ネパールの多様性を活かした社会の発展をもたらすのだろうか？　あるいは表層的な変化にとどまるのだろうか？

（藤倉達郎）

参考文献
藤倉達郎 2017「何に包摂されるのか？——ポスト紛争期のネパールにおけるマデシとタルーの民族自治要求運動をめぐって」『体制転換期ネパールにおける「包摂」の諸相——言説政治・社会実践・生活世界』名和克郎（編）、233〜256頁、三元社。
Jha, Dipendra. 2018. *Federal Nepal: Trials and Tribulations*. Delhi: Aakar Books.

12

王制廃止後の宗教状況

★伝統文化保全運動の現在と展望★

王制廃止はネパールの宗教状況にも大きな影響を及ぼした。それまでネパールは世界唯一の「ヒンドゥー（教を国教とする）国家」であったが、法的にその規定が外され「世俗国家」とされたのである。ただ「世俗」（英語ではsecular）と訳されるネパール語（dharma nirapeksha）のニュアンスは「宗教に中立な」というほどの意味で、新しいネパールで宗教が否定されたわけではない。また当初と異なり２０１５年の憲法では「古来より行なわれてきた宗教・文化の保護を伴う宗教・文化の自由」と限定する説明が入り、ヒンドゥー勢力（や仏教側）からの揺り戻しがあったと思われる。宗教も政治的駆け引きの大きな対象なのである。なお信教の自由の面では、以前と同様に他人を改宗させることは不可であることにも留意しておきたい。

ネパールで王制が廃止される前後から、ネパールの諸民族には自分たちの言語や伝統文化を守ろうとする気運が高まっていた。ことにネワール族による伝統文化保全運動は、他の少数民族にも大きな刺激を与えていた。そこに出現したマオイストたちの暴力的な銃弾は、国内に戦禍の混乱をもたらす一方で、異教徒の少数民族には、圧倒的なヒンドゥー教国家の権力を前に抱えていた閉塞感を打破するための、強力な援護射撃にもなった。マオイストらによる政治上の成功体験を目の当たりにして、少数民族の者たちも自らの権利を強く主張するようになったのである。それにともなって（2018年の時点で）、日本政府に難民認定を申請する少数民族出身のネパール人の中に、その申請理由としてマオイストによる暴力の被害を訴えるほかに、自らの伝統文化を固持してヒンドゥー教徒から迫害を受けたと主張する者たちが見られるようになった。

中国（チベット）国境に近い山岳地域に住まうチベット系の諸民族は、ことに積極的に民族運動を展開し、ヒンドゥー教文化とは異なる自身の文化を宣揚するようになった。それに呼応して、チベット仏教は目を見張る勢いでカトマンズ盆地内に進出し始めた。すでに20世紀初頭にボーダナートは盆地におけるチベット仏教徒たちの一大拠点と化していたが、同世紀末にはスヴァヤンブー（スワヤンブー）仏塔周辺の景観も、ネワール仏教の根本聖地というよりは、一見するとチベット仏教の聖地であるかと思わせるほどに変貌した。そして今世紀に入ると、大規模なチベット仏教寺院がカトマンズ旧市内にも建てられるようになった。かつてラサに定住し、チベットとの交易によってばく大な富を得たネワール商人たち（ラサ・ネワールと呼ばれた）は、敬虔な仏教徒として、帰国後にその利益の多くをネワール仏教の興隆に費やした。今はチベットを経由した中国からの移民が、ネパール国内でホテルやレストラン経営などのビジネスに携わる事例が目立っている。

ネワール仏教の僧侶階級はヴァジュラーチャールヤとシャーキャという二つのグループで構成される。儀礼仏教と評されるネワール仏教は、主に前者（司祭僧）によって維持されている。儀礼を司祭する能力を得るために、彼らはいくつもの専門知識と技術を習得しなければならない。ネワール仏教

上座部仏教僧侶らの集団托鉢（2016 年 8 月 20 日、提供：Kamal Ratna Tuladhar 氏）

舞踊はその不可欠な必修科目の一つである。儀礼の最中に司祭僧は仏に変身して、信者の願い事を仏に取り次ぐ。その仏の姿を、舞踊はつぶさに司祭僧に教えている。それゆえにその舞踊は、彼ら司祭僧の間だけで代々秘密裡に受け継がれてきた。ところがネワール仏教の衰退によって、その伝統の存続が危ぶまれる事態に陥った。ヴァジュラーチャールヤの若者には、司祭僧の職業に魅力が感じられなくなってしまっているからである。そこで１９８０年代から一部の司祭僧たちが主導して、司祭僧以外の者たちにも舞踊習得の機会が設けられるようになった。大半の保守的な司祭僧たちはその試みを激しく非難した。それでも今日では、保守派のリーダー的な司祭僧でさえ、部外者が秘密の伝統舞踊を学ぶことに理解を示すようになった。隔世の感を抱かせる変化の原因は、まさしくネワール仏教の衰退、ことに秘密舞踊の伝統消滅への危機感にある。そこにはネワール仏教の伝統文化を守ろうとする意識が強く働いている。

一方、儀礼仏教のもとでは、歴史上の仏陀釈尊の末裔と自称するシャーキャたちには活躍の場が限られている。それで彼らの一部は前世紀前半に国外から上座部仏教を導入し、そこに活路を求めようとした。ネワール仏教僧侶階級から上座部仏教僧侶に転向（帰依）したシャーキャの比率は、ヴァジュラーチャールヤのそれよりもはるかに大きい。ただしその転向は、比較的に少数の成人男女個人に限られていた。ところが今世紀に入ると、上座部仏教への帰依者(ネワール仏教僧侶階級以外の者たちも含めて、出家信者と在家信者ともに)の数は増大した。現在では、東南アジア諸国で見られるような、上座部仏教僧侶らによる街頭での集団托鉢行進が、カトマンズやパタンの市内でも催されている。ネパールにおける上座部仏教は、カトマンズ盆地内に関する限り、飛躍的に活発化している。

それに対して、王制が廃止され、ヒンドゥー教が国教としての地位を失ってからというもの、ネパールのヒンドゥー教徒たちは国王という絶対的な求心力を失った喪失感に呆然としている。彼らはその予兆として、生き神クマリに関する論争があったと述懐する。少女神クマリは仏教僧侶階級から選出されながら、毎年の恒例行事として国王を祝福し、国王の統治を正当化する役割を担ってきた。それが今世紀に入るや、クマリになる少女の人権侵害問題が議論されるようになった。ある老ヒンドゥー教徒は、「当時はなぜそれが社会問題になるのか分からなかったが、今はそれが王制への間接的な批判だったのだと理解できる」と語った。

同様に、ネワール仏教徒が12年ごとに開催する大布施行事では、それまで国王はじめ多数の王族の者たちが主賓として招待されていた。ネパール国王はヴィシュヌ神の体現者と崇められる一方で、ヒンドゥー教の教義では仏陀はヴィシュヌ神の十変化身の一つとされた。それで国王はネワール仏教徒の祭礼にも招待されてきた。ところが1993年の行事では、国王夫妻招待の是非が議論された末に、王妃の臨席が見送られたばかりか、主催者側の仏教僧侶長老たちが国王の足もとにひれ伏するという、恒例の光景も見られなかった。そして2006年に催された別の宗教行事では、参列した国王夫妻に対して「歓迎無縁?拍手なし」と報道された。

かつて国王は、ネパールの諸宗教（それを信奉する民族）とヒンドゥー教国家との間の距離感を測るための〈起点〉であった。国王がどのような宗教行事に公式参列したか（またはしなかったか）、そしてそれがどのように報道されたかを観察する時に、国王はそのための最も信頼できる〈起点〉になった。国王が社会の表舞台から去った今、彼に代わる新たな〈起点〉を見つける必要がある。王制廃止後のネパールのヒンドゥー教徒たちも国王に代わる新たなカリスマを模索しているが、その見通しは開けていない。（追記：古いネワール仏教写本の奥書もまた、しばしば当時の国王の動向を記し、また国王の世俗権力と仏教の優劣を示唆するので、その観察に役立つ）。

その一方で、前国王の動向が今もしばしばマスコミに取り上げられ、近年には往時の王制を懐かしむ声も聞かれる。そうした気運のなかで、かつてのヒンドゥー教国家復活を目指す動きが認められる。注目すべきことに、（現段階では一部の）ヴァジュラーチャールヤ司祭僧たちがその運動に参加している。そもそも、インドで消滅した仏教がネパール（カトマンズ盆地）で存続しえたのは、ネワール仏教僧侶階級という存在がヒンドゥー教のカースト制度によって守られてきたからであった。ネワール仏教とヒンドゥー教は、儀礼尊重主義を共通の基盤として相互依存の関係にある。ヒンドゥー教国家の復活運動を通じて、彼らは儀礼仏教の復権を目指しているかのようである。

（吉崎一美）

参考文献
吉崎一美 2019「ネワール仏教近代化の一側面――仏典の売買」『印度学仏教学研究』67―2、158〜162頁。
吉崎一美 近刊（2020）「ネワール仏教の秘密舞踊――その伝統継承をめぐって」『印度学仏教学研究』掲載予定。
Yoshizaki Kazumi. 2012. *The Kathmandu Valley as a Water Pot: Abstracts of Research Papers on Newar Buddhism in Nepal.* Kathmandu: Vajra Publications.

III

経済の変化と海外労働

13

経済変化

★困難な自然・政治環境の中で成長を目指す★

1985年にはじめてネパールを訪問した。以降、2年に1回くらいネパールを訪問してきたが、ネパールの経済状況も大きく変化してきた。当時は、カトマンズ市内は家と畑が混ざり合い、牧歌的で自然が多い環境であった。朝は鳥や牛の鳴声で目が覚め、木々や草の匂いに包まれた。しかし、カトマンズの人口の急増により、畑は次々と宅地になり、近年では郊外のコンクリート3、4階建ての家も珍しくない。以下、過去30数年間の経済変化を振り返り、将来への展望を考える。

ネパール経済は厳しい自然と政治環境に置かれてきた。地政学的にインドと中国の二大国に挟まれた内陸国であり、南部のタライ以外の地域は山脈で分断されている。この地理的条件は製品やサービスの流通、人々の移動には不便であり、経済発展には大きな制約である。政治的な出来事も数々発生してきた。1990年代の民主化運動から始まり、マオイストによる武装闘争、王族射殺事件、王室によるクーデター、議会の復活、制憲議会選挙と王政の廃止、憲法公布直後に発生したインドとの国境封鎖等の問題が次々に起きた。

それにもかかわらず、この30年ぐらいの間にネパールはあ

第13章
経済変化

る程度の経済成長を示してきた。1985年と2018年を比較すると、名目GDP（国内総生産）は26億米ドルから288億米ドルへと11倍に、実質GDPは54億米ドルから228億米ドルへと4・2倍に増加した。人口は1685万人から2808万人へと、1・67倍に増加しているが、一人当たりGDPも155米ドルから1025米ドルへと6・6倍に伸びた。

GDPを産業別に見ると（1985年と2016年の比較）、農業の占める割合は49・0%から31・6%へと減少した。工業は11・5%から14・2%へと増加し、サービス業は39・5%から54・2%へと大幅に増大して主要産業になった。ネパールルピーの価値は1985年から2017年の間に5〜6分の1になった。

輸出入に関して、1995年と2017年を比較すると、輸入総額は13億3千万米ドルから100億4千万米ドルへと急増している反面、輸出総額は3億5千万米ドルから7億4千万米ドルへと伸び率が低い。そのため、貿易収支は9億9千万米ドルの赤字から93億米ドルの赤字へと大幅に悪化した。主な輸出品は糸、ウールカーペット、既製服であり、輸入品は工業製品、金・銀、機械類である。輸出入ともにインドが過半を占めている。

2015年に新憲法が公布されたが、2017年以降のネパールの経済成長率は6〜7%を示しており、経済状況は改善している。民間部門の活発化、地震後の建物の再建のための公的投資、海外からの直接投資、サービス業の著しい成長と工業の一定の伸びが主な要因である。2017年、観光客は前年比25%増加し、平均滞在日数は12・6日である。ただし、未だに3割弱が貧困にあり、ネパールの経済は海外で働くネパール人からの送金に大きく依存している。海外からの送金額は6億米ドルレベルに増加し、送金の割合はGDP額の30％近くにまで達した。近年、カトマンズ郊外には新しく建てられた立派な家が多く見られるが、出稼ぎで得た収入で建てられたものも多いようだ。海外からの送金に大きく依存する経済自体、若者の地域離れ、家族関係の希薄化等の社会的問題を生じさせる。海外で留学や就業経験のある人たちが経験や知識を活かし新しい地域産業を興すことが期待される。

２０１８年には海外からネパールへの直接投資は大きく増加した。外国投資に関する法律規則が整備され各地で経済特区の設置が進んでいる。インドと中国からのエネルギー、製造、サービス、観光分野への直接投資が多い。１９８０年代後半のマレーシアのように、直接投資による製品やサービスの生産では、雇用増大、税収増加、輸出による外貨獲得、技術移転、教育機会の提供等が見込まれる。

２０１８年にはネパール国家計画委員会により経済センサスの速報結果が公表された。ＪＩＣＡも支援し、地域別に事業所数等のデータが測定されたが、これらのデータは、雇用機会拡大の対策に役立つであろう。

地域間の交通の便が極端に悪いという課題を解決すると同時に中国とインドからの経済効果を受けるにはどうすれば良いか？　インフラすなわち輸送網（道路、鉄道、空港等）、エネルギー供給網（パイプライン、送電線等）、活動拠点（経済特区、工業団地等）、金融ネットワーク、インターネットサーバー等を整備し、コミュニティ間の接続性を強化することが必要である。生産者、流通業者、販売者、消費者が緊密に接続して流通のシステムが確立できる。中国は「一帯一路」政策により中央アジア、ヨーロッパとのサプライチェーン強化を図っており、ネパールからチベットへの交易の先には中国沿海部や中央アジア、東欧、西欧まで見据えることが出来る。他方、インドを含む南アジア地域は世界でも最も急成長を遂げている地域であり、そこに位置していること自体、経済の高成長の機会である。国内の山岳地帯や貧困地域も経済活動に包含し、収入を得る機会を増やすためにも、必要なインフラはネパールを中心に考えて構築すべきだ。

高地へのアクセスが改善されることにより、高地農業と観光の組み合わせも可能になる。山岳地帯で、現地の気候風土に適した茶、香料、野菜、薬草、果実、花等の農産物の栽培や家畜の飼育を行なう。ベトナム中南部ラムドン省のダラットは標高1500メートルで、冷涼な気候を利用した野菜や花の栽培を行なっており、農業生産物は国内だけでなく海外にも輸出している。同時に、観光地としても有名であり、年間約400万人が訪れる農業と観光が混ざり合った、美しい都市である。ネパールの地方村落も高地農業と観光の組み合わせに大きな可能性がある。トレッキングのみならず家族旅行や長期滞在といった観光の質的な変化ももたらす。スイスがヨーロッパの途上国から先進国になる契機となったのは19世紀半ばから建設された登山鉄道であった。

ネパールの山岳地帯には北から南に何本もの大河が流れており、水資源の潜在力は大きい。今まで多くの援助機関等が水資源開発を試みてきたが、未だに十分な開発は行なわれていない。例えば、世界銀行は1980年代にアルン河に発電プロジェクトを提案した。しかし、当時の世界銀行が推し進めていた政府の役割よりも市場原理を優先する構造調整政策への批判、環境問題や強制移住への反対が強く、断念するに至った。今後、環境問題や住民移転に十分配慮し、発電と電力輸出、農業灌漑システムの構築、上下水道の整備、飲料水の輸出、水災害予防、管理された林業等を含む総合的な地域開発政策を策定すべきだ。カトマンズの水不足、河川の汚染、交通渋滞、公衆衛生等の問題解決にも効果が期待できる。

個人や小規模な起業家によるＩＴソフトサービスの海外への提供、女性の自立を目的とした社会的企業も現れており、このような芽を育てていかなければならない。

以上のように、世界とネパールの状況は変化しており、ネパール経済が困難から脱却し安定した成長を実現させる日も遠くない。

（湊　直信）

参考文献
浅沼信爾・小浜裕久　２０１３『途上国の旅——開発政策のナラティブ』（第９章ネパール：開発の挫折）勁草書房。

14

外国投資

★外国直接投資を通した経済成長の課題★

ネパールにおける外国投資は1981年の外国投資及び技術移転法から始まり、1990年の民主化にともなってリベラルな経済政策が採択され、外国直接投資（以下FDI）を誘致する措置が講じられた。さらに、ネパール政府は2015年に外国直接投資に関する新しい政策を打ち出し、輸出促進と輸入管理を通じて貿易収支のバランスを保つとともに、産業優先分野における投資と技術、技能、知識を取り込むことで、よりダイナミックで競争力のある経済を目指している。

国の成長や発展にとって重要な要素の一つであるFDIを誘致するためには、投資家にとって有利な政策とビジネス環境が不可欠である。これまでネパールでは頻発する政変によって、誘致や投資家の信頼を得ることに集中できずにいたが、ネパールには投資の機会が多く存在していることは忘れてはならない。恵まれた自然資源、興味を引く文化的、生物学的な多様性、中国とインドという二大国に挟まれた戦略的な立地などが挙げられる。ネパールは、この二つの急成長する経済大国の間にあって、26億人以上を抱える両市場に容易にアクセスすることができる。また、ネパールの人口2900万人のうち60％が15歳か

外国投資の推移（単位：百万ルピー）

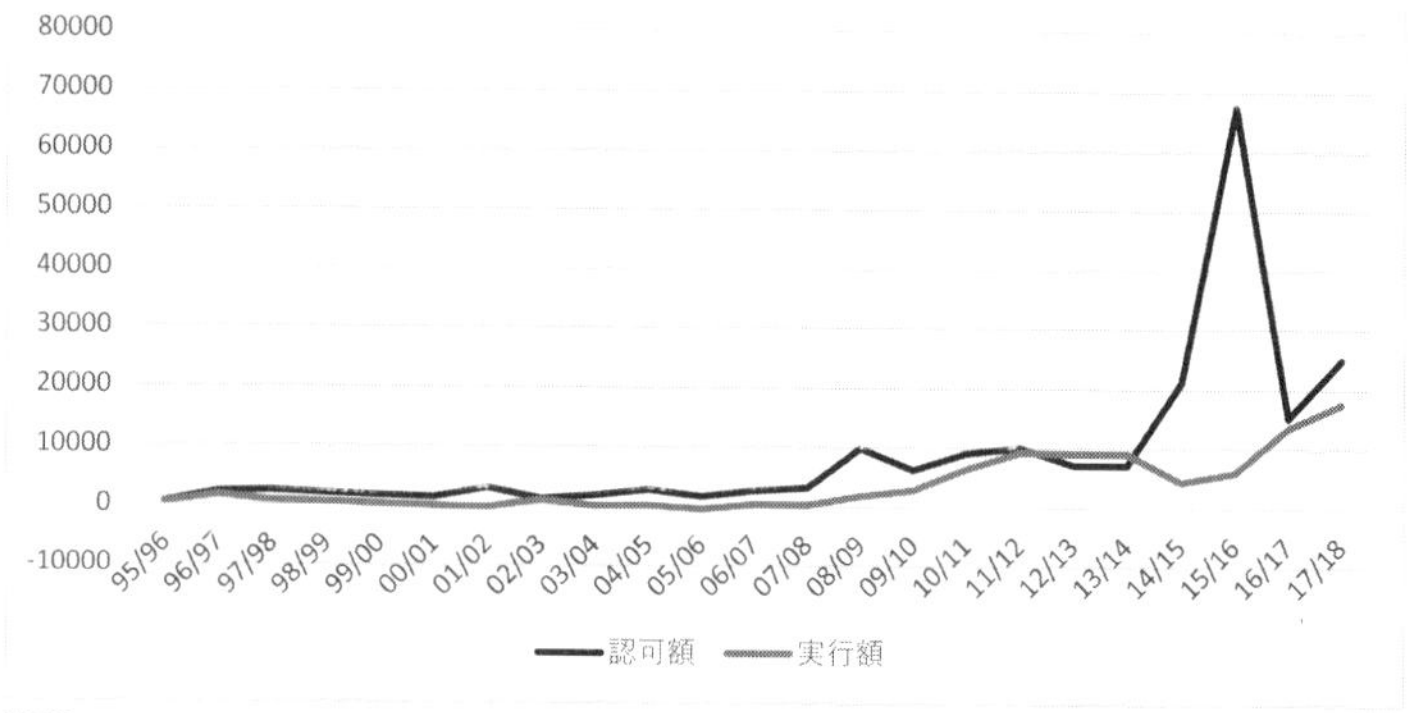

出所：Nepal Rastra Bank/Department of Industry

ら65歳の生産年齢人口である。人件費は比較的安く、そのうえ、外国人投資家はほとんどの業種で株式の100％所有が認められている。さらに法律により資本や利益の本国送金も認められている。

ネパールでは、FDIによって国と投資家の双方が恩恵を受けることができるよう、エネルギー、観光、製造業、運輸インフラ、情報通信技術や農業などの優先分野に重点的に投資を呼び込もうとしており、これまでの受け入れは4580社におよび、2018年7月までのFDIの合計額は2726億8千万ルピーに上っている。

ネパールのFDIは世界のFDI総額の0・01％しか占めていないため、さらなる誘致に向けて手続きの簡素化に必要な制度上、法律上の整備が行なわれてきた。ネパールにおけるFDI残高は2016年7月中旬の時点で1377億ルピー（GDPの6・1％）であり、前年度と比較して29・7％も増加している。さらに2017／18年度の最初の10カ月間で498・7億ルピーのFDIが約束されたが、実現したのはわずかであり、ネパール中央銀行によるとこの間のFDIは1551億ルピーであった。世界39カ国の外国人投資家がネパール国内の252社に投資し、そのうち支払済資本金ベースではインドが主たる投資国であった。

ネパール投資サミット2019では、国の内外の投資家から175億ドル相当の投資案件が約束された。サミットでは現政府による「富めるネパール、ハッピーなネパール人」という政治的レトリックを喧伝することに成功した。しかし、約束されたことが実現されるかどうかは未だ不透明であり、短期的にも長期的にも結果に結びつくような改革に向けて、ネパール投資庁（IBN）は国との調整を怠っているのではないかと非難も受けている。ネパールの連邦制度により、政府は新たな行政システムのもとで人材管理の難しさに直面している。

ネパールは2030年までに中所得国になることを目指している。中所得国になるには毎年二桁台の成長率を達成し、また生産性の高い分野に一層多くの投資を呼び込み、さらにインフラ開発だけでも毎年GDPの12%ほど投資しなければならない。

インフラ状況、政治的安定性、法整備、金融・財政能力、人材開発、官僚機構の反応の速さや国内の治安状況など、多くのパラメーターをもって投資が測られるとするならば、ネパールはそれを保証するだけの近代的な組織を作り上げ、生産性にも大きな変化をもたらすことができるといえる。また、投資によりネパールの若者には雇用の機会がもたらされ、自動的に中所得国に成長することができるだろう。

今の情報技術（IT）や人工知能（AI）の時代においては、ネパールは実践的な技術をもった人材を開発することによって、科学、技術、数学のイノベーションに取り組んでいく必要がある。今日のグローバルなマーケットは、国境を越えたデジタル市場に進出できる技術を必要としており、ITやAIのイノベーションによって、海や国境（陸）へのつながりをもたなくても、技術開発や技術革新が可能となる。

このビジョンを実現するためにもFDIがより効果的でなければならない。ネパールでのFDI認可に関連する機関は、ネパール投資庁、ネパール工業省や国内の民間企業である。ネパール商工会議所やネパール商工会議所連合会では外国のあらゆる業種に対して、よりFDIに関与してもらえるよう活発に支援している。参考文献にあげた投資ガイドをぜひご参照いただきたい。

（バララム・シュレスタ／イヴォンヌ・チャング 訳）

参考文献

「ネパール投資ガイド2018」ネパール投資庁。
http://investmentsummitnepal.com/wp-content/uploads/2019/01/Investment-Guide-Book-2018_Japanese.pdf

Procedural Manual for Foreign Investment in Nepal, 2016, Ministry of Industry
http://grs.com.np/wp-content/uploads/2019/02/Procedural-Manual-for-Foreign-Investment-in-Nepal-2016.pdf

Project Showcase, Nepal Investment Summit Secretariat 2019, Office of the Investment Board Nepal
https://investmentsummitnepal.com/project-showcase/

UNCTAD World Investment Report 2018, UNCTAD
https://unctad.org/en/PublicationsLibrary/wir2018_overview_en.pdf

15

出稼ぎの先兵

★グルカ兵とゴルカ兵★

グルカ（Gurkha）兵とは外国の陸軍・警察に雇用されるネパール人兵士である。現在、英国陸軍やインド陸軍、シンガポール警察隊グルカ分遣隊、ブルネイ王国グルカ予備隊などが、グルカ兵を雇用している。第二次世界大戦中には、旧英領インド陸軍の兵士としてミャンマーで旧日本軍兵士と戦った。グルカ兵という名称は、彼らの父祖がネパール王国の前身であるゴルカ王国の兵士であったことに由来している。そのため、インド陸軍では1949年以降、彼らをゴルカ（Gorkha）兵と呼んでいる。ネパール王国は民主化以前、インド亜大陸を越える渡航を制限してきたが、その中にあって海外に出稼ぎに行く先駆けとなっていたのがグルカ兵である。

グルカ兵の雇用は、英国ネパール戦争（1814～16）の最中である1815年に、英国側がゴルカ王国軍兵士の捕虜を雇用したことから始まったと言われる。当初、ネパールの為政者たちはグルカ兵の雇用を快く思わなかったため、国内における徴募を妨害していた。しかし、彼らはネパールの植民地化を防ぎ国内の政治体制を安定させるためには、英国の支持が必要であると考えるようになり、19世紀後半に協力的姿勢に転じた。

グルカ兵は、英国による植民地支配の懐刀としてその防衛と治安維持に携わったほか、英国が関わった主な戦争に派兵されてきた。第二次世界大戦時には約11万2千人が動員された。

1947年にインドとパキスタンが英国から分離独立すると、英領インド陸軍にあったグルカ兵の10個連隊のうち、第二、第六、第七、第十連隊は英国陸軍の所属となり、その他の連隊はインド陸軍の所属となった。インド陸軍はさらに、1947年に第十一連隊を再設立し、現在では5万人程度のゴルカ兵を雇用している。英国陸軍ではグルカ兵は順次削減され、グルカ旅団の定員は2019年に3416人であったが、2026年までに4450人に増員する予定である。

英国陸軍のグルカ兵は正規兵であるが、かつてその給与と恩給はインド陸軍の俸給表に従うものと定められ、同階級の英国人将兵の5分の1程度にとどまっていた。英国よりも物価の安いネパールで家族が生活しているからというのが、その理由であった。また、階級も英国人将兵よりも格下の階級であった。英国市民権の取得も認められなかった。家族帯同勤務も制限されていたため、多くのグルカ兵が単身赴任であった。しかし、グルカ兵の給与・恩給はネパールに送金され、ネパールにとって外貨の貴重な獲得源となった。

グルカ兵の8割以上はグルンやマガル、ライ、リンブーなどのチベット・ビルマ語系諸民族の出身者であり、残りはチェトリやタクリ、バフンなど、ネパール語を母語とするヒンドゥー高カーストの出身者である。しかしながら、駐屯地では、ネパール人という共通のアイデンティティを維持すべく、公式的及び非公式的な政策が実施されてきた。駐屯地ではネパール語が共通語として用いられ、ダサインなどのヒンドゥー祭礼も開催されている。香港返還（1997年）の前は、兵士が外国人女性と結

ダサイン祭礼において最高位のグルカ士官から祝福を受けるグルカ兵（2003年、ブルネイ）

婚しようとすると、上官から「次回の契約更改に影響するから断念するように」と圧力をかけられた。

しかし、英国陸軍のこのような雇用制度は１９９０年代から２０００年代にかけて大幅に変更された。ネパールが民主化され、英国陸軍で香港返還に伴うリストラが実施されると、退役グルカ兵が差別的待遇に対する抗議運動を始めた。その結果、グルカ兵は英兵と同等の待遇を選択することができるようになったのである。２００７年からは英国への定住も認められ市民権申請が解禁された。以来、多くのグルカ兵が英国市民権を取得し、オルダショットなど、駐屯地に近いイングランド南部の町に居を構えている。これらの地域の町の中にはネパール系住民の人口が全人口の10％をすでに越えたところもある。また、退役グルカ兵の中には地方議会の議員となったものもある。

一方、インド陸軍に所属することとなったゴルカ兵には、独立後初の国勢調査（１９５１年）に際してインド市民権を得る権利が与えられた。ネパール生まれのゴルカ兵であっても待遇はインド出身者と同等である。ゴルカ兵は中印国境紛争（１９６２年）などの主要な紛争に派兵されてきた。彼らの中には退役後も、ネパールに帰国せずに、退役手続きを進めたウッタラカンド州デラドゥーン市にそのままとどまる者が多くあった。それは、子供の教育にとって、デラドゥーンに住んだ方がネパールに帰国するよりも好都合だと考えたからであった。ゴルカ兵の子孫の中には、兵士や兵士の妻となる者があるほか、サッカー選手やホテルマン、作家など他の職に就く者もいる。

ネパール系インド人の中には、インド陸軍で雇用するゴルカ兵をネパール系インド人に限定すべきだと主張する人もいる。しかし、インド陸軍の高位の士官には、ネパールで生育したゴルカ兵の資質を高く評価する人が多い。そのため、インド軍は今も、ネパール領のポカラやインド領のゴラクプル、ダージリンでゴルカ兵を募集している。

ネパールで軍人の家柄に生まれ軍人を目指す男性にとって、最も望ましい就職先は英国陸軍で、次がインド陸軍、最後にネパール陸軍であるという。そのため英国陸軍への志願倍率は80倍程度に達し、インド陸軍のそれは15倍程度である。グルカ兵ないしゴルカ兵は、その多くが英国ないしインドで市民権を取得している。ネパール市民権法は重国籍を認めないので、彼らはネパール市民権を失ってしまう。

しかし、グルカ兵とゴルカ兵、ネパールの間には国境を越える社会的・法的紐帯がある。インド陸軍ゴルカ兵の中には、休暇でネパールに旅した折に、結婚相手をみつける者もある。そうした兵士は結婚後、妻方親族・家族と互いに訪問するなどして交流する。英国に移住したグルカ兵やその家族もダサイン祭礼の折などにネパールに帰国し、親類縁者と旧交を温めている。さらに英国陸軍の退役グルカ兵は、ネパールにおける二重市民権／国籍の法制化を求める在外ネパール人協会（Non-Resident Nepali Association）の運動に加わっている。この運動の結果、在外ネパール人カード（２００７年在外ネパール人法）と在外ネパール市民権（２０１５年憲法）が制定された。在外ネパール人に与えられた経済的特権を生かしてネパールでホテル事業を始めた退役グルカ兵もいる。出稼ぎの先兵となったグルカ兵とゴルカ兵ではあるが、ネパールとの結びつきをさまざまな形で維持しているのである。そして今、他のネパール人たちも、グルカ兵らが開拓した越境紐帯をたどるようにして世界各国へと渡航している。

（上杉妙子）

参考文献

Gould, Tony. 1999. *Imperial Warriors: Britain and the Gurkhas*. London: Granta Books.
Banskota, Purushottam. 1994. *The Gurkha Connection: A History of the Gurkha Recruitment in the British Indian Army*. New Delhi: Nirala Publications.
上杉妙子 ２０１４「移民の軍務と市民権——１９９７年前グルカ兵の英国定住権獲得をめぐる電子版新聞紙上の論争と対立」『国立民族学博物館研究報告』38（４）。
https://minpaku.repo.nii.ac.jp/?action=repository_action_common_download&item_id=3831&item_no=1&attribute_id=18&file_no=1

16

グルカ陸軍退役軍人組織の運動

★個人的な追想と現状★

この章では、グルカ陸軍退役軍人組織（Gurkha Army Ex-Servicemen's Organisation, GAESO）に関わった私の経験から、グルカ兵の平等な権利を求める運動とその到達点、ネパール社会に及ぼした主な影響について述べたい。

GAESOと関わった私の経験は以下の三つのエピソードにまとめることができる。

エピソード1：GAESO運動の道筋を三国間協定をめぐる問題提起から人権侵害をめぐるそれへと転換させたこと

1990年代後半、GAESOは（グルカ兵雇用をめぐり）ネパール、英国、インドが結んだ三国間協定に基づき英国政府に公正な処遇を要求していたが、成果を上げられる見込みはなかった。当時のGAESO事務局長ヤム・バハドゥル・グルンは、ラリトプルのドビガートにある私の自宅の近所に住んでいたが、ある晴れた日の朝、私に会いに来た。私たちは書斎でGAESO運動の進展について話し合った。私は彼に、もしGAESOが長年の懸案である公正性を追求するのなら、三国間協定に基づいて相応の権利を求めるという戦略は見込みがないので放棄するべきだと言った。その代わり視点を人権問題に移して、英国が現役・退役グルカ兵の人権を侵害してきたと欧州連合（EU）に訴えるべきだと私は進言した。英国はEUの加盟国であり、人権問題は重要になっているので、ほどなくしてGAESOの要求を受け入れざるを得なくなるだろう、と。私はヤムに、こんな芸当ができるのはネパールではただ一人、ゴパール・シワコティ弁護士、通称チンタンのみだと言った。同時に、GAESOが彼の光の面を利用できれば運動は輝くだろうが、影の面にはまれば失敗するだろうとも警告した。数日後、ヤムはGAESO中央委員会で弁護士交代を提案し、全員がゴパールの雇用に賛成したと言った（ヤムと他の何人かは後にGAESO中央委員会を辞し、今では無関係である）。GAESOはカトマンズのグランド・ホテルで交流プログラムを組織し、リシケシ・シャハやアショーク・メータ、ゴパール・シワコティ（チンタン）、メアリ・デ・シェン、プラトゥシュ・オンタなどが参加した。同プログラムは全員一致でこの問題を人権問題として取り上げるべきだと宣言した。私は「英国の植民地支配という太陽は沈んだが、グルカ兵に対する人権侵害という太陽は未だ輝いている。これは三国間協定の問題ではなく人権侵害の深刻な問題だ」と発言した。私はカトマンズの国際人権・環境・開発研究所（INHURED）にあるゴパールのオフィスで彼と頻繁に会ったが、自分がGAESOの事務局長に退役グルカ兵問題を人権問題として構築するためにゴパールを雇用するよう進言したということは一度も言わなかった。今では、英国陸軍グルカ兵の人権確保に彼が貢献したことや、それに伴い問題を起こしたことも過去の話となった。

エピソード2：「人種差別に反対する国民連合」へのGAESOの参加

2000／01年、私は2001年に南アフリカのダーバンで開催される「人種差別及び外国人恐怖症、不寛容に反対する国連世界会議」に向けて設立された国民準備委員会（NPC）の委員長だった。NPCはGAESOが取り上げた問題は人種差別に関わる人権問題だとし、GAESOはNPCに加入して自分たちの事例をダーバンの会議で提起すべきと決議した。GAESOはその通りにした。ダーバン会議後、NPCは「人種差別に反対する国民連合」（NCARD）に改組された。これは人種差別等の差別の撤廃に焦点を当てたNGOである。NPCやNCARDへの積極的な参加によりGAESOが提起した問題は国際的なものとなった。

エピソード3：家族の分断から家族の再会へ

2011年、GAESOのロンドンの弁護士が、通訳を介して私に連絡してきた。現役・退役グルカ兵の21歳以上の未婚の娘たちの英国での家族との共住許可を求めて、GAESOが英国の裁判所に提訴したので、社会学者の立場から、その理由を書いてほしいとのことだった。彼女たちはネパールでの一人暮らしで多くの難事に直面しており、英国で愛する家族と共に住むことを切に求めていた。私が申請書を書いた娘たちの数人にそれが許可されたことは誠に喜ばしいことであった。

1990年代に運動が開始して以来、退役グルカ兵の状況には目覚ましい変化があった。

⑴三国間協定の問題をめぐる運動から人権問題をめぐるそれへの転換。

⑵運動の文脈が、「合法性」かつ「公正」から「合法性」かつ「平等」へと変化したこと。

(3)ネパール国内に限定されていた運動が国際的な運動になったこと（「人種差別及び外国人恐怖症、不寛容に反対する国連世界会議」（２００1年、南アフリカ、ダーバン）やジュネーヴの人種差別委員会への出席。英国での街頭活動と王立裁判所への提訴）。

(4)現役・退役グルカ兵は１９４7年以前は「奴隷」、１９４7年以降は「傭兵」であるかのような扱いを受けてきたと論じられている。しかし、２００4年9月に英国政府は、「4年以上勤務し、香港返還後に退役した／するグルカ兵は英国に定住することができる」との声明を出した。また、英国・高等法院は２００8年9月30日に、香港返還前にグルカ兵を英国から排除する移民政策は不法であり改められなければならないとした。それ以来、英国政府は段階的にグルカ兵に英国人同僚と平等な権利を与えてきた。

(5)最も明白な金銭的相違は、ＧＡＥＳＯが平等を求めて運動を始めた時、恩給の月額は兵卒が１５００ネパール・ルピーで士官は３０００ネパール・ルピーだったが、２０１7年にはそれぞれが少なくとも1万5千ルピーと4万ネパール・ルピーを得ている点である。

(6)ネパールでの恩給の支払いは直接、国立ネパール銀行を通してなされる。インド国立銀行とネパール国立銀行を通して2回両替されると手取り額が減るので、それを避けるためである。

(7)約2万人の退役兵のうち、約1万5千人が英国の永住権を得た。

(8)２０１1年以来、21歳以上の独身の娘たちは英国で両親と暮らす許可を得ている。

英国政府は国防省の官吏とネパール大使館員、退役グルカ兵団体（ＧＡＥＳＯ）と「グルカ兵不服従運動（Gurkha Satyagraha）」の代表者から構成される専門委員会を立ち上げ、グルカ兵の苦情について検討することに同意した。2018年3月の「退役グルカ兵についての専門委員会の報告書」では、退役グルカ兵が不満をもつ五つの領域として、⑴三つのタイプの恩給と⑵国民年金、⑶余剰人員解雇条項、⑷ネパールにおける医療支援、⑸その他の便宜を挙げている。

恩給についてグルカ兵は、「22年勤務した後に兵卒の階級で退役したグルカ兵が英兵と同額の完全な恩給を得ること」と「21歳に達した後、16年の勤務を終えて退役したグルカ士官が英国人士官と等しい恩給を得ること」を求めている。また老齢に達してから支給が始まる「保存恩給」制度導入（1975年）以前に余剰人員として整理解雇された人々については、整理解雇計画の再調査と英国人同僚と同等の補償を求めている。1975年以後に余剰人員として整理解雇された人々については、保存恩給の受給資格を求めている。国民年金については、税や保険料の天引きに給付が見合わないことを問題視している。

退役グルカ兵たちの多くはタムー（グルン）やマガル、カンブー（ライ）、ヤクトゥンバ（リンブー）などの先住民族であり、英国に移出する前には、先住民族運動にかなり関わり、運動に恩恵をもたらした。彼らの財政的支援と戦略的思考にもとづく運営、西欧民主主義の豊かな経験は、いろいろな意味で先住民族運動を強化した。彼らはまた、ラリトプルのナキポートやダラーンやポカラなどの新興住宅地に良い家を建て町の環境を清潔に美しくするロール・モデルでもあった。しかし、英国での永住権取得後、多くの退役グルカ兵の家族がネパール国内の資産を売却するか近親に預けるかして、英国に恒久的に移住してしまった。退役グルカ兵の移出により特に打撃を受けたのは先住民族運動であった。

最後に、現役・退役グルカ兵が英国人同僚と平等な権利を早急に得て、平等な人権を享受することを望みたい。

（クリシュナ・B・バッタチャン／上杉妙子 訳）

参考文献

Adhikari, Krishna et al. 2013. *British Gurkha Pension Policies and Ex-Gurkha Campaigns: A Review.* Reading: UK Centre for Nepal Studies. URL: https://www.researchgate.net/publication/309176316_British_Gurkha_Pension_Policies_and_Ex-Gurkha_Campaigns_A_Review

Gurung, Padam Bahadur. 2016. "Nepalko Barbadiko Karan Angrej Hun Yesko Jimma Britishle Linu Parcha"（「英国人はネパールの苦悩の原因であり、英国はその責任を取らねばならない」）（２０１６年5月23日にカトマンズで開催された会議における演説）URL: http://gaeso.org.np/gaeso/wp-content/uploads/2016/05/For-PDF-FILE-CLICK-HERE-THE-PAPER-PRESENTED-BY-PADAM-BAHADUR-GURUNG-PRESIDENT-OF-GAESO-ON-23-MAY-2016-KATHMANDU.-PDF.pdf

Sharma, Sanjay. 2017. "Mere Mercenaries to Equal Citizens: Political and Social Negotiations by Gurkhas in the UK." MA thesis submitted to Central European University. URL: http://www.etd.ceu.hu/2017/sharma_sanjay.pdf

Technical Committee on Gurkha Veterans. 2018. *Report of the Technical Committee on Gurkha Veterans*. URL: http://2ndgoorkhas.com/wp-content/uploads/2018/03/20180314-Final_Report_Gurkha_Technical_Committee_1a1.pdf

17

移住の増加

★日本におけるネパール人の暮らし★

カトマンズにあるトリブバン国際空港の出発ターミナルには、就労ビザで渡航するネパール人専用入口や外国就労情報窓口がある。到着ターミナルでは、渡航先での雇用主からの暴力や心身の病気のため自宅に帰ることができず、保護を求める帰国者をシェルターまで搬送する車両が待機している。情報窓口やシェルターは、帰国移民の当事者団体が運営している。かつて外国からの観光客の姿が多かった国際空港は、今はネパールを離れる移住者と見送りの家族であふれかえっている。

１９８５年に施行された最初の外国雇用法は、ネパール人がインド以外の国に渡航する際の規則を定めることを目的としていた。１９９０年の民主化後、就労機会を求めてネパール人が世界各地に渡航するようになると、民間の就労斡旋業者が登場した。しかし、湾岸諸国での女性家事労働者に対する性暴力事件や、斡旋業者による不当な手数料徴収、就労斡旋に見せかけた人身売買が多発したことから、政府は「安全な移住」を推進すべく、１９９９年に外国雇用規則を制定した。その後、人材派遣会社への規制や抜本的な改革が求められ、２００７年に外国雇用法が改定された。翌年にはその実施を担う外国雇用局と、労働者を保護する外国雇用促進委員会が当時の労働雇用省に設置された。さらに、2010年には外国雇用に関わる係争に特化した外国雇用法廷が設けられた。

2012年度から2016年度までの間にネパール人が就労許可証を得て渡航した国はアフリカや南米も含む153に及んでいる。2008年度から2016年度の間に渡航者数が多かったのは、マレーシア、カタール、サウジアラビア、アラブ首長国連邦、クウェート、韓国、バーレーン、オマーン、レバノン、日本の順である。湾岸諸国やマレーシアでは、男性は建設作業員やドライバー、工員、飲食店や小売店の店員として、女性は家事労働者、工員、清掃員、小売店の店員として働いている。2019年末までにカタール、アラブ首長国連邦、バーレーン、韓国、日本、イスラエル、ヨルダン、マレーシアの8カ国と二国間協定を結び、斡旋業者による中間搾取や人身売買を防ぎ、渡航前研修の実施と渡航手数料の適正化を図ろうとしている。しかし、日本との協定は「技能実習」と「特定技能」のみを対象としており限定的である。

2011年の国勢調査によれば、6カ月以上の不在人口は全国民の7%を占める約200万人におよび、外国で暮らす家族や親戚が誰もいない人のほうが珍しい。2010年代に入ってから、外国雇用局は一日あたり千人以上に外国就労許可証を発行している。2015年の地震後、若干減少に転じたものの、留学や家族による呼び寄せなど就労許可証不要の渡航を合わせると、移住全体が減ったとは言えない。オーストラリアや米国、ニュージーランドなど英語圏のほか、ポーランドなどシェンゲン協定国も人気の高い留学先である。日本以外に、インド、中国、バングラデシュ、マレーシア、フィリピンに留学する者も少なくなく、借金をしてでも渡航費用を用意できるなら、就労であれ留学であれ「行けるときに、行けるところに行く」のが、12年生教育を修了した最近の若者の傾向である。同世代の仲間から「どの国に行くのか」尋ねられ、親から送金を期待される彼らは「どこにも行かない」と決断してネパールにとどまるほうが難しいほどだ。

2016年度、外国からネパールへの送金総額は国内総生産の27％に相当する約7千億ルピーにおよんだ。この割合は、南アジアでは最も高く、世界でも四番目である。一世帯あたり、平均で年間約8万ルピーを受け取っている。留守家族の家計は、送金を前提に成り立っていると言えよう。

2000年代後半の紛争から社会的包摂へと向かうなか、インド国境沿いの平野部の住民マデシや、山地のチェパンなどの先住民への市民権証発給が進むと、パスポートを取得できるようになった彼らも外国就労を目指すようになった。地域別で見ると、ダヌシャやジャパなど東タライのほか、中部タライのナワルパラシとルパンデヒ出身者が多い。2010年度には外国就労者に占める女性の割合は3％であったが、2016年度には5％に増加している。

国家再建の長期化による政治や経済の停滞、教育水準の上昇に見合った雇用機会が国内にないことを背景に、外国への移住志向は止まず、大都市だけでなく地方にも、留学や外国就労を目指す者を対象とする英語や日本語、コリア語の語学学校や斡旋業者がある。しかし、査証申請用に必要な書類の翻訳の名目で法外な斡旋料を徴収する業者も少なくない。多くの渡航者は借金でその費用を賄っているため、返済を完了するまで現地で強制労働を強いられるなど、人身売買に相当する被害も報告されている。

2008年度から2016年度までの9年間に外国就労中に亡くなった死者は計5892人である。

98%が男性で、多くはマレーシアと湾岸諸国で命を落としている。病気や交通事故、労災事故のほか、自殺も11%を占めている。外国就労は国家や個人にとって本当にプラスなのか、就労先での人権侵害を取り上げ、ネパール国内での起業や就労機会に目を向けることを奨励する報道も見られるようになっている。

ネパール政府は2018年末に国連が採択した「安全で秩序ある正規の移住に関するグローバル・コンパクト」など国際規範の普及に前向きで、クウェートなど人権侵害が多く報告されている国でネパール出身者を保護するためのシェルターを設置するなど一定の努力をしている。

政府や斡旋業者、帰国移民の当事者団体などの連携により移民をとりまく環境が好転し始めた矢先、新型コロナウイルス感染症が世界各地を襲った。40万人のネパール人が働くカタールは、予防措置として2020年3月初めにネパールを含む14カ国からの新規入国の禁止を発表した。入国許可を取得していた4万人のネパール人が渡航を見合わせざるを得なくなった。渡航手続き費用の払い戻しは難しいため、入国禁止措置が終わるのを待つしかない。マレーシアでも、サービス業従事者を中心に収入が激減している。しかも、ネパール政府が3月22日に国際線の運航停止を決めたため、帰国することもできなくなった。渡航先で仲間と狭い部屋で過ごし、食事にも事欠き、家族への送金ができないために精神的に追い詰められている人もいる。「人の移動」を前提に外国からの送金を重要な収入源としてきた近年のネパールにとって、この感染症の影響は甚大である。

さて、2019年末の日本の法務省の在留外国人統計では、ネパール人は六番目に多く、9万6824人が登録されている。図1で示すように、日本で暮らすネパール人が急速に増加し始めたのは、

２０００年代後半以降のことである。表１は、２０００年末と２０１９年６月末時点での在留資格別ネパール人登録者を表したものである。二国間協定を結んでいる技能実習制度は、農村や建設現場での作業など労働が過酷であるにもかかわらず、最低賃金以下の給与しか得られないため魅力的な渡航手段ではない。送り出し機関による搾取も問題になり、ネパールからの技能実習生は３０９人と少ない。

　在日ネパール人が１万人程度だった２００８年頃までは、コックに与えられる「技能」資格での在

図１　在留外国人登録ネパール人数（1987 ～ 2018 年）

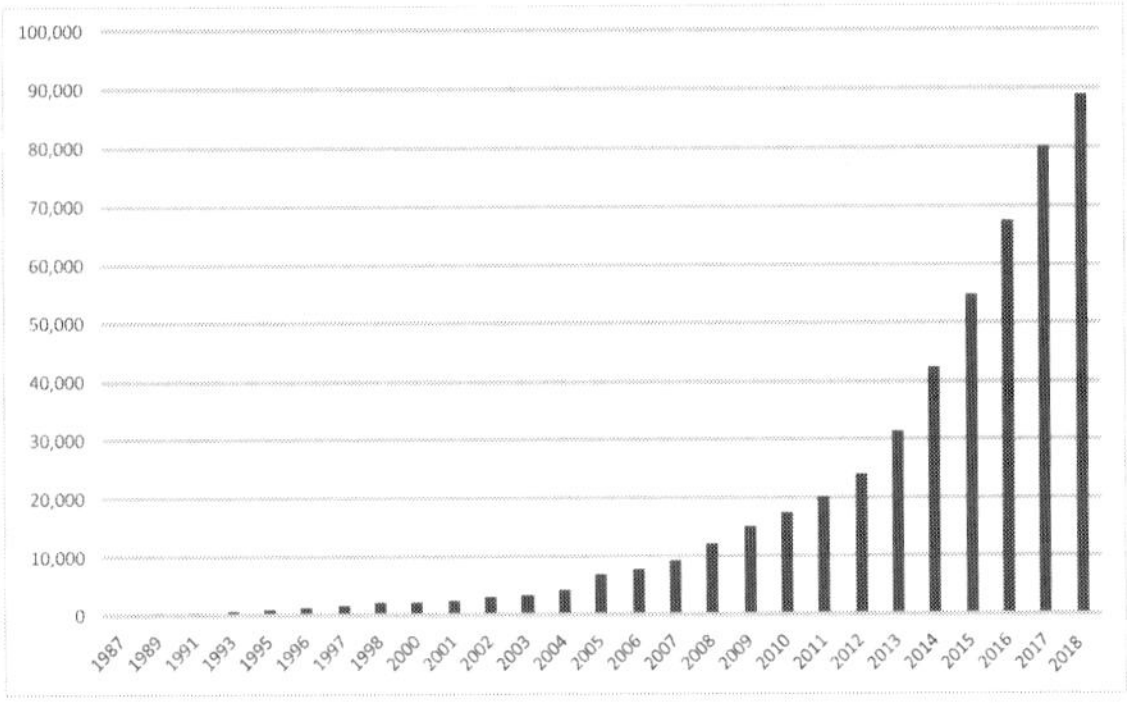

出典：法務省「在留外国人統計」、なお、2000 年までは隔年発行。

表１　在留資格別ネパール人

在留資格		2000 年 12 月末		2019 年 6 月末	
		人数	割合	人数	割合
活動資格	留学（「就学」含む）	415	17.53%	28,268	30.46%
	家族滞在	427	18.03%	27,792	29.95%
	技能	534	22.55%	12,639	13.62%
	技能・人文知識・国際業務	68	2.87%	11,148	12.01%
	特定活動	17	0.72%	3,803	4.10%
	経営・管理	11	0.46%	1,538	1.66%
	技能実習	-	-	309	0.33%
	企業内転勤	7	0.30%	70	0.08%
	介護	-	-	48	0.05%
	教授	24	1.01%	40	0.04%
	高度専門職	-	-	36	0.04%
	その他	269	11.36%	92	0.10%
身分資格	永住者・特別永住者	143	6.04%	4,675	5.04%
	日本人の配偶者等	413	17.44%	886	0.95%
	定住者	29	1.22%	842	0.91%
	永住者の配偶者等	11	0.46%	658	0.71%
合計		2,368		92,804	

出典：法務省「在留外国人統計　第 1 表国籍・地域別　在留資格別」2001 年、2019 年

図2　性別・年齢層別在留ネパール人（2019 年 6 月末）

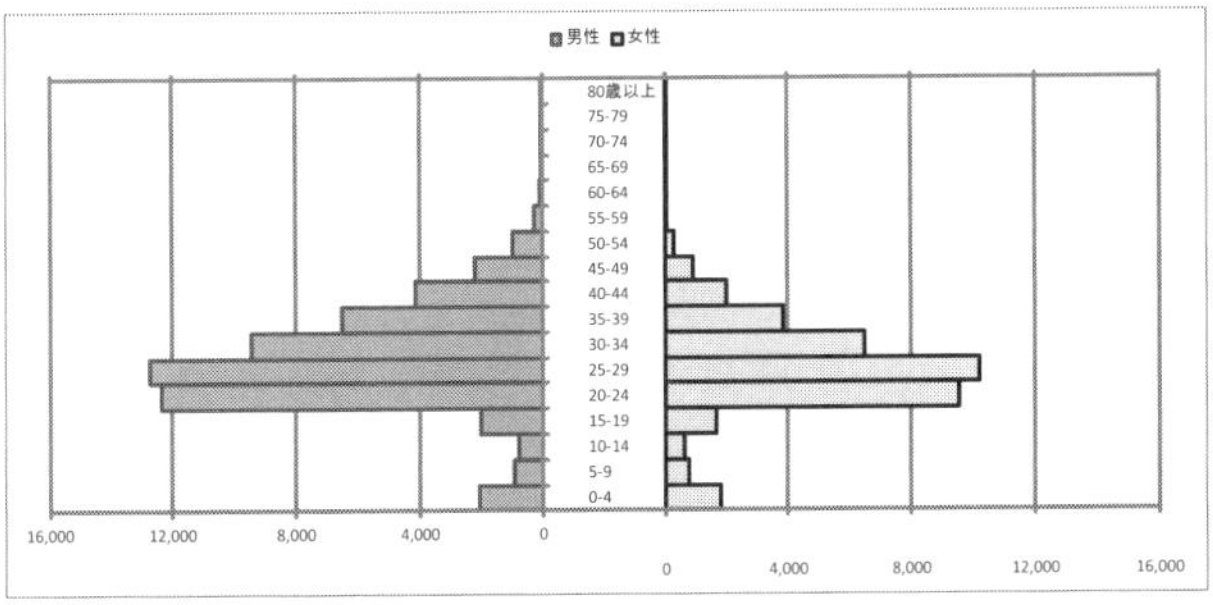

出典：法務省「在留外国人統計」2019 年。

エベレスト・インターナショナル・スクール（2018 年、東京都杉並区）

留者がもっとも多かったが、日本のネパール人社会の構成は様変わりした。第一の変化は、コックに代わって留学生が多数派になったことである。東日本大震災後、東アジアからの留学生の減少を受けて、日本語学校がネパールで学生募集をしたことが背景にある。第二に、コックや「技術・人文知識・国際業務」資格の会社員らが配偶者や子どもを呼び寄せたため「家族滞在」が増えて、女性の割合が3割から4割になり、20歳代の若者が全体の半数を占めるようになった。留学生同士が日本で出会って結婚し、出産する例も増えており、20歳未満の子どもが1万人以上いる。呼び寄せで来日した妻や十代の子どもたちは、ホテルのベッドメーキングや弁当工場で働き、コック本人より稼ぎが多いことも珍しくない。図2に見るように子どもも多く、ネパールから見た日本は、男性の出稼ぎ先から、家族ぐるみで定住する国へと変化しつつある。

来日後、公立の小中学校や夜間学級、地域の学習支援教室で学び、高校や大学に進学する子どももいるが、日本語ができないため学校に受

団地の会議室で伝統行事ムハ・プジャを行なうネワール・コミュニティ（2017 年、東京都江東区 UR 団地）

け入れられず、アルバイトに励む子もいれば、家にひきこもりがちで時間を持てあます子どももいる。２０１３年に東京都杉並区に開校したエベレスト・インターナショナル・スクール・ジャパンは英語を教授言語とする学校である。ネパール政府のカリキュラムに沿った教育を提供し、帰国の可能性がある子どもの受け皿として機能している。２０１９年８月末現在、幼稚園部に63人、１学年から９学年までに１９８人の生徒が在籍している。

　在日ネパール人組織はさまざまな形態のものがある。世界78カ国に展開する海外在住ネパール人協会の日本支部、民族やカーストなどアイデンティティを守るための組織、出身地ごとに結成された同郷人組織、学生やエンジニアなど職業別組織、ネパール人と日本人の相互交流を目的とした組織のほか、集住地域では相互扶助組織が結成されている。出自以外に、マオイスト紛争時の政治的な立ち位置、来日時期、日本での仕事、在留資格など、彼らを隔てる要素も多く、ネパール出身だからと言って簡単に繋がれるわけではないが、これらの組織は一定のセイフティネットの役割を果たしている。病気の治療や帰国の費用が賄えない人のための寄付集め、日本語ができない仲間のための役所や病院への同行、宗教行事やスポーツ大会、ネパールから招聘した歌手によるコンサートなど親睦を深める活動を行なっている。また、地元の清掃活動や防災訓練に参加したり、地域の行事で民族舞踊を披露したり、日本人との距離を縮めようとしている。ネパール大地震後は街頭で募金活動を行ない、被災地支援を行なったグループも多い。しかし、医療や教育、就労やドメスティック・バイオレンスなどの問題に取り組むには、日本の制度や社会資源を使いこなす必要があり、専門職との連携が課題である

在日ネパール人が少ない頃に来日した人たちは、生き抜くために日本語を学び、日本人だけでなく他の国から来た移民の力を借りながら住まいや仕事を探した。しかし、学校や職場にネパール人が複数いる現在、ネパール語だけで暮らせる空間で満足し、日本のホスト社会と交わらない平行社会を生み出してしまうことが懸念される。

２０１９年の日本の入管法改定により、ネパールは「特定技能」資格で人材を送り出す国のひとつになった。しかし、定住化を好まない日本政府の方針により、コックの家族が永住権を取ることは難しくなっている。日本で安定した暮らしを手に入れることも、また日本で何かを成し遂げてネパールに帰国することも選択できない人たちは、これから、どこで、どんな人生を歩むのか。在日ネパール人組織だけで支えることは難しい。ネパール人だけの閉ざされた平行社会をつくり出さないために、受け入れ側である日本の自治体や支援団体は、彼らの役割と限界を知ってうまく連携する必要があるのではないだろうか。

（田中雅子）

参考文献
MoLE. 2018. *Labour Migration for Employment: A Status Report for Nepal 2015/16-2016/17*. Kathmandu: MoLE (Ministry of Labour and Employment).
田中雅子 ２０１９「ネパール――定住化を支える在日ネパール人組織」、宮島喬ほか（編）『別冊環24　開かれた移民社会へ』、藤原書店。

コラム1

日本のネパール料理店

小林真樹

1970年代から90年代にかけて、日本の都市部で増え始めたインド料理店のオーナーの多くはインド人だった。当時珍しかったナーンとスパイシーなカレーは、高級感を伴ったご馳走料理として次第に定着する。そうした人気の一方で、当時こうしたインド人オーナーたちの頭を悩ませた問題の一つが良質なコックの確保だった。専門的な調理技術を持つ外国人コックの招聘には10年以上の経験が必須だが、こうした長い経験を持つインド人コックは技術があっても気位も要求する給与も高く、オーナーと衝突することも多かった。そこで同じくインドの調理経験がありながら、従順で真面目なネパール人が求められるようになっていく。

国内産業が脆弱なネパールでは国外出稼ぎする人が多い。とりわけ隣国インドが昔から最大の出稼ぎ先である。職種は多岐にわたるが調理仕事も多く、インドの主要都市にある食堂やホテルの厨房には必ずといっていいほどネパール人が働いている。インド人オーナーも真面目に働くネパール人を好んで雇い入れる傾向があるという。

かくして調理現場でオーナーからの信頼を勝ち得たネパール人コックたちは、インド料理店の出店数とともに増加していく。2000年代に入り、こうしたインド料理店で経験を積んだネパール人コックたちが徐々に独立していくようになる。営業形態は基本的にそれまで長く務めてきたインド料理店のスタイルを踏襲。元来インド料理の調理師という技能資格で入国した彼らは、店を経営するにもそのような料理でなければならないと考えていた人が多く、仮にネパール料理の心得があってもそれはあくまで自分たち用の家ごはんや賄いに過ぎないものであり、金を取って客に出すのはインド料理という考えが根強くあった（今でもある）。例外的に、一部のネパール料理店の中にはその手の料理を出すところもあったが、全体的に見ると希少である。

やがてネパール人コックたちの独立開業の流れは加速化する。少なからぬ開業資金を集めて必ずしも好条件とは言えない場所ででも開業しようとするのは、やはり誰かに雇われているよりも一国一城の主になりたいという動機からだろう。家族を呼び寄せ、新たなネパール人コックを雇用する。こうして自らの裁量で料理を出せる環境を手に入れた彼らの中に、やがてメニューの片隅にモモ（餃子）、チョエラ（あぶり肉のスパイスあえ）、スクティ（干し肉）などのネパール料理の提供をはじめる者が出てくる。

その理由は、元々ネパール的なものを出したかったという人も居れば他店との差別化のため、などさまざまである。家庭的なメニューのレシピは家族滞在で呼び寄せた奥さんの助力によるところも大きい。それまでナーンとカレーが主体だった店にしばらくぶりに行くとこの手のメニューが増えていて驚かされたのもこの頃である。

こうした流れは2010年代に入り、特に留学生上がりのネパール人が飲食店経営に参加するようになって以降顕著になる。元コックが経営する店があったところに元留学生の店が加わったため店舗数が一気に急増。地区によっては飽和状態になる。この出店ラッシュを支えていたのが各種開業関連のネパール人業者たちだった。業務内容は法人登記からメニュー作成、内外装工事、中古厨房機器の調達まで多岐にわたっていて、日本語がほとんど出来ないネパール人でも独立開業が出来る仕組みが整っている。
こうした起業サポート業は他の南アジア出身者の中でもネパール人の独壇場であり、最近ではこの手のネパール人業者を利用するネパール以外の南アジア出身オーナーも少なくない。

典型的なインド・ネパール料理店のセット・メニュー（バター・チキン、チーズナーン、サラダ）

このようにして出来た店の多くはインド・ネパール料理店と称してインド料理やネパール料理を提供するほか、同じアジア料理のくくりでタイやベトナム料理を提供したり、昔のアルバイト先での経験を活かした居酒屋メニューを充実させたりと、あの手この手のメニューを仕掛けるようになる。こうした創意工夫やサービスの向上で集客数を伸ばし、例えば子供や女性向けメニューの開発、ドリンクバーの拡充などで午後の子連れ主婦層を取り込んだ郊外型の広い店舗はファミレスと競い、駅前でサラリーマン客相手に夕方からアルコールを取り入れた低価格セットメニューを出す店は居酒屋と競合するようになる。さらには巨大な商業施設のフードコートへの出店など大手外食チェーンと互角に競い合う店も登場してきた。

その一方で、在住ネパール人をターゲットとしたネパール色を前面に出した店も急増中である。リトル・カトマンズなどと呼ばれるネパール料理店密集地帯、東京・新大久保における出店ラッシュは今のところ落ち着いたように見えるが、全国のネパール人集住地区ではこの手の店がこれからも増えそうである。メニューを見るとネワールやタカリーといった民族の料理から低価格帯のダル・バート（豆のスープとご飯）、イベントには欠かせないセル・ロティ（米粉の揚げ菓子）からちょっとしたカジャ（軽食）に至るまで、バラエティーの豊富さではカトマンズを凌駕するほどだ。

ネパール料理を取り巻く環境は日々刻々と進化を続けている。享受する側としてはそのいずれもが共存共栄し、今後とも美味なる一皿を食べ続けられることを願うばかりである。

東京・新大久保界隈ではこうしたダル・バートが 500 円ほどで提供されている

18

湾岸諸国での就労

★単純労働だけでない多様な選択★

ネパールの新聞で見かける「ビザ代無料、渡航費無料」という広告の多くは湾岸諸国での求人である。ネパールからの人の移動は渡航先も目的も多様化しつつあるが、今も多いのは、マレーシアや湾岸諸国で就労を目指す人の流れである。ネパール政府の労働雇用省外国雇用局によれば、2008年度から2016年度までの間に就労許可証を得て渡航したネパール人の3割にあたる約70万人がマレーシアに渡航している。それに続くのは、カタール、サウジアラビア、アラブ首長国連邦、クウェート、バーレーン、オマーンからなる湾岸協力理事会加盟国で、あわせて約120万人が渡航している。近年、国毎に増減があるものの、ネパール人外国就労者の半数以上が湾岸諸国で働いている。

湾岸諸国での就労は、渡航手続きなどの費用が比較的安く、学歴不問の仕事も多いことから、低所得者層にとって魅力的である。しかし、これらの国では、外国人労働者は「カファラ」と呼ばれる労働契約制度の束縛を受ける。「現代の奴隷制」とも呼ばれるこの制度は、雇用主を身元引受人とする仕組みで、転職や出入国の際も雇用主の許可を得なければならない。雇用主によるパスポートの没収や強制労働など人権侵害の温床になりやすい。過酷な環境下で外国人を働かせていることで批判を浴びたカタールは、2022年のワールドカップ開催を前に国際社会の信頼を回復すべく、2016年にカファラ制度の廃止を発表した。また、国際労働組合総連合などがカファラ廃止キャンペーンを展開したことから、2017年の国際労働機関（ILO）理事会はカファラ制度を無効とした。しかし、各国の国内法で外国人労働者の権利保障の仕組みを確立するには至っておらず、カファラ制度が消滅したとは言えない。雇用条件に問題があっても自由に転職することは難しく、現地の大使館などに保護を求める例が後を絶たない。ネパール政府や帰還移民が結成した当事者団体などが湾岸諸国に対してカファラ制度の全面的な見直しを求めている。

グローバルなレベルでの人材の争奪戦の影響もあり、労働者側が渡航時に支払う紹介手数料などの経費負担は軽減される傾向にある。しかし、湾岸諸国での労働環境が過酷であることには変わりない。2008年度から2016年度の9年間に就労先の外国で亡くなったネパール人は、計5892(男性5765、女性127）人にのぼる。内訳として、マレーシアで2154人、サウジアラビアで1638人、カタールで1203人、アラブ首長国連邦で427人、クウェートで186人と、渡航者数の多い国が上位にあがっている。死因は、自然死、病死、交通事故死、自死、就労中の事故死の順に多く、働き盛りの外国就労者が心臓発作などで命を落としていることが問題視されている。ネパール人医師らが、湾岸諸国の過酷な労働環境や家族との別居によるストレスなど移民の健康問題について研究を進めている。

湾岸諸国で働くネパール人は、男性は建設作業員、女性は家事労働者というイメージで固定化され

教会のネパール語のミサ（2017年3月、クウェート・シティ）

ている。ネパール政府は、女性が家事使用人としてクウェートに渡航することを認めていないため、近隣国を経由して入国するなど危険を冒す女性もいる。外国就労許可証がない彼女たちは非正規滞在者であり、ネパール政府の統計には含まれない。彼女たちは、雇用主による暴力など人権侵害に遭っても、現地のネパール大使館に保護を求めることが難しく、より脆弱な状態に陥る。こうした女性たちの治療や帰国を助けているのが、ネパールからの移民がクウェートで結成した当事者団体である。住み込みで働く家事労働者の女性たちは自由時間が少ないが、信仰のためだと理由づければ雇用主から外出が許可される。それゆえか、キリスト教会のネパール語のミサには家事労働者の女性たちが多く集まる。トラブルに巻き込まれて失意のまま帰国した話がメディアで報じられることが多く、湾岸諸国での就労に困難が伴うことは事実である。しかし、現地のネパール人社会には、専門職のエリートや経営者などさまざまな人がおり、単純労働者ばかりではない。

２０１４年と２０１７年に筆者はクウェートでネパールからの移民について調査を行なった。２００６年度から２０１５年度までの10年間にネパール政府から外国就労許可証を取得してクウェートに渡航した人は約4万5千人おり、うち2千人弱が女性である。建設作業員や農場労働者、家事労働者のほか、清掃員や警備員、レストランやショッピングモールの店員、米軍兵の保養施設の給仕や受付など、ネパールから移住した人は男女ともにさまざまな職業に就いていた。家事労働者として渡航後に、他の仕事を見つけて転職に成功した女性たちもいた。男性には、政府系組織のエンジニアや投資会社の社員、警備員として渡航した後に管理職に抜擢された人、アラビア語の読み書きを覚えて警備員から学校職員に転職した人、ヒンドゥー教からイスラム教に改宗した宗教法人の職員、教会の牧師などがいた。女性では、商社のマーケティング担当者、デザイナー、レストランや美容室の経営者に出会った。クウェートでは外国人単独では起業できないため、現地パートナーとの共同経営という形態をとっているが、実質的な経営者である。自分の郷里から知人の女性をクウェートに呼び寄せるなど、他の女性にも就労機会を提供していた。

教会に集まった家事労働者の女性たち（2014年2月、クウェート・シティ）

インド系移民が多く英語で教育を受けられる学校があることから、家族ぐるみでクウェートに移住して派遣会社を経営する人もいた。タクシードライバーとして10年以上クウェートで働く男性は、ネパールと往復する航空券代も高くはないため、年に数回帰省できることや、時差が小さく一日に何回もネパールにいる家族と電話で話ができることが利点であると語っていた。在住年数が長く、比較的自由な時間の多い人は、現地ネパール人社会のリーダーとして、同郷人組織やネパールの労働組合のクウェート支部など移民の当事者団体を結成している。祭礼やスポーツ大会、オンラインメディアの運営を行なったり、亡くなったネパール人の遺体の搬送費用の寄付を募ったりしている。

ネパール人にとっての湾岸諸国は過酷な労働が待ち受ける場ではあるが、現地語を学び、人脈を作った人たちが、同胞のセイフティネットとなる仕組みを支えているという点では、他の渡航先と変わりないのではないだろうか。

（田中雅子）

募金を集める移民の当事者団体のメンバーたち（2014年2月、クウェート・シティ）

参考文献

MoLE. 2018. *Labour Migration for Employment: A Status Report for Nepal 2015/16-2016/17*. Kathmandu: MoLE（Ministry of Labour and Employment）.

NHRC. 2018. *Trafficking in Persons in Nepal: National Report*. Kathmandu: NHRC (National Human Rights Commission).

Ⅳ

開発・農業・インフラ

19

開発の概要

★開発計画の70年★

包括和平合意後のネパールは4％台の成長を維持し、長く低迷してきた経済と政治の混乱を潜り抜け、順調な成長軌道に乗っている。経済指標で見る限り大地震からの立ち上がりも早く、経済が落ち込んだのは2016年だけで、その後はV字回復した。続く2020年の観光年をも機に、中期的には6％を超える成長が見込まれていた。しかし、その出鼻をくじくような新型コロナウイルスの世界的な流行によって、これまでの開発成果が一気に後退することが懸念されている。出稼ぎ労働や観光業が牽引するネパール経済は外部からの影響をうけやすく、脆弱だ。ネパールが、かつて見られないような好景気にあったとはいえ、アジアの最貧国であることに変わりはなく、開発指標を見ても人間開発指数（2018）は189カ国中147位、貧困率は大きく減少したものの未だ20％を超えている。また、毎年45万人の若者が労働市場に参入しながら、国内の生産活動に携わることなく海外労働に出向いている。ようやく上向いた経済成長をいかに次の開発につなげていくのか、それがネパールに求められている最大の課題である。また、その開発はネパール社会が構造的に抱える根深い問題――地方との経済格差、農村の貧困、カーストや少数民族への差別――の解決に直結するものでなくてはならない。本章では、開国後に作成された五カ年開発計画を辿りながら、これまでの開発の過程と今後のあり方を考えてみたい。

開国後、ネパールが初の開発事業に着手したのは1956年である。この年から始まる五カ年計画は、暫定三カ年計画を含めて現在まで一五次にわたって作成され、大きく次のように分けることができる。第一次計画の最終年度（1962年）から90年民主化に至るまでの国王親政・パンチャーヤトの時代、90年民主化と構造調整・経済自由化の時代、90年代後半からの貧困削減・社会的包摂の時代、そして2006年からの、憲法制定と中所得国への移行を念頭においた暫定計画の時代である。

第一次計画は、マヘンドラ国王が「自立と繁栄に向けた国づくり」として1955年に公布し、翌年、施行された。当時、一人当たりのGDPは50ドル、識字率はわずかに4・4％、出生時平均余命は32歳であった。人口の95％が農業に従事し、そのほとんどが非識字とされていた。第一次計画では、地形的に分断された国土の連結に必要な道路と通信網の整備、農業生産力を高めるための灌漑や土地制度改革、工業化と電力開発、そして著しく立ち遅れた、教育、医療、飲料水など基礎生活分野の改善を開発の主軸にした。以降もこれらの項目には重点的な取り組みが行なわれ、開発の進捗を示すベンチマークになっている（別表参照）。また、計画の実施にあたってはインドや米国、国際機関などの支援に大きく依存しており、今日に至るまで外国援助はネパールの開発を資金面、技術面で支える柱となっている。なかでも日本は1969年に援助を開始して以来、一貫して主要なパートナーである。

第二次計画（1962〜1965）から第七次計画（1985〜1990）までの28年間では、国・民間

開発状況

項目（単位）	実績値	基準年	実績値	基準年
人口（人）	8,256,625	1952/54 国勢調査	29,218,867	2018・CBS 推計
人口増加率（%）	2.27	1952/54 国勢調査	1.35	2011・国勢調査
出生時平均余命（年）	32	1960s	71	2016
成人識字率（%）	4.4	1952/54 国勢調査	78（total） 88.6（15-24）	2016 2015・MDG
初等教育純就学率（Grade 1 - 5）%	15.3	1962	96.6	2015・MDG
初等教育男女比　女子／男子	0.56	1990	1.09	2015・MDG
飲料水へアクセス可能な人口（%）	5	1968 推計	83.6	2017
病院ベッド数（保健省管轄）	600	1960s	8,332	2017・DOH
医師数（人）	300	1960s	21,413	2017・DOH
妊産婦死亡率（10 万出生当たり）	850	1990・MDG	258	2015・MDG
乳児死亡率（1000 出生当たり）	244	1960s	33	2015・MDG
道路延長（道路局所管幹線道路 /Km）	1,198	1960	27,495 50,944 （地方道含む）	2016
電力へアクセス可能な人口（%）	1	1960	74	2016
灌漑面積（万 ha）	3	1962	139.6	2016
貧困率 National Poverty Rate（%）	42	1995	21.6	2016
貧困率 International Poverty Rate（%）	35.9	1990	16.4	2015・MDG
人間開発指数（HDI）	0.378	1990・HDI	0.579	2018・HDI

実績値・基準年は五カ年開発計画及び関連統計に基づく。CBS：中央統計局　DOH：保健省
MDG：*MDG (Millenium Development Goals) Final Status Report*, 2016, NPC.

部門に加え、第三セクターとしてパンチャーヤト部門を設けるなど、パンチャーヤト体制維持を強く意識した計画が進められている。この期間の後半部分では農業生産の拡大を最優先におき、自給自足的な農業から、灌漑や改良品種、化学肥料の導入、農村金融などによる近代的な農業への転換を図ろうとした。アジアで緑の革命が進行するなか、80年代には政府支出の5分の1を農業部門が占めるなど経済の牽引役が期待されたが、十分な効果が発揮できないまま農業の近代化は進まず、その後、予算は縮小した。また、工業化についても早くから重点施策とされ、そのための電力開発には高い優先度がおかれていた。しかし、中間財の多くをインドからの輸入に大きく依存する一方、競争力ある輸出品を欠いていることから、今に至るまで有力な産業は生まれていない。結果として労働力は農村に留まり、農村の貧困を深める要因にもなっている。このパンチャーヤト期間の実績について、後の第八次計画では、「1965年からの25年間において、年平均GDPの伸び率は3・4％であり、人口増加率を勘案すれば一人当たりではわずかに

図１　一人当たりGDP（単位：USドル）

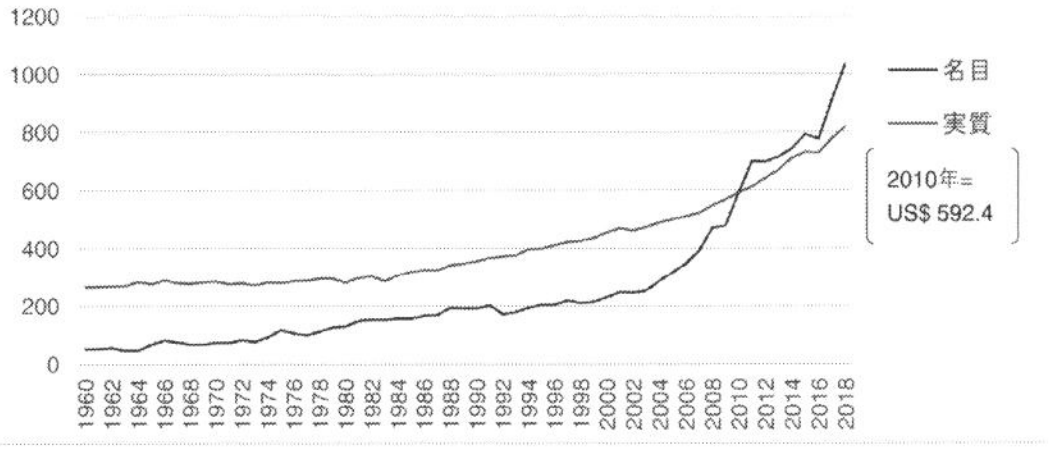

出所：World Bank. *Development Indicators*. 2019.

図２　外国援助の推移（単位：100万USドル）

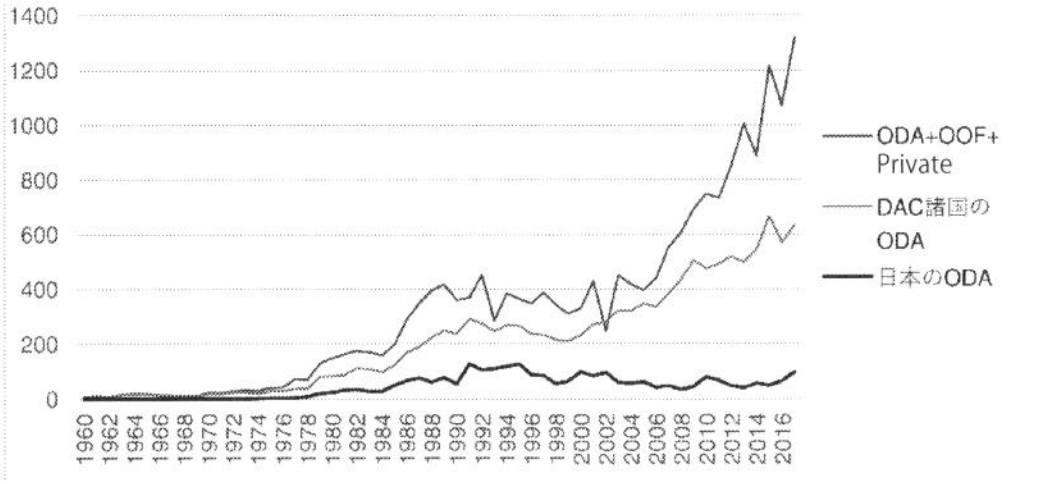

出所：OECD. *International Development Statistics*. 2019.

図３　主な穀物の生産量（単位：トン）

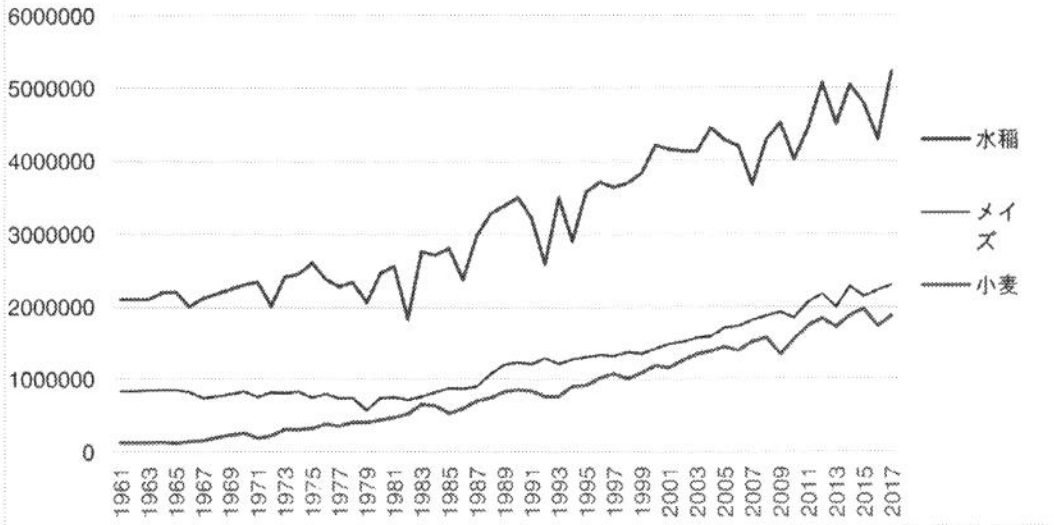

出所：FAO. *FAOSTAT*. 2019.

図1～3注

OOF：ODA以外の公的資金

DAC：OECD開発援助委員会

OECD：経済開発協力機構

０・８％増加したに過ぎない。穀物生産は年平均２・１％の増加に留まり、これは主として農地の拡大によるものである。工業部門もＧＤＰのわずか５％、全労働力の２％の雇用しか生み出していない。」と、パンチャーヤト下での生産部門の低迷と脆弱な財政基盤を痛烈に批判している。他方で、教育、医療等の社会セクターやインフラ整備には着実な前進が見られた。特に、タライを東西に結ぶ東西ハイウェーとこれを南北につなぐ幹線道路の整備によって、初期の開発計画が目指した国家としての統合がようやく形になってきた。

図４　主な産業別GDPの推移（単位：100万ルピー）

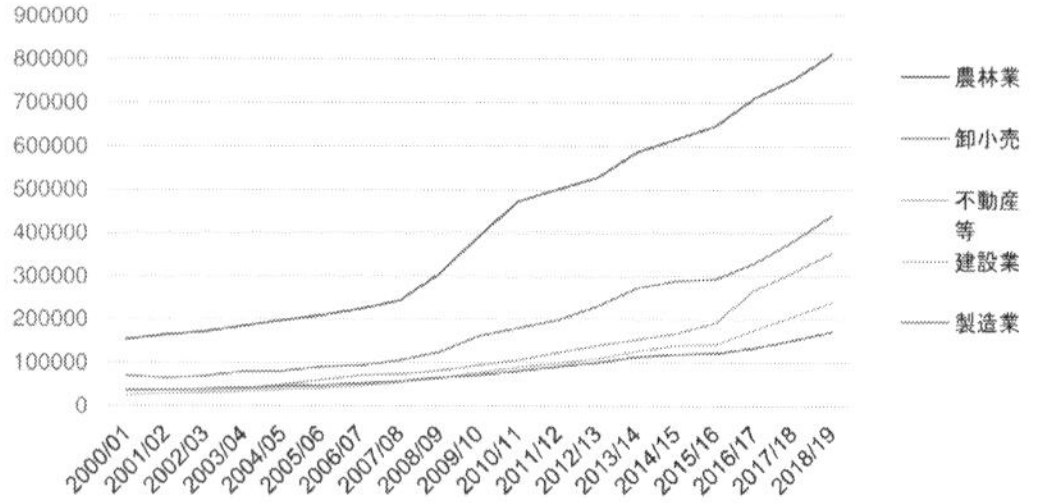

出　所：Central Bureau of Statistics. *National Accounts of Nepal 2018/2019.*

図５　輸出入の推移（単位：100万ルピー）

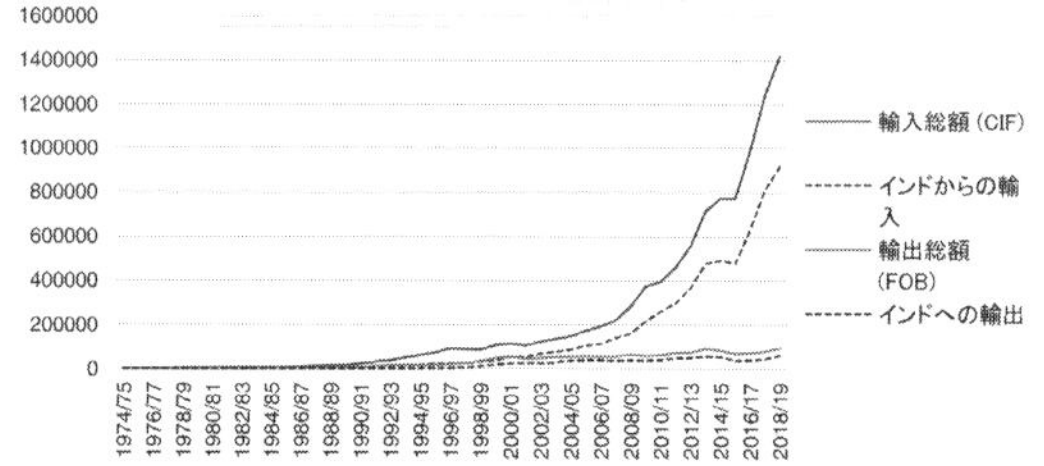

出所：Nepal Rastra Bank (NRB). 2019. *Quarterly Economic Bulletin,* Vol. 53, No. 4.
NRB. 2019. *Macroeconomic Indicators of Nepal, November 2019.*

１９８０年代後半からの国際収支悪化に伴い、ネパールはＩＭＦ・世界銀行の構造調整政策を受け入れ、第八次計画（１９９２〜９７）からは本格的な自由化が進められた。この政策によって、政府補助金が削減される一方、商業銀行や航空会社等の設立が相次ぎ、サービス部門は拡大した。また、第八次計画では国際的な貧困削減への動きを受けて、初めて貧困削減を開発計画に取り入れている。以後、15年にわたって貧困削減を中心にした開発計画が実施された。

ネパールの貧困は、地方農村において顕著なことに加え、被抑圧カーストや少数民族、宗教への差別、ジェンダーや特定地域にも起因している点で、より複雑で深刻である。１９９６年当時の生活実態調査では、ネパール全体の貧困率42％に対して、ダリット（不可触民）は65〜68％、少数民族のリンブーに至っては71％に及んでいる。貧困削減計画では、これら貧困層に対する包摂プログラムとして、教育の無償化や奨学金の交付、女性への医療サービス、営農支援、カマイヤ（債務労働者）に対する農地の提供など広範な支援策が講じられた。現在、貧困率は21％程度まで改善したとされるが、実態からすると貧困ラインをわずかに超えた、いわゆる脆弱層が増えただけであり、これらの人々は常に貧困状態に引き戻されるリスクにさらされている。実際、先の大地震によって全世帯の3％近くが再度貧困に陥ったとされている。

新憲法下で初めて作成された第一四次暫定計画（2016〜19）は、中所得国カテゴリーへの移行を念頭に、国内の雇用の拡大や生産部門の改革に焦点を当て、民間の参加を促しながら貧困や格差、不完全雇用の解消を目指している。最近の外国投資の急増に加え、長く懸案とされてきた農業生産が増加に向かい、さらに電力の改善によって工業生産も上昇傾向にあることから、中所得国への移行も現実味を帯びてきた。しかし、所得分類上の中所得国とは異なり、50年近く位置付けられてきた後発開発途上国（LDC）からの卒業は、LDCが享受できる援助や貿易上の優遇措置を失うことを意味しており、前提として持続的な成長と貧困削減の基盤が国内にしっかり築かれている必要がある。ネパールにとって、未だ達成されていない農村経済の拡大はそのための必須の要件であり、成長のトラックに乗っている今こそ取り組むべき最大の課題である。

（中川寛章）

〔追記〕本書最終校正の時点で、ネパールにおいても新型コロナウイルス感染対策のため、空港、国境が閉鎖され、全土で外出が禁止されている。公衆衛生の脆弱さに加え、医薬品、食料、燃料等が不足し、日常生活にも不安が広がっている。また、海外労働者の帰国にともなって今後の経済悪化は避けられないとみられ、脆弱な層への影響が懸念されている。当面は短期的な対策に全力をあげる必要があろうが、コロナ終息後には、改めてネパール社会経済の構造的な弱点を見直し、次の開発に反映してほしいと思う。

参考文献

National Planning Commission, Periodic Plans 1-15.　https://www.npc.gov.np/en/category/periodic_plans

20

農業

★その制約と可能性★

急斜面に棚田が重なる（ラリトプル郡）

ネパールの国土はもっぱら山からなり、総面積14万7181平方キロメートルのうち、耕地はたった21%を占めるに過ぎない。南部の海抜200mから北部の8848m（エベレスト）まで、標高の変化に応じて多様な植物相と動物相を持っている。年平均降水量は1630㎜で、その80%はモンスーン期（6月から9月）に集中し、年平均気温は15℃である。

ネパールは就業人口の多くを農業が占め、特に最下層の人々にとって農業は食料、収入、雇用の源となっている。農業の生産力や食料の安全保障の強化なくして、地方住民の生活改善や貧困削減は全く困難と言ってよい。また、農業はGDPの32%を支え、労働力の66%を賄う経済の源泉であるが、農家はなお、伝統的な耕作や牧畜の方法に頼っている。農業に配賦される毎年の予算は国家予算の2・5〜3・5%程度であり、2018／

表１　主要な作物の栽培面積、生産量、単位面積当たりの収量

No.	作物	面積（ha）	生産量（Mt）	単位面積当たりの収量（Mt/ha）	備考
1	水稲	1,552,469	5,230,327	3.37	
2	トウモロコシ	900,288	2,300,121	2.56	
3	コムギ	735,850	1,879,191	2.56	
4	雑穀	263,596	306,704	1.17	
5	オオムギ	27,370	30,510	1.12	
6	ジャガイモ	185,879	2,591,686	13.94	
7	レンズマメ	206,969	254,308	1.23	
8	油料種子	207,978	214,451	1.03	
9	野菜	277,393	3,749,802	13.52	
10	カンキツ果実	46,328	239,773	8.96	生産面積 26,759ha
11	温帯野菜	27,918	93,592	6.72	生産面積 13,937ha
12	サトウキビ	70,807	3,219,560	45.47	

出典：ネパール農業の統計情報、年度 2016/17、農畜産開発省、ネパール

１９年度ではわずか２％に過ぎない。これはＧＤＰや雇用に対する農業の貢献度からすると、きわめて低い数値である。

現在のネパール農業は自給自足から商業化への変換の段階にある。この転換期にあって、農業技術はしだいに商業化農業に基づく高価値農産物を生産する方向にシフトしてきている。高価値農業として、特に野菜、果樹、酪農、茶、コーヒー、野菜種子、家禽、漁業、養蜂、キノコといった分野での伸長がみられる。しかし、これらの割合が大きくなっているとはいえ、農家の貧困を削減し、栄養不良を改善させ、食料の安全保障を確保するにはその規模はなお十分とは言えない。

人口増加に比べて農業の伸長は極めて遅い。ネパールの農業は、ほとんどの作物が水を大量に要するが、それをもっぱら天水に頼っているため、イネ、コムギ、その他の作物の収量はアジアの平均値以下である（表1）。食用作物の栽培がネパールでは最も

多く、農家の大部分がコメを生産している（72％）。次いで夏トウモロコシ（64％）、コムギ（57％）、雑穀（38％）と続く。ネパールは、地形、高度、季節の変化に応じて多様な農作物に恵まれており、作物は次のような諸部門に分けることができる。

食用作物：食用作物は五つの主要作物からなっている。すなわち、水稲、トウモロコシ、雑穀、コムギ、オオムギである。

換金作物：ネパールで栽培される主な換金作物はサトウキビ、油料種子、タバコ、ジャガイモ、ジュート、豆類である。

園芸作物（豆類、果実、野菜、その他）：園芸作物は農業の主要部門のひとつを構成し、全園芸GDPのうち野菜が最大の部分を占める。ネパール特有の地形を生かして、冬野菜が山間地で夏場に栽培できる。季節外れの野菜を大規模に栽培できることは、国際市場に輸出できる潜在的な可能性を有していることでもある。

畜産：畜産物生産は、ネパール農業の中でも重要な部門である。とりわけ重要な部門の一つに家禽生産がある。家禽、特に鶏肉と卵に対する需要は、過去30年間で劇的に上昇してきた。

漁業：漁業部門は経済全体においては、非常に限られた役割しか果たしていないが、ヒマラヤからの雪解け水の絶えない多くの川や、漁業に適している小さな湖や池や田んぼが存在しているので、漁業を発展させる潜在力を有している。

ネパールは、主にインドからコメ、トウモロコシ、ダイズ、タマネギ、リンゴ、ヤギ（肉）、ニンニク、豆類、魚、コショウ、ヒマワリ油などを輸入し、輸出できるものとしては、レンズマメ、季節外の野菜、野菜種子、スイートオレンジ、紅茶、有機コーヒー、大型カルダモン、ショウガ、医薬用あるいは芳香植物、チーズなどがある。

現在、農業開発における主要な政策と優先プログラムは、今後5年間の農業生産力の倍化、有益な価値連鎖（バリューチェーン）、食料保障と品質管理および地方・州・国の間の機能的な連携である。そのための農業政策は、「農業開発戦略（Agriculture Development Strategy（ADS）2015-2035）」に基づいている。ADSは四つの要素（ガバナンスの改善、生産性の向上、販売力の強化、高い競争力）からなる戦略的な枠組みである。これらを円滑に実施するためには、政府の適切な関与、遂行に必要な法規定、鍵となる関係者の同意、開発パートナー（援助機関）の支援が不可欠とされ、この4分野に関するロードマップが提案されている。ADSを成功に導くには、協同組合を通じたマーケティング等によって小規模農家をグループ化し、大規模農家へ転換させていくこと、あるいは自給的な農業から商業的農業に変換していくことが重要である。

シンドゥパルチョクの農家

ネパール農業開発にとっての主要な課題は、インフラ不備に

ラリトプルでの野菜栽培

より市場へのアクセスが十分でない、土地所有が分断化（都市化）されている、農産物の価格が変動する、機械化が進んでいない、技術ノウハウが限られている、若者の農業に対する魅力が乏しい、耕作資材（種子、肥料）や資本へのアクセスが困難である、収穫後過程における農産物の損失が多い、貿易障壁が大きい、ということなどにある。また、過去の農業開発計画の進捗が遅く、実効性が低い原因には、研究と農業普及との連携が機能的でなかったこと、農業に投下される予算が十分でなかったこと、農業投資が実際の農家に向けられず、その多くが間接経費に使われてきた、という点が挙げられる。一方、今後、ネパール農業は次のような面からの可能性を有している。すなわち、農業の多面的機能、人口ボーナス（約41％が若者）、中国とインドの中継地、生産支援のための豊富な水力エネルギー、園芸と畜産における比較的優位性、需要と供給の大きなギャップ、生産拡大の広がり、といった面から有望である。

ネパール農業が、伝統的な作物から高価値作物へ、労働集約からテクノロジー主導へ、小規模から大規模へ転換する過程では、官民及び協同組合の支援を必要とし、また現在提唱されている官民パートナーシップ（PPP）のアプローチも必要である。農家の収入を増やすために、伝統的な作物ではなく換金作物を栽培することは、商業及び競争的利益を生み出すうえで強く推奨されるべきである。

現在、日本はネパールに対する主要な援助国の一つであり、多くの経済開発分野に協力してきた。とりわけ、農業は40年以上にわたって支援を受けた分野のひとつである。日本の農業支援は、園芸、漁業、養蚕、灌漑の分野でなお重要な役割を占め、日本ナシ、カキ、キノコ、豆腐、マス(魚)、イチゴ、スイカ、野菜類は日本のプロジェクトによってネパールに導入されたものである。これらのプロジェクトの成果によって、今も農家は果実や野菜を生産しており、それらを市場で手に入れることができる。農家のニーズを踏まえた日本の協力は、ネパールに持続可能な農業開発をもたらしており、日本政府やＪＩＣＡ、ＮＧＯによるこれまでの協力に感謝を表したい。

（ラム・チャンドラ・ブサール／水谷房雄 訳）

参考文献

Statistical Information on Nepalese Agriculture, Fiscal Year 2016/17. Ministry of Agriculture and Livestock Development, Kathmandu, Nepal.

Economic Survey 2015/16. Ministry of Finance, Kathmandu, Nepal.

21

地域農業開発

★住民目線で継続した協働支援を !! ★

植林用の苗木は森林材（Forest）果樹材（Fruit）飼料用材（Fodder）の頭文字をとって3Fとしてセット配布し、緑の復活を達成した。

当会（ラブグリーンジャパン）がネパールの農村開発事業を開始したのは1991年である。従来ネパールの森林は国土の38％を占めていたが、毎年1％の割合で消失していて、25％になっているという情報があった。ネパールNGO（ラブグリーンネパール）を組織して、カブレパランチョク郡パンチカール村で植林を中心に事業を始めた。当時の住民には、植林事業は自分たちがするという認識と積極性がなかったため、長期的視点に立って組織化すること、継続を意識した有機農法や景観を保護することなど、環境関連の実践を指導してきた経緯がある。開発事業では、村の住民との接点から、そこにある諸問題を見出し、理解して、解決を目指して協働の事業を実施することが求められると思う。今回は、当会が30年近い期間、ネパールで経験した5村（地図参照）での活動を通じて、NGO組織としての農村開発について述べてみたい。

ネパールの主要産業は農業で、国民の約60%が農民である。多くは農地が約0・65ha未満の小規模世帯（家族平均4・47人程度）で、自給自足が中心の農民である。生産物からの収入は安定せず、慢性的な貧困を抱えている。農民の組織化も見られたが、具体的な継続した収入に結び付く対策もなく、多くは形骸化していた。政府による農業指導も村の問題解決には至っていない。一方で、農業の将来に向けた意欲ある農民もおり、開発活動は可能性をもって継続されていた。

近年、ネパールの政治的な変化は農村部にもさまざまな影響を与えてきている。1990年代からの民主化やマオイストの台頭もあり、一部住民の都市部への転居が増え、カトマンズ市内は人口の増加と宅地化が

プロジェクト対象地

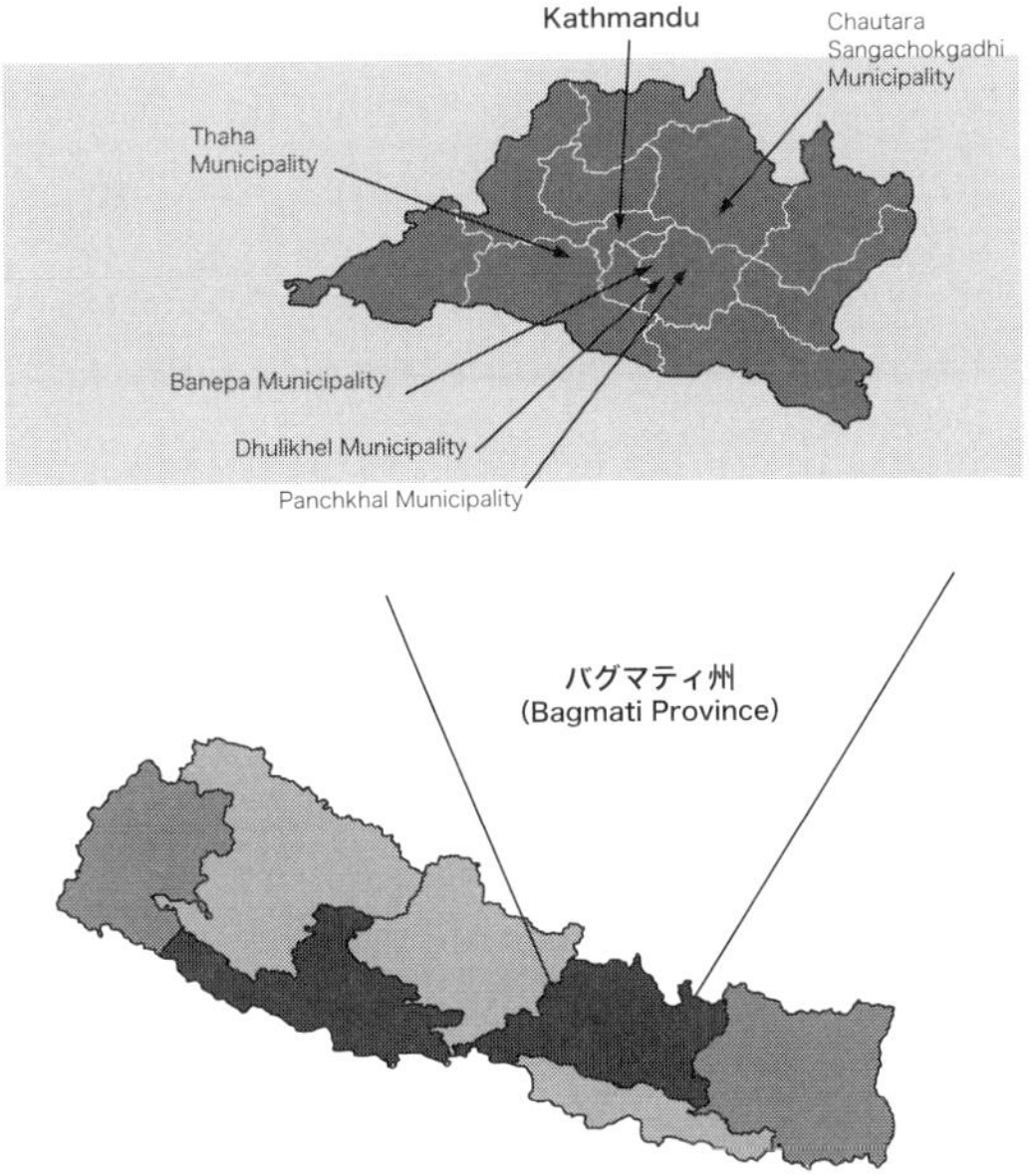

進み、野菜販売店が多くみられるようになった。若者の海外への出稼ぎも推進されて、毎年40〜50万人が海外に向かっている。当会が関係するカブレパランチョク郡パンチカール市（2017年に7村が合併し市へ移行）でも、6％をこえる住民が海外で仕事をしている。今やネパール各地の村は、高齢化と女性中心の農業を余儀なくされつつある。一方で、都市近郊のパンチカール市における農業は、生産物の多様化や流通の問題などを解決することで、収入の増加と自立発展の可能性が膨らんできている。将来は出稼ぎに出向くことのない、地域に依存した生活環境が望まれている。

ネパールの村では民族とカーストの混在が見られる。当会は村を支援する際に、そうした要件は特に重視せず、村の将来に向けて事業の必要性を住民と協議して事業を決定している。事業を提案する際には、関係地の事前調査を踏まえて、村の重要な人物から聞き取りをし、各地区住民の意見と合わせて、現地カウンターパートとともに活動してきた。村として収益を上げる取り組みはあっても、安全な野菜栽培や市場での販売、計画生産などにおいて成果がみられていないことが多かった。そのため、当会が農村開発事業として進めてきたアナイコート地区の有機農業センターやスタッフが常駐する現地事務所などからなる地域の拠点づくりは、事業の継続性や住民との良好な関係を維持するうえでも効果的だったと言える。特にパンチカール市には、住民の研修施設を3カ所建設して事業の活性化に役立ててきた。

当会の活動は、事業資金の関係から単年度事業を繰り返して実施してきた。住民の要望をカウンターパートと検討して、村に必要な農業関連施設や農業生産の充実を図ることが目的だった。2010年からはＪＩＣＡ草の根技術協力事業と連携して、3年から5年の中長期的な視点を持って活動してき

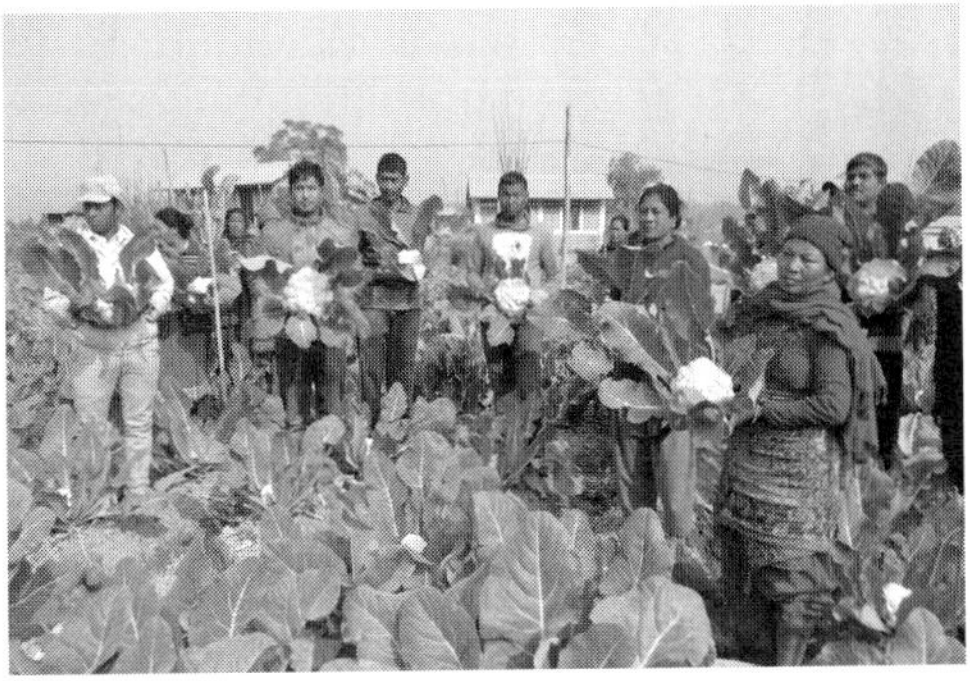

IPM（総合的害虫・雑草管理）農法によって収穫した安全な野菜を販売するグループが組織された。

ている。行政改革の一つとして、２０１８年から市長は住民による選挙で選ばれ、村が直面する農薬過剰使用による野菜の安全性や各村へのアクセスなど、新しい行政に対する関心と期待は膨らんでいる。しかし、一方で職員の経験不足や予算不足など貧弱な実施体制は、ネパール各市町村の悩みの種となりつつある。

現在実施中のパンチカール市の事業は行政との連携も視野に入れ、循環型農業を基本理念にした農業の人材育成、環境の基盤強化、土壌の改良を軸に、協同組合システム、農薬使用の削減を目指し、安全なＩＰＭ野菜（総合的病害虫管理（Integrated Pest Management）：環境保全を重視した病害虫・雑草の発生しにくい環境を整える農法）の生産、販売による農家世帯の生計向上を活動目標にしている。

村の活動では住民グループの組織化が重要であり、リーダーとなる農民の選抜と育成が求められる。フィールドを通じてリーダーの研修と指導を行なうことによって、事業の効果を上げることができるからである。当会は、現場に住民たちを直接指導するフィールドスタッフを常駐させ、そこにある問題点を抽出し、住民と協同して対応することで信頼関係を築いてきた。事業の実施には、現地カウンターパートとしてのＮＧＯ組織（ラブグリーンネパール）の存在は重要なファクターであり、この持続可能な体制が効果を上げる要因と捉えている。今まで対象地で実施してきた事業内容は、植林、バイオガス装置の設置、灌漑設備、研修施設&事務所の建設、貯水池施設、雨水、点滴灌漑設備の設置、家畜育成の支援、ミルク貯蔵施設の設置、有機堆肥作り、ビニールハウスの設置、各種研修によるIPM農法の推進、景観保護、学校建設支援などである。こうした活動を通じて住民の意識は前向きとなり、特に若い女性グループが地域の問題点をあぶりだし、求められる活動を具体的に提案し実施することによって、将来、地域開発のモデルになることを期待している。

（相川政夫）

22

農業協力

★ネパールの農業技術協力の夜明け★

ネパールの農業技術協力を述べるなら「ラプティ農場」の設置まで遡る必要がある。東京農業大学の栗田匡一講師らは、「現地農民に直に接し、生活を共にして農民自身が問題解決に向けて工夫・努力することへの手助け」を理念として、バラトプル空港より西南約2㎞のヨギャプリ村の原野にラプティ農場を1966年に開設した。当時は山間地域から移住してきた農家によるチトワンの開墾が始まったころで、農場で実証された技術や作物は移住者に広く利用された。3月ごろになると辛子菜の黄色い花畑の向こうのジャングルに沈む夕日のなかで聞いた、精米所発動機の「ポン、ポン、ポン」というリズミカルな音が40年後の今も思い出される。農場は1972年から日本政府支援の「ジャナカプル農業開発計画（JADP）」の山間地域農業の試作場という位置づけで1978年まで続けられ、その後は隣接するネパール政府園芸農場に合併され1990年に閉鎖された。

1971年から1986年までの15年間実施されたJADPが、日本政府のネパールへの本格的な農業技術協力の最初である。このプロジェクトでは、インド国境とシワリーク山脈の間

ジャナカプル県一般図（当時）

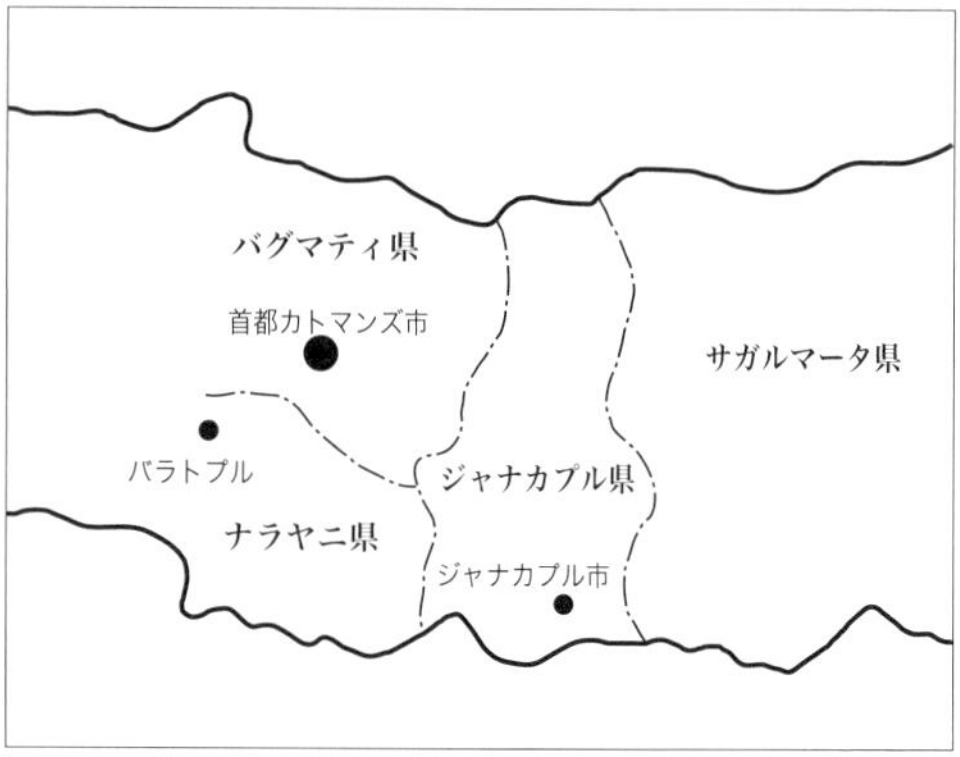

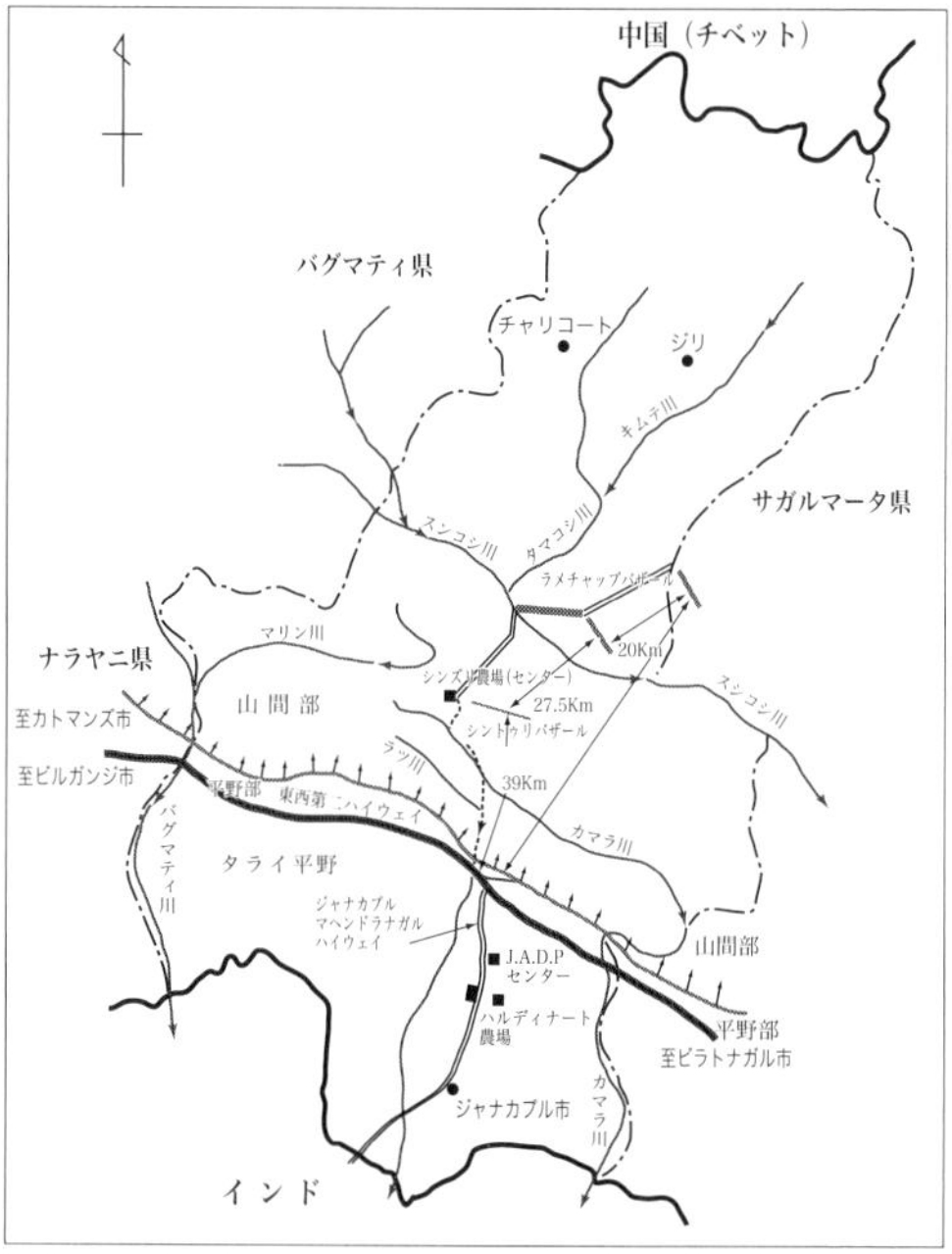

に広がるジャナカプル県のタライ平原のダヌシャ、マホタリ、サルラヒの３郡で井戸灌漑を中心とした農業開発が、山間地域のシンズリ、ラメチャップの２郡では、柑橘のジュナールと野菜生産技術開発普及が展開された。

プロジェクトの基地となるＪＡＤＰセンターは、ジャナカプル市街から約14㎞北方のナクタジージ集落に位置し、アウリ川の河川敷の石を日本人専門家や青年海外協力隊員、ネパール人スタッフが総出で取り除いて畑を整備することからの出発であった。そして１９７７年11月、ビレンドラ国王によりセンターの開所式が行なわれた。センターの整備とともに、サラヒ村での濃密灌漑農業（ＩＡＰ）事業による９本の深井戸（深さ約１００～１５０ｍ）の掘削が始まり、自噴水は水稲や小麦栽培に利用され、米の生産量は１９７４年と井戸完成後の１９８０年を比較すれば約１・４倍に増えた。

1984年ごろからは深井戸の自噴水量が減少し始めたことから、井戸にはポンプが設置され、燃料費を農家が負担する水管理法に切り替えられた。IAP事業開始当時から、土地が取られないかという農家の不信感とポンプ設置による燃料費負担への抵抗は強く、常に話し合いを続けながらの事業であった。4月の猛暑の夕方、マンゴーの大樹の下でトディ（ヤシ酒）を飲みながら、地元農家と夜中まで話し合ったこともあった。このような話し合いが続けられたことで、少しずつ事業が理解されるようになった。

IAP事業と並行して、比較的浅い地層（20〜30m）の水脈も利用できないかと浅井戸灌漑が注目され、1981年から農家の圃場での浅井戸の掘削が始まった。毎年500本のペースで掘削し、プロジェクトが終了する1986年には2千本を超え、このうち農業灌漑に利用できる水量を確保した井戸は約86％であった。浅井戸を利用した農業の普及・研修事業も実施され、冬季の小麦とトウモロコシの単位当たり収益は平均で1.9倍に増えた。

浅井戸掘削現場

浅井戸灌漑による小麦の栽培

一方、山間部では1974年にシンズリの町中に百葉箱が設置され気象観測が始まり、３農家より1・2haの畑を2万6千ルピーで購入して、山間地域の農業試験普及を目的としたシンズリ農場が開設された。この農場には、ラプティ農場に派遣されていた日本人専門家と青年海外協力隊員が交代で常駐し、また、農場は山間地域の農民が応用できる技術と農具で運営されていたことから、多くの農民が技術相談に訪れた。特に土曜日の野市で、作物の販売後に農場を訪れた農民は見慣れない野菜を植物園の植物のように観察し、関心を持った野菜の苗を買って山へ戻っていった。我々はカトマンズの協力隊事務所から古新聞を大量に持ち込み、夜はローソク5本を枕もとに立てた明かりを頼りに半年前の日本の記事を隅々まで読み、読み終わった新聞で野菜苗を丁寧に包んで、道中苗が傷まないようにして農家に渡した。苗の販売量は１９７６年には1万７０６６株が販売されるまでになっていた。当時、青年海外協力隊員としての私の任期が終わり、シンズリを去る１９７７年7月早朝に、ナカジョリ村の農家が15本の大根を売りに来て、1本の大根を届けてくれた。このように農家が直接感謝を伝えにきてくれた経験は、その後の私の約35年の技術協力活動でも他に一回しかない。私は本当に気持ち良くシンズリを去ることができた。

当時のジャナカプルからシンズリまでの道は、乾季には東西ハイウェーのバルディバスから干上がったラツ川の河原を通称ロシアン・ジープで上流へ向けて進んだ。車は荷物と人の山盛りの混載であった。途中のカマラで昼食を兼ねた休憩後、さらにカマラ川を上流へ向かったところがシンズリである。雨期にはロシアン・ジープの通行は不能になり、6、7月頃のカマラ川は水量も多く、数人が手をしっかり摑み合って流されないように川を渡った。雨期にはシンズリを早朝4時に出発し、川を13回、右岸へ左岸へと交互に渡りながら、バルディバスについたのは夕方の5時であった。シンズリ

ジャナカプルからシンズリへ向かう通称「ロシアン・ジープ」

1977年頃のシンズリの街並み

50kgのコメを運ぶ住民（シンズリガリの頂上付近）

からラメチャップの山中には車道はなく、シンズリからシンズリガリまでの急峻な道を人々は50kgのコメを背負って山間地へ運んでいた。我々も山間地の農家訪問時にはこの急峻な山道を喘ぎながら登った。峠頂上近くのドカン（茶屋）での甘いチヤ（ミルク紅茶）は今でも思い出される。シンズリ道路の完成（２０１５年）と今の地域の変貌はとても考えられないことであった。

１９８４年の開院直後のパタン病院で生まれ、ＪＡＤＰで育った私の子どもが、22年後にＪＡＤＰを卒業研究のテーマにした。彼は２００６年頃のＪＡＤＰの印象を以下のように述べている。

「ネパールにおよそ三週間滞在した。実にさまざまな人にお世話になり、沢山の御話を聞く機会を得た。ＪＡＤＰを知っている人は皆例外なく、昔の日本人と協力したプロジェクトや過ごした生活のことを懐かしみ、評価してくれた。また訪れた施設では私を無料で泊めてくれて、毎日沢山ご飯をご馳走になった。それ以外にもシンズリガリのジュナール農場や学校など、どこを訪れても温かく迎えてくれて、お茶を出してくれた。向こうから見れば公式の調査団でもなく、ただの個人旅行者である私が突然行ってもこのように温かく迎えてくれたことは、ネパールの人たちの持つ心の優しさによることは勿論であるが、それだけではないと思う。

日本との協力プロジェクトが終了して20年経ってなお、遠い国からやってきた私を温かく迎えてくれたことは、日本がこの地域において行なった、地域に密着した協力がいかに人々に受け入れられているかを物語っている。ＪＡＤＰが単に開発による便利さや物質的な豊かさだけでなく、交流と協力による、お金では買えない心に残る思い出や精神的な豊かさを日ネ双方の国の人々にもたらしていたことがとても印象的であった。」

我々が支援した技術や施設は、社会や自然の変化によって変貌したり、時には消滅や不要になることも避けられない。しかし住民の心に残した記憶は世代を超えて残ることをこの卒業研究が証明しているのではないだろうか。

（大泉泰雅）

23

電力事情

―★国内唯一の天然資源である水資源を活用した水力発電開発に特化して★―

ネパールは東西８００㎞、南北１５０～２００㎞の矩形国土の中に、インド国境付近の標高１００ｍ前後のタライ平原から「世界の屋根」と言われる標高８千ｍ級のヒマラヤ山脈まで南北２００㎞足らずの間で標高差８千ｍという世界でも稀にみる非常に急峻な地形を呈している。

このヒマラヤ山系を主たる源とするネパールの６千以上の大小河川は急峻な地形と相まって、膨大なエネルギーを抱え込みながら南北２００キロメートル足らずの国土を北から南に蛇行を繰り返して流下し、インド領内で聖なる大河ガンジス川に合流している。スイスの地質学者、トニー・ハーゲン（Toni Hagen）はこの豊富な水資源をスイスのアルプスになぞらえ、「ネパールの白い石炭」と呼んだ（ネパールと同様に海に面しない内陸国であるスイスは、近隣国で産出される石炭資源もなくアルプスを流下する水資源以外にこれといった資源を有さないことから、この豊富な水資源を「スイスの白い石炭」と呼び習わしている）。

以下に、主な世界の包蔵水力状況を示す。これによると、ネパールは中国、インド、カナダに次ぐ世界で第四位の開発可能包蔵水力（４万2千ＭＷ）を有している。なお、カナダ、ブラジ

表　包蔵水力状況

国名	理論包蔵水力（MW）	今後開発可能包蔵水力（MW）
中　国	689,000	410,000
インド	249,000	120,000
カナダ	—	49,000
ネパール	83,000	42,000
ミャンマー	108,000	39,000
ブラジル	260,000	25,000

出典：*International Water Power & Dam Construction YEARBOOK 2008.*

ルを除き、主な水力開発資源はヒマラヤ山系を源流とする河川を有する国々に属している。

このように豊かな包蔵水力を有しながら、今までに開発された水力設備は１０２０ＭＷ（総発電設備出力はディーゼル発電を含めて１０７０ＭＷ）に過ぎず、残り98％が未開発の状態にある。実際の消費電力量では、ほぼ１００％を水力発電に依存し、全体の30％を独立発電事業者（水力ＩＰＰ業者）から、37％をインド（火力、水力ほか）からの輸入で賄っている。

２０１０年前後には、１９９０年代半ばから約10年間続いた内戦状態の影響もあり、１日10時間を超える計画停電（最大16時間／日）を強いられる状況が続いたが、その後インドとの国際連系送電網が徐々に運開し、今日では全消費量に対する不足分をこの送電網を通して輸入することで、ほぼ停電が解消されている。

しかしながら、未だ、地方部や山間部では未電化地域が多く残され、全体の電化率は70％程度に留まっている。また、近年の電力消費量が毎年８％前後の増加率を示しているにもかかわらず、人口一人当たりの年間電力消費量は約２４０ＫＷｈ（２０１８年時点、日本の１／25程度）と南アジア諸国の中でも最も低い状態にある。

ネパール電力公社の予測によれば、将来的には年間発電量（年間電力

図　電力の実績と需要予想

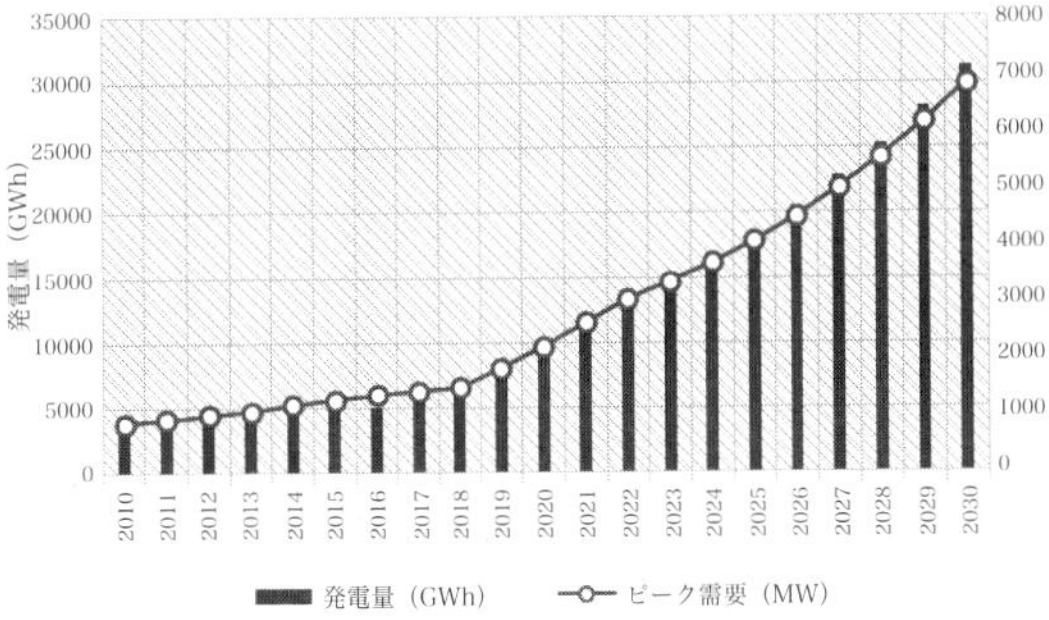

出典：Nepal Electricity Authority. 2018. *A Year in Review - Fiscal Year 2017/2018.*

消費量）およびピーク需要はともに、年間10％程度の増加が見込まれ、2025年には4千MW、2030年には7千MWのピーク需要が予測されている。上図に年間発電量（GWh）とピーク需要（MW）の実績および将来予測を示す。

今後、この急増する電力需要を満たすためには、毎年500MW以上の新規電源を順次開発していく必要があるが、最大の課題はこの膨大な建設資金の調達である。一般的に、ネパールの水力発電所建設費はおよそ20～30万円／KWとされており、仮に500MWの発電所を建設するとなると1000～1500億円の資金（初期投資）が必要となる。年間の国家予算が1・3兆円（2018／19年度）程度の国にあって、この1千億円を超える資金を毎年新規水力発電所の建設に振り向けることは不可能である。そこで、ネパール政府はアジア開発銀行（ADB）や世界銀行（WB）などの国際援助機関やJICAなど先進各国の援助機関

ネパール西部のカルナリ川に計画されている水力発電所ダム地点（2019年2月、この時期は乾期のため河川流量は70～80㎥/sであったが、雨期の8月頃になるとその流量が800～900㎥/sと10倍以上に増える）

からの支援のみならず、国内外の民間資金を水力発電分野に導入すべく積極的な投資を呼びかけている。

現在、全電力消費量の40％近くをインドからの輸入に依存しているが、将来的には水力発電による余剰エネルギーをインドも含めた南アジア諸国に輸出することにより（南アジア諸国間での広域電力融通を行ない、諸国間で異なる電源構成のベストミックスに寄与し、南アジアの「バッテリー」の一翼を担うことにより）貿易収支の改善や国家経済発展の推進力になることが期待されている。

水資源以外に石油、ガス、石炭などの天然資源を有しないネパールにとって、水力開発は長期的な持続的経済発展に欠かすことの出来ない唯一貴重な開発資源である。もちろん、電力源としては水力以外に代替エネルギー（太陽光、風力など）の利用も考えられるが、ネパールの狭隘な山岳地形では経済性、出力規模および出力安定性等から基幹電源とはなり得ず、今後とも水力発電に依存せざるを得ない状況が続くであろう。

ただ、ネパールの河川は流量をもとに分けた場合の乾期（12月～5月）と雨期（6月～11月）で流量差（立方メートル／秒）が10倍以上異なり、その結果、発生電力量もその時々の河川流量に大きく影響され、年間を通じて平準化した電力供給が難しいという課題がある。この課題を解決すべく、最近では河川流量を年間を通して調節可能な貯水池式発電所の計画・建設が進められつつある。

（尾崎行義）

参考文献
木崎甲子郎 1994『ヒマラヤはどこからきたか——貝と岩が語る造山運動』中公新書。
Nepal Electricity Authority. 2018. *A Year in Review-Fiscal Year 2017/2018.*

24

水事情

★カトマンズ盆地内の給水事情★

私は、常々「ネパールの皆さんに、水の潤いによる生活への安心と豊かさを実感してもらいたい。」と考えを巡らせている。しかし、私の出会うネパール人は、皆概ね「水への不安や心配ごと」を口にする。一方、日本からみたこの国の水へのイメージは「ヒマラヤ山脈」などからの透き通った湧水が滔々と湛えられて、そこの住民はさぞ美味な水にありつけるかと、想像するのではなかろうか。

ネパール国の地勢は、森林など自然環境に恵まれ、国の面積は約14万㎢で、北海道と九州と四国をひとつにしたぐらいの大きさだ。この概ね長方形のような形の国土は、南北に北の標高8千m程度のヒマラヤ山脈から南の標高60m程度のインド国境沿いまで世界有数の標高差を持つ。そんな急峻な地形は、雨季には降った雨により多くの河川を誕生させ、乾季にはそのほとんどが形跡だけを残すほどだ。また、気候は、標高により異なるが、例えば首都カトマンズは標高1300m程度にあり、日本の多くの地域と同じく温暖で、年間平均気温が18度程度、5、6月は暑く、12、1月は寒い。また、年間降水量は1500㎜程度。雨の降る時期は、雨季の6月から9月で年間降水量の9

割程度がこの間に集中している。

ネパールの人口は、2017年値の人口推計によると約3千万人である。仮に生活用水の確保に1人1日100ℓが必要だと目算すると、全国民のために毎日300万㎥の水が必要となる。それに比べ、水資源量は、全土にカトマンズの平均年間降水量約1500㎜が降ったと仮定すると、毎日のべ5億7500万㎥が目算できる。そのうち、約1%未満（300万㎥）の水を国民の生活向けに用意できればよいのだが、それが道半ばなのである。

この主な問題は、理由①国土に占める水面積率（約2・8%）は低いとは言えないが、水資源が地勢的に恵まれず、また、一年を通して安定的に水が確保できる河川が非常に限られており、その水場と人口の集積地とに距離があること、および理由②水需要との関連では、これまでの国内の政情や社会不安などから、地方から都市部への人の移動が絶えず、都市部の人口集積が著しいこと、である。これらの問題が、社会的または空間的なギャップを増幅させ、ネパールの国土で得られるであろう約1%未満の雨水からの恵みをうまく分配できないほど、水を満足に確保することが難しい状況なのだ。

2019年6月休日の曇り。私はアパートの家主にスコップとバケツを借りて、古都パタン市内のため池や井戸、水路などの掃除に参加した。この「シティ・ナカー」という行事は、水を湛える時期（モンスーン）に備えて、街の水回りの掃除を行なう祭りである。私は堆積した土砂を取り除くなどの活動をして、久しぶりにいい汗を流した。そのしばらくした後に承知できたのだが、この水路の主な用途は、生活用水を確保するための公共用水道なのである。

この街には、「ヒティ」という共同水栓場が点在する。この「ヒティ」は、地下水路から直接水が

第24章

水事情

ヒティの利用状況（乾季・パタン市内、提供：Ms Palpasa Prajapati）

流れるように半地下の各水場に、5栓程度の石材で蛇や魚や想像上の動物の彫刻を施した蛇口があり、そこから水を得ることができる。乾季の水の少ない時期でも、近隣の住民は、蛇口から滴り落ちる水を各々の容器に集めるほど生活には欠かせないものだ（提供写真参照）。

この水路は、文献によるとマッラ王朝（西暦1200〜1768年）の時代から続いており、約16km先の水源から灌漑用水として田畑を潤し、その後、現在でも都市部（パタン市）の約40箇所にある「ヒティ」へと繋がっている。このような過去の優れた英知で造られた供給システムは、昔はカトマンズ盆地内至る所にあり街の繁栄を支えていたそうだが、その多くは、都市化の影響や維持管理不足などから既に機能を失っている。現在、その代わりに、比較的生活に余裕のある人たちは、費用負担の大きいタンク車からの運搬給水や、深井戸などの地下水からの給水に頼っている。私の解釈では、これらの供給方法は、水質・水量への懸念や深刻な地下水の異常低下などが心配されるので、現況の長期化は好ましくない。

この厳しい水事情の原因のひとつは、都市生活を支える現代の公共水道インフラが満足に機能できていないことにある。だが、これも関係者の努力により、ひとつの取組成果が期待できるところまできている。

昨今、カトマンズ盆地内に住む住民の水への大きな関心事のひとつは、「各戸の蛇口からいつメラムチ川からの水が得られるのか」ではないだろうか？　このメラムチ事業は、国を挙げて、約20年前からカトマンズ盆地内の水不足の解消を目指して進めてきた。この取組みは、直線距離で概ね30km程離れたメラムチ川より導水トンネルを使って、順次、水道用に、今の2倍以上にあたる計画最大50万㎥／日規模の大量の水を引き入れることを目指している。さらに、この取組みの特徴は、取水施設からお客様の検針用メータまで、多くの水道施設を新しく供給システムごと大規模に切り替えるところだ。今、この事業の給水開始があと一歩のところまできている。その片鱗としては、例えば、街を歩いた場合、そこかしこでポリエチレン製の黒いパイプが道端から飛び出ているのを目にするだろう。これは各戸に水を引き込むためのパイプで、既に近隣の道路などの地下に比較的大きな水道管を敷設したことを示すものだ。

日本は1976年のタンセン市での施設整備を皮切りに、ネパール国の水道セクターに、これまで概ね40年以上の長期にわたる支援を続けてきた。また、カトマンズ盆地内に限っても、既存の主要浄水場の建設や給水区域の拡大など、比較的大規模な支援を実施してきた。また、今回のメラムチ事業（第1期）では、新たな浄水場の建設、またその後の技術的な支援を予定するなど、引き続き、大きな責任を担っている。

ネパール国の水道セクターは、今後も、衛生環境の改善に伴う公衆衛生の向上と国の発展に伴う生活環境の改善を水の潤いから下支えしていく必要がある。それには私たち支援側だけでなく、これまで以上に、ネパール側の関係者が果たすべき役割は大きい。

私は、いつの時代でも、ネパールの水の関係者が汗をかき、知恵を出し合った清浄で低廉豊富な水は、ネパールの皆さんにとって、ヒマラヤの岩清水に優るとも劣らない意味があるものだと確信している。

（佐伯孝志）

参考文献
Amatya, Shaphalya. 2003. *Water & Culture*. Kathmandu: Jalsrot Vikas Sanstha.
Joshi, Jharna. 2015. *Preserving the Hiti, Ancient Water Spout System of Nepal*. Adelaide: ICOMOS.

25

災害

★持続可能な開発に不可欠な自然災害リスク削減★

自然災害は、被害をもたらす自然現象と、それに対応する脆弱性の両方によって引き起こされるが、ネパールでは危険な自然現象の発生頻度が高いだけでなく、国や社会の総合的な開発レベルが不十分であることから、極めて災害リスクが高くなっている。ネパールにおける自然災害被害の軽減は、国の長期的発展を実現するための重要な課題である。

さらに、ネパールにおける自然災害による被害（人命及び財産）は近年増加傾向が強まっている。地球規模での気温上昇は、ヒマラヤ高地でより大きな気温上昇を引き起こすとされるなど、気候変動の影響を非常に受けやすく、集中豪雨、気温上昇、旱魃などの異常気象の発生頻度も増加しており、地形地質的な要因から地滑りや洪水が多発している。また、後述のとおり地下深くでは地殻変動が常に活発であり、地震の発生原因ともなっている。

一方、国や社会の脆弱性を抑制し克服するための開発や対策は不十分な状況が続いている。１９９０年代からの長引く政治混乱、政府や民間企業の能力不足などにより、道路、水、電力などのインフラ開発は非常に遅れ、首都圏ですら道路、上下水

第25章
災　害

災害種別	地理的な傾向	2000～2017年の死者数
地震	ネパール全国で地震リスクが高い。	9,373名（2015年地震のみで9,366名）
洪水・地滑り	洪水はタライ、丘陵。地滑りは丘陵、山岳。	3,852名
落雷	ネパール全土	1,069名
火事	丘陵及びタライ	700名
雪崩	ヒマラヤ高山地帯	88名
嵐	ネパール全土	72名
雹（ひょう）	丘陵	23名
寒波	タライ	-
土石流	丘陵、山岳、特に標高1700メートル以上	-
氷河湖決壊洪水	ヒマラヤ高山地帯（4000メートル以上）の氷河末端から発生し中間丘陵地まで流下。	-
旱魃	ネパール全土	-

ネパールの地方の道路地形

道、廃棄物処理などの開発は進まず、民間投資の足かせにもなっている。人口集中に伴って建築基準を遵守していない建物が無計画に建設されており、カトマンズ盆地は世界的にも地震リスクの最も高い場所のひとつになっている。

また、教育、司法や保健医療などの社会的な側面での人的開発も進んでおらず、大気汚染や森林保全といった環境面での対策も遅れている。政府の行政・統治能力も低く、特に予算計画どおりに事業実施する能力が乏しい。不正腐敗も足かせになっている。

ネパールで発生する自然災害は上の表のとおりであり、

2015年ネパール地震ではカトマンズ郊外でも多くの脆弱な建物が崩壊した

実に多様な災害リスクにさらされていることがわかる。

地震は、低頻度ではあるがひとたび発生すれば甚大な被害をもたらし、ここ数年では最大の死者数となっている。ヒンドゥークシ・ヒマラヤ山脈は、地球上で最も若い山の一つと言われ地殻変動も活発である。地震の主な発生原因は、インドプレートがユーラシアプレートに潜り込んでいることにあり、プレート間の衝突は年間4～5㎝、そのうち2㎝弱が収縮してヒマラヤ山脈の造山運動に影響し、残りの2～3㎝はユーラシアプレートに歪として吸収されるとされている。このため、アフガニスタン、パキスタン、インド、ネパール、ブータン、中国に至るまでのヒンドゥークシ・ヒマラヤ山脈に沿った広範囲で地震はいつ起きても不思議でないと考えられている。

洪水・地滑りも活発で、2000年以降、年平均約200名が犠牲になっている。落雷を伴う急激な降雨も頻繁に発生し、落雷が原因となって年平均約60名が犠牲になっている。近年では気候変動の影響により、予測を超える異常降雨の発生頻度がさらに増えており、特にタライ平野では、ほぼ毎年大きな被害が発生している。このような地域では、河川氾濫リスクのある場所に定住する人が増加する反面、下流のインド側との調整が十分でなく洪水対策が進んでいないとの指摘もある。また、急峻な地形と脆弱な地質の

崖際に建設された住宅の裏山が突如決壊することも

影響から、特に丘陵及び山岳部は地滑り多発地帯となっている。無秩序な森林伐採や道路開発も、危険な傾斜地や斜面を不安定にし、災害リスクをさらに高める結果となっている。

気候変動による世界的な気温上昇はヒマラヤ高地ではさらに深刻化しており、氷河や永久凍土が年々減少している。解けだした水は４千ｍ以上の高地で極めて不安定な氷河湖を形成し、水量も増え続けている。これが突発的に決壊して発生する「氷河湖決壊洪水」の発生がネパール、ブータン、パキスタンなどで近年も確認され、その頻度も増え続けている。２０１０年時点でネパール国内だけで21の危険性の高い氷河湖が確認されており、このうち六つの氷河湖が非常に決壊危険度が高いとされている。

ネパール政府が発行している災害対応方針に次のような記述がある。「ネパールの人々は災害とともに生活しており、災害を人生の一部として受け入れている。地震に限らず、その他の多様な災害と日常生活を生きることは、ネパール人にとっての運命である」。このような認識は、ある面ではネパール人の自然に対する尊敬・畏怖・親しみを表しているともいえるが、反対にあきらめや災害対策の遅延にもつながっている。近年ますます災害への対応能力が必要になっているのに対し、ネパール政府は、２０１５年のネパール地震発生も契機として、災害対応強化に力を入れている。２０１７年10月

	必要再建数	再建完了数	進捗率
住　　宅	826,338	439,462	53.2%
教育施設	7,553	4,647	61.5%
医療施設	975	532	54.6%
政府庁舎	415	298	71.8%
文化遺産	753	235	31.2%

には「防災管理法」が制定され、災害対応に関する一元的な対応組織として、中央政府レベルに国家防災管理庁を設立することが定められた。また、さらに州政府および地方政府にも災害管理委員会を設置することになり、これらの新たな組織が有機的に連動することで、平時の災害リスク把握、防災ガバナンス強化、防災投資促進から、災害発生時の災害対応や復旧復興まで、一元的な防災体制が整うことが期待されている。しかし、２０１９年７月現在、国家防災管理庁はまだ長官を含めた要員配置が行なわれていない状況が続いている。２０１５年ネパール地震後も、洪水・地滑りなどの災害が毎年のように発生しており、一日も早い体制確立が求められている。

２０１５年３月に仙台防災枠組みが採択され、その直後４月にネパール地震が発生した。日本が提唱したビルド・バック・ベター（より良い復興）を具現化すべく、日本政府は復興支援に力を入れてきた。被害総額７千億円以上とされた地震復興だが、発災後４年以上が経過した２０１９年６月現在の進捗要約は上の表のようである（ネパール政府発表）。官民両方の実施能力の低さが、復興事業が円滑に進まない原因となっている。

日本は、①住宅復興、②学校復興、③病院など社会インフラ再建、④復興・防災計画策定支援、⑤文化遺産修復支援などを主に手掛けている。被害が最大であった住宅再建については、被災した住民自らが再建を行なう「住民自主再建」が行なわれているが、ＪＩＣＡは、ネパール政府の実施能力が低い中で、ネパール被災村落のコミュニティ共助機能を活用した支援を展開し、高い再建率（２０１９年7月現在84％以上）を達成している。ネパール政府もこれに注目し、ＪＩＣＡ支援地域以外でも同様の取り組みを展開するようになっている。東日本大震災の被災地からも、被災自治体（宮城県東松島市）関係者が経験共有のためにＪＩＣＡ調査団としてネパールを訪問し、自らの復興経験をネパール地震復興に役立ててもらう動きも生まれている。

（永見光三）

参考文献

Government of Nepal. 2018. National Position Paper on Disaster Risk Reduction and Management Nepal. https://link.springer.com/content/pdf/10.1007%2F978-3-319-92288-1_11.pdf

ICIMOD. 2011. *Glacial Lakes and Glacial Lake Outburst Floods in Nepal*. Kathmandu: ICIMOD. http://www.icimod.org/dvds/201104_GLOF/reports/final_report.pdf

Vaidya, R.A. et al. 2019. Disaster Risk Reduction and Building Resilience in the Hindu Kush Himalaya. In: Wester P., Mishra A., Mukherji A., Shrestha A. (eds). *The Hindu Kush Himalaya Assessment*. Springer. https://link.springer.com/content/pdf/10.1007%2F978-3-319-92288-1_11.pdf

V

保健医療

26

医療の現状と保険制度

★増える生活習慣病と国民健康保険制度の歩み★

ネパールでは、汚染された飲料水や不衛生な環境などが原因で起こる感染症が従来よく見られていたが、近年になって飲酒、喫煙、食生活などの生活習慣に起因する糖尿病、高血圧症や高脂血症などの生活習慣病が増加し、感染症をしのぐ勢いを見せている。ネウパネ（Neupane）ら（2014年）の報告によると、高血圧症は過去25年で3倍に増え、今や成人の3分の1が高血圧症であり、またゲワリ（Gyawali）ら（2015年）によると、15歳以上人口の8・4％が糖尿病を罹患しているということである。

生活習慣病の台頭が進む背景として、近年都市化が進んだことで以前のように農作業を行なう人々が減ったことに加え、高脂肪かつ高糖質で食物繊維の少ない食事を取る人々が増えたことが挙げられる。食生活の変化と体を動かす機会が減ったことで、特に都市部で肥満の人々の割合が顕著に増えてきた。ネパール人口健康調査（Nepal Demographic and Health Survey）によると、2001年から2016年の15年間で、15歳〜49歳女性では過体重（BMI25以上）の人の割合が6・5％から22・1％まで増加したとの報告がある。言うまでもなく、肥満は多くの生活習慣病と直接関連しており、糖尿病や高血圧症、高脂血症とのつながりが深い。

肥満の問題は、成人のみならず子供にも及んでいる。ウェイ（Wei）ら（2019年）によると、ネパールが従来抱えていた問題である栄養不良の子供は近年減少してはいるものの、2016年時点で低体重の子供は全国で27％であったが、都市部の比較的裕福な家庭では、未就学児童の肥満が2011年から2016年にかけて増加しているとの報告がある。これは、都市部において過剰栄養の人口が増加し、農村部では低栄養が多く見られるという、「栄養障害の二重負荷（Double Burden of Malnutrition）」と呼ばれる現象がネパールでも起きている可能性があるといえる。従来の伝統的な食事、すなわち米やダル（豆）、野菜を中心とした食生活から、スナック菓子や加糖飲料などのジャンクフードを好んで食べるようになったことも原因の一つと考えられる。この現象は若い世代でより顕著に見られ、プリース（Pries）らによる最新の調査（2018年）によると、カトマンズに住む1歳から2歳児では、母乳以外の一日当たり摂取カロリーの4分の1をビスケット、飴、チョコレート、スナック菓子などのジャンクフードから取っており、特に貧しい家庭の子供でジャンクフード消費が多いという結果が報告されている。

またネパールでは、生活習慣病の増加とともに、交通事故による負傷も大きな社会問題になりつつある。近年国内の主要幹線道路の整備が進むにつれ、国全体の車両数や交通量が目覚ましく増加してきた。それに伴い交通事故も増加傾向にあり、カルキ（Karkee）ら（2015年）によると2001〜02年では交通事故の負傷者数が約4600人であったが、2012〜13年では約10万人にまで上昇し、11年間で負傷者が約20倍に増えたとの報告がある。このように、農村部で依然続く感染症、生

健康と医療費に関する世帯調査のプレテスト（本調査前の試行調査）風景（カトマンズ、2011 年）

活習慣病の台頭と交通事故の増加という三重の疾病問題を現代ネパールは抱えているといえるであろう。

このような医療事情の中で、ネパールにおける保健医療システムはどう変化してきたのであろうか。ネパールは、国民の医療費自己負担率が高く、高額医療費によって貧困に陥る人が少なくない。要因の一つに、公的医療保険が普及していないことが挙げられる。従来、ネパール政府はがんや心臓病、腎臓病などの重篤疾患については一定の割合で補助金を支給し、一部の地域ではコミュニティベースの医療保険（Community-Based Health Insurance）が導入されてきた。さらに２００６年以降は、公的医療機関（公立病院、ヘルスポスト、プライマリ・ヘルスケアセンターなど）において、特定の薬を含む一定の保健医療サービスを無償で受けることが可能となった。しかしながら、著者らが２０１１年にカトマンズ盆地で行なった調査によると、ネパールでは依然高血圧症や糖尿病、交通事故の治療費を広くカバーするような医療保険の導入が遅れており、これら非感染性疾患や事故による医療費負担が引き起こす貧困が、特に都市部で無視できない問題となってきている。また、公的医療機関と違い、私立の医療機関での医療費自己負担はほぼ100％に近いが、公的医療機関に比べ私立のクリニックの人気が圧倒的に高い。実際カトマンズの住民に話を聞くと、「公立病院は待ち時間が長い」、「ヘルスポストなどでは薬や機材が足りない」といった声が多い。このように、従来の医療費補助制度は規模が小さいうえに適用範囲が限られており、国民全体を広くカバーするような公的健康保険制度の導入が課題となってきた。

近年ユニバーサル・ヘルス・カバレッジ（世界保健機関の定義によると、「すべての人が、適切な予防、治療、リハビリ等の保健医療サービスを必要な時に支払い可能な費用で受けられる状態」を意味する）推進の機運が全世界で高まるなか、ネパールでも国民健康保険制度に対する取り組みが始まり、2013年10月10日に国民健康保険法（National Health Insurance Bill）が承認され、政府が国民皆保険に向けての施策を実施することが可能となった。その足掛かりとして、2016年4月には国民健康保険プログラム（National Health Insurance Program, NHIP）が開始され、現在までに国民の約5％がNHIPに加入、2020年までに全77郡での導入を目指すとしている。NHIPによると、保険料は5人世帯

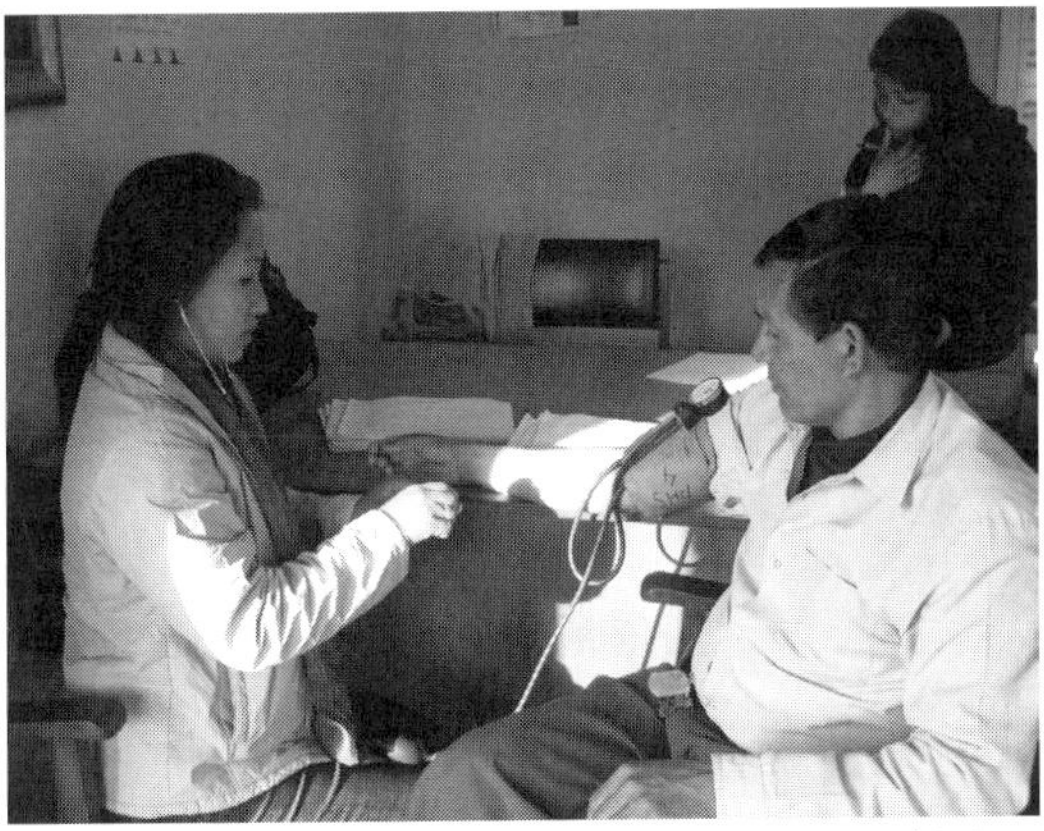
健康と医療費に関する世帯調査のプレテスト風景（カトマンズ、2011年）

の場合年額２５００ルピーが加算される仕組みで、貧困世帯や職業カーストは保険料が全額あるいは一部免除となり、救急医療や入院・外来・調剤の医療費が年間5万ルピー（5人世帯の場合）まで保険給付されることになる。しかしながら、近年の調査（ギミレ〔Ghimire〕ら２０１９年）によると、ＮＨＩＰの加入者は比較的富裕層が多く、貧しい世帯での加入が進んでいないと報告されており、定期的な保険料支払が困難な世帯をいかに巻き込んでいくかが課題となっている。ＮＨＩＰが継続的に機能するためには、加入世帯の拡大が不可欠であり、今後社会経済状況にかかわらず、国民全体が広く受益するような国民健康保険制度の拡充が望まれる。

（齋藤英子）

参考文献

Ghimire, Prabesh et al. 2019. Factors Associated with Enrolment of Households in Nepal's National Health Insurance Program, *International Journal of Health Policy and Management*.

Karkee R. & Lee A.H. 2016. Epidemiology of Road Traffic Injuries in Nepal, 2001-2013: Systematic Review and Secondary Data Analysis. *BMJ* Open 6.

Saito, Eiko et al. 2014. Catastrophic Household Expenditure on Health in Nepal: A Cross-sectional Survey, *Bull. World Health Organ* 92.

27

感染症事情

★克服されつつある感染症と新たな問題★

ネパールは北海道の2倍弱の面積の小国であり、南北約200㎞の国土の中で、北は標高4千から8千m、南は70mとダイナミックに変化することが特徴的である。標高により大きく気候は異なり、感染症においても首都カトマンズのある丘陵帯にはない熱帯病が南平野部のタライ地方でみられるなど、多様性に富んでいるといえる。ネパールにおいては未だ感染症が保健衛生上の大きな問題として挙げられるが、近年は徐々に改善されつつある。感染症の伝播は、水を介したもの、昆虫を介したもの、動物を介したもの、人を介したものに分類できる。

水媒介系の感染症であるが、衛生を保つうえで重要である上下水道の整備は、カトマンズにおいても不十分であり、生水・生ものを介する消化器系感染症の流行の主要な原因となっている。特に雨季は汚染された水が飲料水、農業用水に混入しやすくなるため罹患率は上昇する。下痢、血便、発熱、腹痛、嘔吐などの症状を呈する急性胃腸炎は病原性大腸菌、コレラ、赤痢、腸チフス、ジアルジア、クリプトスポリディウム、赤痢アメーバなどが原因となる。これらによる死亡例は、貧困層を中心に年間360例以上と報告されている。上記以外の病原菌にも、

共同井戸（バクタプル）

筆者の以前の調査において共同井戸、共同水場の水からアエロモナス属菌などの旅行者下痢症の原因菌が高率に検出されている。また急性A型及びE型肝炎もみられ、ウイルスに汚染された飲食品の摂取により発症するが、特にE型肝炎はA型に比べ重症化する頻度が高く、致死率はA型の10倍程度で1～２%、妊娠後期の妊婦が感染すると致死率は20%にも及ぶ。２０１４年のカトマンズにおける調査によると、急性ウイルス肝炎の約7割がE型であり、A型は15%のみであった。旅行者にとっては、予防ワクチンが存在しないE型が大半であることに留意するべきといえよう。

　昆虫を介するものでは、マラリア、日本脳炎などが主な疾患であり、蚊によって媒介され、南部のタライ地方が主な流行地である。いずれも疾患コントロールプロジェクトが奏功しており、症例数は激減している。マラリアは、１９５０年代までは年間２００万人が発症していたが、２０１７年には約1千例まで減少、２０２５年までの撲滅を目標としている。日本脳炎も２０１０年までは年間１５０例から４５０例を推移していたが、２０１６年以降は１００例以下である。インド・中近東で流行しているリーシュマニア症も同様である。サシチョウバエの刺咬により感染するもので、肝臓など内臓の機能及び免疫力が破壊されるため、無治療では致死率が高い。２０００年には２０９０例あった報告は２０１６年には１５０例まで低下してきた。一方、新しいものとして蚊によって媒介されるデング熱があげられる。発熱、頭痛、筋関節痛、皮疹が出現し、数日で自然に改善するが、数％で重症化し出血傾向を伴うデング出血熱と呼ばれる状態になれば致死的なこともある。２０１４年には日本国内でも東京の公園を中心に１５０例ほどの小流行が見られたが、ネパールにおいても２００４年の最初の報告以来、４回の流行が報告されている。

動物を介するものの代表は狂犬病であり、ウイルスに感染した動物の唾液を介して起こる脳炎である。主な感染動物は犬、猿、猫、ジャッカルであり、発症すれば救命は不可能である。人と犬に対するワクチン接種が普及しつつあり症例は減少したが、依然毎年１００人以上が死亡しており、そのほとんどが犬の咬傷が原因である。他に、動物より感染する寄生虫疾患が多く存在し、動物との直接接触よりは汚染された生肉、食物の摂食によるものがほとんどである。豚肉の摂食で感染する有鈎条虫症（脳に感染）、先天性トキソプラズマ症（妊婦が感染することにより胎児脳が障害される）、エキノコックス症（主に肝臓に寄生し肝不全をきたすが、肺、脳などに寄生することもある。動物との直接接触でも感染しうる。）などが疾病負担の大きいものとして挙げられている。

ヒトを介する感染症の代表的なものとして結核、ＨＩＶ、Ｂ型肝炎があげられる。多くの途上国と同様に結核は公衆衛生上の重要な疾患である。２０１７年における結核患者数は4万5千人で、罹患率は対10万人１５２・０人（日本では13・３人）、新規患者数は3万1千人である。減少傾向にはあるが、活動性結核の診断がついていない潜在患者が1万人はいるとネパール政府は推測している。実際、地方の病院などに行くとレントゲンでは結核が濃厚に疑われる患者も、診断・隔離されずに大部屋にいたりする。ネパールの結核の現状は対岸の火事ではなく、日本における結核新規患者の中に占める外国出身の患者数は増加傾向にあり、ネパールとベトナム出身者（技能実習生・留学生が急増中）が特に著しい。また、ネパールの15～49歳人口におけるＨＩＶ有病率は０・２％であり、年間新規患者発生数は９００例である。３万人強の患者数がいるが、新規症例は減少しつつあり、２００６年に始まったＡＩＤＳ発症を予防する抗レトロウイルス薬の投与は２０１７年には56％の患者に対して行なわれており着実に上昇しつつある。そのほとんどのケースが売買春行為によるもので、国外での感染の持ち込みが多いようである。中には人身売買でインドへ誘拐され、性的搾取を強要された女性も含まれており、重大な人権侵害が背景にある場合もある。Ｂ型・Ｃ型肝炎ウイルスは血液を介してうつり、汚染された注射や輸血が原因であるが、Ｂ型肝炎は性行為によっても感染する。周辺国の中国やインド、他のアジア諸国（8～10％）に比べると、ネパールにおけるＢ型・Ｃ型肝炎ウイルス保有率はもともと1・5％以下と少ない。

以上、「従来型」の感染症の状況は徐々に改善されつつあるが、新たな感染症の側面も出現してきている。即ち、世界的に問題となっている抗菌剤耐性菌の蔓延であるが、途上国においてはさらに深刻でありネパールも例に漏れない。原因である不適切な抗菌剤の使用は、医師、そして医師よりも圧倒的多数のヘルスワーカーや薬剤師によっても行なわれ、さらに処方箋なしでも薬局で容易に抗菌剤が手に入るため、患者の自己判断による抗菌剤使用が可能なことも背景にある。また、家畜などに対する成長促進、感染予防目的の抗菌剤の大量使用（２０１２年には3万2千kg、２００２年より倍増）とそれに起因する環境常在菌の耐性化なども背景に挙げられる。高度医療機関においては日本では検出頻度がかなり低い「カルバペネム耐性腸内細菌科細菌」などに代表される高度薬剤耐性菌の蔓延もみられ、医療従事者の手を介して院内伝播していると考えられる。人の移動、交流がいよいよ増加していく中、四つの媒介系のうちの「人を介する感染症」、特に結核や高度薬剤耐性菌などの日本への輸入例が増えていくことが懸念され、国境を越えたグローバルな対策が必要とされる（折しも本書が上梓される直前より新型コロナウイルス感染症のパンデミックが起こっている。ネパールは諸外国の中でも比較的早期に２０２０年３月６日より入国制限を開始、３月24日からロックダウンを発令し、警察・軍をあげての市民の行動規制を行なっている。４月20日における感染者数は31人、死者０人との公式発表であり、現時点では比較的低く抑えているようである）。

（上村光弘）

参考文献
小野一男、湯舟貞子（編）２００９『途上国における保健医療――ネパールの保健医療』ふくろう出版。
切替照雄「インド、ネパール等でのカルバペネム耐性腸内細菌科細菌の実態と影響」medical.radionikkei.jp/kansenshotoday_pdf/kansenshotoday-160330.pd

28

リプロダクティブ・ヘルス

★ポカラ市北部地域の女性たちの声から★

ポカラにあるコマガネ・ホスピタルで出産した母親たちに長野県駒ヶ根市の市民から手作りのお祝いギフトが贈呈されている。写真は毛糸の帽子。母親たちにとても好評。

「母と子が元気で出産できたことが一番幸せ。良いお産だったと満足です」ポカラにあるマトリ・シシュ・ミテリ・ホスピタル（母子友好病院：通称コマガネ・ホスピタル）で出産を終えたばかりの母親が自身のお産を振り返って話した。分娩室には日本のような広く快適な分娩台はなく、看護師は適宜児心音を確認し、母親へ助言はするが、陣痛で辛い時、傍で腰のマッサージをするのは付き添いの家族。「今（義娘）の時代はいい。私たちの頃なんて設備のある病院で出産じゃなかったのよ。家の部屋の隅で双子を出産し、腰巻に産まれた子どもを乗せながら畑にいる家族に助けを求めたわ」。60歳台の女性は笑いながらそう言った。また28歳、男性のヘルスポスト医療従事者は「僕は7番目の子で末っ子。母が48歳の時に牛小屋で産まれた。臍は鎌で切ったそう。僕は（健康で）ラッキーだった。」と自身の生まれた時の話をしてくれた。

ネパールでは2009年より政府がセーフ・マザーフッド・プログラムを実施しており、公立の保健施設で分娩した母親たちへ「交通費」として一定額を支給している（タライ地域500ルピー、丘陵部1000ルピー、山岳部1500ルピー、2018年より増額あり）。ネパール人口健康調査（NDHS）2016（Nepal Demographic and Health Survey、以後文中ネパールデータすべて）によると、当時22・5％であった施設分娩率は2016年には57％に引き上げられている。

「2人目を出産されたので、御主人と家族計画についても考えて下さいね」と看護師が産婦へ退院指導時に説明している。ネパールの合計特殊出生率は2・3で1996年の4・6より年々減少中である。教育に重きをおく社会になっていること、生殖年齢の男性が海外へ出稼ぎに行くことなども、特に都市部で「少なく産んで手厚く育てる」傾向となってきた要因と考えられる。村で出会った50歳代の女性が「19回妊娠したけど、皆流産や、小さいうちに亡くなり今は誰もいない」と話していた時代とは大きく変化している。新生児死亡率、乳児死亡率は1996年の50、78（それぞれ出生1000対）より半分以下の21、32と減少しているが、日本の0・9、1・9（WHO 2018）と比較するとやはり非常に高い。「今でも忘れられないのはヘルスポストで出産した女性の胎盤が出ず、車でポカラの病院へ搬送するときに多量出血で亡くなったこと」と経験歴21年のANM（補助助産師）は話した。ポカラまで車で5～6時間かかるマグディ村のヘルスポストに勤務していた彼女は同様の話をその頃村々でよく聞いたとのこと。ネパールの妊産婦死亡率は10万出生対239と依然として高い（日本5：WHO 2018）が、1996年に539であったことを考えると劇的な改善でもある。臨床経験20年以上のベテラン医療者たちが口々に「今は良くなった」と話すのも頷ける。

プロジェクト・スタッフが地域の妊産婦宅を家庭訪問。血圧測定、栄養指導、沐浴方法の指導などを実施している。中には悩みを打ち明け涙する母も。

「3回目の妊娠。今の夫とは2人目の子。前の夫との間に14歳になる娘がいるけど離婚後一度も会ってはいない。この子は今の夫の連れ子」と29歳で妊娠5カ月の妊婦は8歳の女の子の肩を引き寄せる。彼女は河原の貧困地域の住民。もともと公有地で居住地としては認められてはいない地域だが、さまざまな場所から移住者が住み着いておりレンガとトタン屋根で作った小さな家に大家族が暮らしている。地域内では低学歴で15～16歳で結婚する少女も多く、中にはカーストをまたいだ結婚で親戚に認められず駆け落ちし自分の村を出てきた者もいる。離婚や、それによる子どもとの離別も多く、そうした子たちは親戚や地域に暮らす住民が引き取って育てている。出会った女性の一人は、4人目の夫と共に、8名中4名の子供と一緒に暮らしていた。

一夫多妻は法律上認められないネパールだが、子

地域の母子保健プログラムで。講義形式、劇、クイズなど参加型の健康教育。写真はクイズの様子。

どもができず第二夫人をもらった話をきくことがある。「僕の祖母は2人。1人は子どもが出来ず祖父は2人目の妻をもらった。彼女は8人産み4人が健在。他は子どもの頃に亡くなった」。彼は2人を大祖母、小祖母、と呼ぶ。2人は同じ家に住んでいたが近年大祖母が他界した。日本では馴染みのない一夫多妻、それぞれの心情は想像に難く複雑なのであろうが、皆協力して生活している。

ところで、現在も親戚からの提案で決まる見合い婚が多いネパールであるが、村で「私はFacebookで出会った人と結婚した」という女性がいた。家族たちも彼女らの結婚を認め、現在妊娠中で幸せそうである。多くの若者が中東、日本、韓国などへ出稼ぎに、欧米、オーストラリアへ進学に行く現代のネパール。今後、より多様な文化が流入し、それにより選択肢や、選択方法も多様化していくと考えられる。「私は一人目の子を韓国で出産した。外国はケアが行き届いていて良かった。ネパール（の医療・看護）はケアレスな感じ」と批判的で、冒頭で病院での出産に満足していた母親と対照的なコメントをする女性もいる。ニーズの多様化、質を求める傾向に伴い接遇を含めた医療サービスの改善、向上が必須であることは間違いない。

ポカラ市北部の16区、19区と近隣部を含む地域での子育て事情では、夫が海外へ出稼ぎに行き、義父母と共に嫁が村で子育てすることも多い。産後23日目の女性が「明後日、夫が出稼ぎに行くの……」と涙を浮かべる。息子が3歳という女性は村で義父母と子育てをしていたが子どもの就園に合わせて街に部屋を借り、子どもを保育園へ送迎している。夫の送金で生計を立て自分のペースで生活できるので村にいる時より楽、と話す。ネパールでも日本と同様に田舎では高齢者のみの世帯が多く、都市部に人口が集中していく傾向がある。

最後に、性教育について。産後の女性は「生理のことは母から布（パッド）の交換方法などを教えてもらったけれど、どうしたら妊娠するのか、何が妊娠中に危険なのかとかは誰からも習わなかった」と話した。ネパールでは初潮を迎えた女児を母屋から離れたところに数日匿う、月経時の女性が台所に立ってはいけない等の風習がところによって未だにあり、母の月経時に代わって食事準備のために学校を休む女学生もいる。日本の学校では「いのちの授業」が実施されているのを御存知の方もいるかと思う。私たちはどのようにこの世に生を受けたのか、命の尊さを学ぶ中で生、性について考え、自己を、他者を尊重し、大切に思うことを生徒たち自身に気付いてもらうメッセージでもある。現在のネパールでは、良い成績が取れなかったと自殺をする子もいる。今後競争社会が激化していくなか、ぜひ命の誕生を含めた正しい性の情報を、子供たちを含め彼らの親たちにも知ってもらいたいと願う。

（高橋紘美）

29

へき地医療

★岩村先生の思い出とタバン村近況★

ネパールへき地医療の草分け、岩村昇先生は私にとっても現在のへき地での医療活動の原点だ。先生は日本キリスト教海外医療協力会（ＪＯＣＳ）からの派遣ワーカーとして、１９６２年から18年間ネパールに赴任されていた。二十歳になったばかりの医学生時代、１９６８年、ポカラから歩いて約５日。西ネパールのタンセン病院に、岩村先生を訪ねた。先生は「戦前の日本の女工哀史に書かれていることが今ネパールで起こっている。インドに出稼ぎに出た若者が結核にかかって村に帰ってくると、免疫のない村人に爆発的に広がってしまう。結核の予防のためにＢＣＧを打つことが大切な仕事になっている」と話して、私を巡回診療に連れて行ってくれた。それはＢＣＧをかついで山道を歩き、村の小学校に子どもたちを集めてＢＣＧを打ち、夜は土間のむしろの上でごろ寝をし、朝また次の村へ向かうという結核キャラバンだった。

２００９年、ジュムラからバグルンへ主に徒歩でネパール中西部の山間部を縦断する調査キャラバンを行ない40年ぶりにへき地の現実に触れることができた。へき地にも村にはヘルスポストができ、特に予防接種については奥地まで冷蔵したワクチンを送り届けるコールドチェーンが整備されていることに驚いた。このキャラバンの途上立ち寄ったタバン村は内戦時代マオイストの拠点となったことで有名であるが、「貧しいが純朴、人間味豊かな山の民、私はその弟分」と岩村先生がほれ込んだ先住民族マガルの村、そして内戦時代苦労を共にして「よき隣人」となったダリットの村でもある。このキャラバンの経験からへき地医療変革の拠点となる可能性を秘めた地域としてこの村を選んだ。

このキャラバン出発2カ月前、ジャジャルコート郡で大規模な集団下痢が発生、100人以上が死亡したためキャラバン途上その村も訪問した。下痢発生当時ヘルスポストの周囲は死体で足の

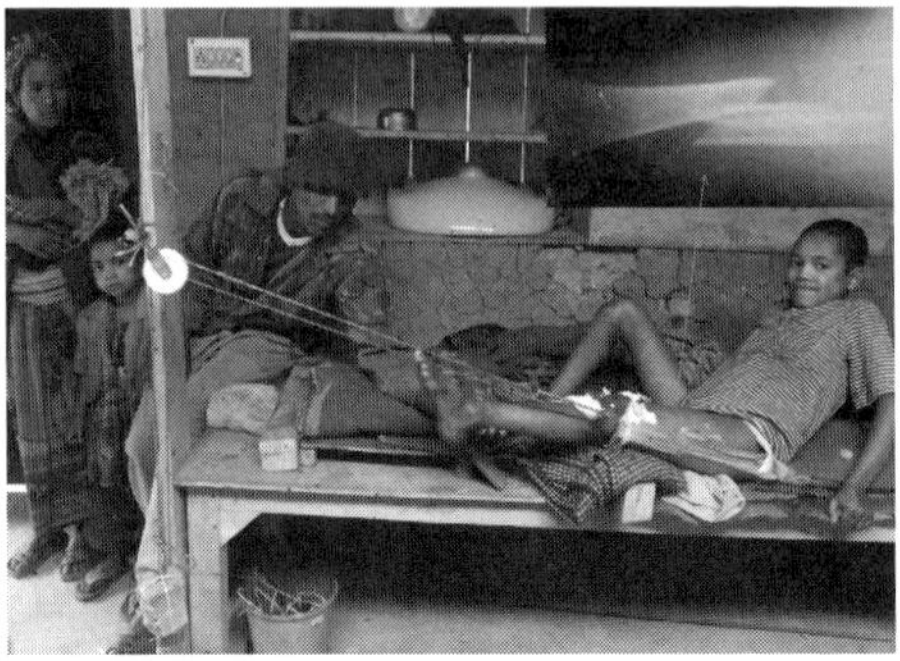

タバンの病院での骨折治療。開放性大腿骨骨折の少年。山の中で羊の世話をしている時大きな石が落ちてきて受傷した。伝統的な竹と段ボールの固定と、近代的な牽引療法を併用して治療。牽引の重りは石ころ（2014年7月）

踏み場もないほどであったという。その村ではトイレのある家は0・4%に過ぎず、屋外の下痢便が雨水に流されて村の飲用水タンクに流入したためではないかという。私が初めてタバンに来た10年前には、トイレのある家は少なく、大便は2階から1階の豚小屋に落下して、それを豚が喜んで食べているのをよく見かけた。その後、政府はトイレづくりに積極的に取り組み、外国に出稼ぎに行くには家にトイレを作ったという証明書が必要という政策も功を奏し、タバンでも95%以上の家にトイレができた。そのおかげで、以前苦労した重症腸チフスや赤痢は明らかに減少している。

このキャラバンとその後のタバン村周辺の調査の中で伝統医療がへき地で果たしてきた重要な役割が明らかになった。それはヒマラヤの厳しい自然環境とのたたかいの中で培われてきた貴重な民族的

文化遺産だ。この民衆の知恵から学びつつ、異文化間の壁を越え、近代医療と伝統医療がお互いに尊敬しあう協力関係のもとで、ネパール独自の医療発展の道筋を探りたい。両者の協力関係作りは、古くはWHOのアルマアタ宣言でも提起され、最近のネパール政府の医療計画でもその必要性が述べられてはいるが、本格的な取り組みはこれからの課題だ。

へき地医療を担う医師育成を目指し2010年に設立されたパタン健康科学学院（Patan Academy of Health Science）学長、公衆衛生教授ケダール・バラル先生は一緒に結核予防の仕事をした岩村先生についてこう語った。「彼は山奥の村々まで結核の予防活動をした。そして山奥に行くにつれてツベルクリン反応の陽性が少なくなることを発見し、結核がもともとネパールにある病気ではなくて、外から持ち込まれた病気であることを証明した」。そして彼自身も昔タバン村を歩いて訪問したと語り、出身地がタバンに近い医学生アニル君を紹介してくれた。卒業後4年、現在彼はロルパ病院で働いており、先日彼の協力を得てタバン村周辺のヘルスキャンプが実現し、へき地医療新時代の担い手が育ちつつあることに感動した。彼は最近の夜間緊急帝王切開手術の経験を語った。手術中停電発生、非常用電源も故障して動かない。懐中電灯で照らしながら手術を終えたが出血が止まらない。彼は自分の血液をまず採血して輸血、ほかの職員も彼に見習って供血しやっと救命できた。この1年間、ロルパ病院へ運ばれた難産の死亡は1例もないという。

10年前ゼロだったヘルスポストの助産師が現在は3人、出産関連の死亡は激減している。2017年、政府の緊急患者無料搬送ヘリがカトマンズを目指しタバンを飛び立ち、難産のダリット母児の命が救われた。手から胎児が出てくる難産、緊急帝王切開しか母児救命手段のない難産の母児が目の前

タバン周辺巡回診療の合間、タバン病院スタッフをロルパ病院アニル医師が教育する。2年後には帝王切開手術も可能な15床病院を立ち上げるため、13人のスタッフが協力して準備中（2019年5月）

で死亡した悲劇から5年、へき地医療改革の前進を実感する。しかし、このような前進はまだ母子保健など一部の領域に限られている。

タバンではこの数年間に医療予算と人員は約3倍に増加、これまで医療施設のなかった村にも医療従事者が配置された。現在全国すべてのプライマリーヘルスセンター（ＰＨＣ）と一部ヘルスポスト合計５２０施設の15床病院へのアップグレードが進行中であり、タバンでも私たちが設立したコミュニティー病院とヘルスポストが合併し、２年後の15床病院完成を準備している。現在、地方分権化に伴い公務員の大規模な再配置計画が進行中だが、首都から地方への移動に医師たちはストライキで抵抗しており、へき地まで人材を供給できるか疑問だ。またトリブバン大学医学部は卒業生の過半数がアメリカ医師国家試験・アメリカ移住を目指すという状況の中で、この大学の整形外科教授ゴビンダ先生はへき地医療の担い手を育てるため、命がけのハンストで医学教育改革に立ち上がり、政府の営利的私立医大重視の政策を変更させた。彼はこれまで毎年1カ月休みを取ってへき地の村々で無料診療を実施、しかもその費用を外国援助に依存せず自分の給料でまかなってきた。これも広く国民の支持を集めて政府を追い詰めた理由だ。

女性ヘルスボランティア（Female Community Health Volunteer, FCHV）のネットワークは山奥に散在する小さな村々にも及び、村の女性ボランティアがヘルスポストと協力して村人の健康を守っている。10年間の内戦の時代にもネパールの妊産婦死亡率、乳幼児死亡率など衛生指標が改善し続けたことに専門家たちは首をかしげるが、現場を訪れると、その時代に彼女たちが先頭に立って旧社会体制の女性差別の壁を破り、地域の母子保健が前進したことも理解できる。

内戦終結後2年、私が初めてタバン村を訪問した時、政府軍の襲撃で破壊されたヘルスポストの跡に小さなヘルスポストが再建されていた。医療職員はたった一人、内戦中、村人とともにジャングルに逃げ隠れしながら村人の健康を守ってきた彼はつらい思い出を語った。この村では33名が犠牲になったが、最初の犠牲者は村のヘルスボランティア「ラリ」だった。それは1997年1月、全国一斉ポリオワクチン接種の日だった。突然やってきた武装警官は、仕事中の彼女を拉致し、レイプしたうえ焼き殺して死体を川原に放置した。ラリをはじめタバン村の人々が旧体制変革の前面に立つことによって支払った犠牲は大きく、それを償うべく医療体制や学校、道路の拡充は始まってはいる。しかしラリが命を懸けた夢、「へき地平等医療」が実現し、村人の心に刻まれた深い傷が癒えるにはまだ長い道のりが必要だ。

岩村先生の足跡をたどり、自らの手で未来を切り開く村人の努力から学びつつともに歩んだタバン村での試みが、ネパールへき地医療「新時代」のモデルとして発展することを願っている。（石田龍吉）

参考文献
岩村昇　1983『ネパールの碧い空――草の根の人々と生きる医師の記録』講談社。
中村友香　2015「人民戦争を生きた治療師たち」『アジア・アフリカ地域研究』第14―2号。
https://www.asafas.kyoto-u.ac.jp/dl/publications/no_1402/AA1402-07_FN.pdf

VI

教　　育

30

学校制度と教育行政

★政府の教育開発への取り組み★

ネパールで最初の公式な学校が設立されたのは1853年。当時は特定の集団に対するエリート教育であった。公学校制度が開始され、多様な文化・民族背景を持つ子供たちに教育の機会が開かれることになるのは1951年の民主主義の導入からである。1971年に初めて教育開発計画が策定され、1999年には最初の教育セクター全体開発計画が実施、以降教育開発は国家開発の優先課題として取り組まれている。1951年当時は321の学校に1万人であった生徒数は、現在学校数約3万5千校、生徒数（1～12年生）は721万人へと大幅に増加した。

学校制度は2009年からの「学校教育セクター改革計画」の実施において、それまでの5―3―2―2年制から8―4年制へと変更するべく教育改革が進められたものの法律の整備が遅れ、漸く教育基本法の改正（2016年）によって法的にも正式に新学校制度へと移行した。これにより学校教育は基礎教育（1～8年）と中等教育（9～12年）とに整理され、正式に基礎教育は無償による義務教育となった。さらに1年間の就学前教育が基礎教育として位置づけられたことから、正確には9年間が

第30章
学校制度と教育行政

図　教育新制度と旧制度

教育制度（新制度）

年齢	2	3	4	5	6	7	8	9	10	11	12	13	14	15	16	17	18	19	20	21	22	23	24
学年				1	2	3	4	5	6	7	8	9	10	11	12								
教育段階			学校教育													高等教育							
			基礎教育									中等教育											
			就学前	前期					後期			中等		後期中等 職業技術		大学（学部）			大学院				

教育制度（旧制度）

年齢	2	3	4	5	6	7	8	9	10	11	12	13	14	15	16	17	18	19	20	21	22	23	24
学年				1	2	3	4	5	6	7	8	9	10	11	12								
教育段階	就学前			初等教育					前期中等			中等		後期中等		高等教育							
学校種				小学校					中学校			高等学校		10+2		大学（学部）			大学院				

教育段階については、教育科学技術省における用語に準じる。

基礎教育となる。1年生への就学年齢は満5歳での入学が進められているが、学校に通わせない保護者への罰則規定はない。また1年生でも試験の結果に応じて落第になることもある。教科書は提供されるほか、女子児童を含めた特定グループをターゲットとするさまざまな奨学金が導入されている。しかしながら学校設備や教員配置が十分でなく、旧制度で小学校課程（1～5年生）を提供していた学校の全てが8年間の基礎教育校へと拡充した訳ではなく、学校数においては1～5年生のみを対象とする学校の方が未だに多く、生徒が1、2年生のみの小さな学校も多数存在している。

　中等教育は、旧制度での高等学校（2年間）と大学進学者のための追加の2年間が統合され、正式に4年間の中等教育として無償化された。旧制度においては、高等学校終了時（10年生）に「学校教育修了資格」と呼ばれる全国統一試験を受験する必要があり、その試験の結果が進学や就職に大きな影響を及ぼしてきたが、新制度ではその時期が12年生終了時に変更された。代わって10年生の終わりに「中等教育試験」が実施される。こうした統一試験では私立学校の受験生の方が公立学校受験生よりも点数が高いという傾向が続いており、公立学校における教育の質の改善が強く求められている。

Ⅵ 教育

2015年の新しい憲法の制定によって学校教育は地方政府（地方自治体）の権限と定められ、学校の新設許可・統廃合、8年生修了試験、教員配置、補助金配賦、教育関連法の制定など学校教育に関わる23の権限が地方政府に移譲された。しかし例えば教員採用や教育統計の管理など各政府レベルの権限が明確でないことも多く、連邦教育基本法の制定による更なる整理が待たれている。

連邦制移行により教育行政も大きく変化した。教育省が連邦教育科学技術省として再編されるとともに、学校教育の中心的実施機関であった教育局が、教員研修を担ってきた教育開発センターとノン・フォーマル教育センターと合併し、新たに教育人的資源開発センターとして改編された。郡教育事務所は解体され、代わって新たに全77郡に教育開発調整ユニットが設立された。これまで郡教育事務所と学校をつなぐ役割を果たしていたリソース・センターは解体された。代わってカトマンズやポカラなど17都市の地方自治体に7名、その他の地方自治体には3名あるいは2名の教育担当官が任命されることになった。

また教育予算の管理方法も大きく変わった。これまで資金管理は教育省／教育局が一極集中で行なっていたが、現在は合計761（753地方自治体、7州政府、連邦教育科学技術省）の自主独立体によって管理されている。各自治体は連邦教育科学技術省に会計報告義務を負わないこと、また統一された会計システムが導入されていないこと等から、地方自治体に拠出された学校教育予算が計画通り教育活動に支出されたのかどうかを把握できないでおり、会計報告システムの構築を含め、透明性の確保がこれまで以上に課題となっている。

教育統計に目を投じると、教育へのアクセス面では大きな改善を見せている。最新の教育統計

（２０１９年）でも、幼児教育への粗就学率が84・7％、初等教育（1～5年生）純就学率96・6％、基礎教育（1～8年生）純就学率92・7％と、基礎教育へのアクセスの向上が顕著である。他方、基礎教育修了率は71・3％である。また5～12歳の未就学児童の割合は7・3％、1年生の落第率は12・8％、1年生の中退率は4・8％と内部効率性の改善が依然として課題である。また基礎教育を修了する子どもが増えるなか、中等教育（9～10年生）純就学率は68・1％、さらに9～12年への純就学率は24・7％と低い。中等教育を提供する学校が近くにないことから進学を断念する子どもたちも多く、中等教員の適正な配置も含め、質の高い中等教育の拡充が喫緊の課題である。

　このように教育へのアクセスに一定の成果を上げるなか、実施中の「教育セクター開発計画（２０１６～２０２１）」では特に教育の質の向上を目指し、低学年の

表　教育指標で見る成果

指標	%
就学前教育粗就学率	84.7
1 年生粗入学率	123.9
1 年生純入学率	96.3
基礎教育前期（1 年～ 5 年）粗就学率	118.6
基礎教育前期（1 年～ 5 年）純就学率	96.6
基礎教育後期（6 年～ 8 年）粗就学率	94.6
基礎教育後期（6 年～ 8 年）純就学率	88.9
基礎教育（1 年～ 8 年）粗就学率	108.8
基礎教育（1 年～ 8 年）純就学率	92.7
中等教育（9 年～ 10 年）粗就学率	91.6
中等教育（9 年～ 10 年）純就学率	68.1
中等教育（11 年～ 12 年）粗就学率	45.0
中等教育（11 年～ 12 年）純就学率	24.7
中等教育（9 年～ 12 年）粗就学率	66.2
中等教育（9 年～ 12 年）純就学率	46.4
基礎教育純就学率におけるジェンダー平等指数	1.03
中等教育純就学率におけるジェンダー平等指数	1.07
1 年生中退率	4.8
1 年生留年率	12.8
基礎教育（8 年生）修了率	71.3
非就学児童の割合（5 歳～ 12 歳）	7.3
基礎教育レベルにおける女性教員の割合	43.1

出典：Flash Report I (2018/19) 教育科学技術省

読解力強化、カリキュラムや教科書改訂、試験改革などが進行中である。また就学率は向上したが、地域間・民族間格差の是正は依然として重要課題である。ネパールの就学年数は6・74年で南アジア域内平均よりも高い（2011年）ものの、ネパール丘陵の裕福な地域と、タライ地域の特定地域では就学年数に7・5年もの差がある。教育統計における平均値では異なる地域や民族による差異が見えてこないこと、学校に通えていない子どもたちの多くは存在しないかのように、その状況が明らかにされないという現状を打破するべく、最も置き去りにされている子供たちを特定し支援することで非就学児童をゼロにする取り組みが行なわれている。

学校教育の提供を各地方政府が担っていくなか、今後子供たちに質の高い教育を提供できるかどうかは各地方政府のリーダーシップと行政能力によるところが大きい。地方政府は学校に近く目が届くという観点から多くの可能性を有しているとも言える。連邦・州・地方の三つの行政レベルが全ての子どもたちへの質の高い教育の提供という共通の目標達成に向け、効果的に教育開発に当たっていくことが強く期待されている。

（奥川由紀子）

参考ホームページ
ネパール連邦政府 教育科学技術省 http://www.moe.gov.np/
教育人的資源開発センター http://doe.gov.np/
カリキュラム開発センター http://moecdc.gov.np/
ユネスコ統計（Unesco Institute of Statistics） http://data.uis.unesco.org/

31

子どもたちと学校

★基礎教育の現状と課題★

ネパールの子どもたちは、だいたい3歳になると就学前教育機関（日本の幼稚園）に入り、5歳から基礎教育機関（同、小学校と中学校）に入学して、1年生から8年生までの8年間を学ぶ。その後、中等教育（高等学校）に進学して、9年生から12年生まで4年間を学び、さらに希望する生徒は高等教育（大学）を目指す。

ネパールの2016年における基礎教育（1年生〜8年生）の純就学率は89・4％（男子89・2％、女子89・6％）であった。男子と女子の純就学率にほとんど差は見られない。ごく一部の山岳や丘陵地域に初等教育純就学率が90％に若干足りない地域があるものの、基礎教育へのアクセスは大きく改善された。

ネパールでは、日本のように1年生を修了したからといって2年生に自動的に進めるわけではない。教育年度は、ネパール暦の新年と同じで、4月中旬から始まり、4カ月ごとの3学期に分かれる。夏休みや冬休み、春休みは、地域ごとに気象条件や農作業カレンダー等によって設定される。学期終了ごとに試験が行なわれ、特に学年最後の試験結果が進級に大きく影響する。出席日数は特に関係なく、主要2科目または3科目の試験

丘陵地帯の子どもたちの授業風景

山岳地帯の子どもたちの通学

幼稚園の様子

結果が及第点に到達しないと留年となる。8年生終了時には基礎教育修了資格試験を受け、それに通ると9年生に進むことができる。

学校で教えられている教育の質には、まだまだ課題は多い。２０１６年の1年生から2年生への進級率は81・5％で、13・9％の1年生が留年、残りの4・6％は退学しており、未だに1年生の2割近くが2年生に進学できていない。1年生に入学して8年生まで到達できた子どもの割合は、76・6％（男子75・9％、女子77・4％）である。せっかく入学しても、未だ2割以上の子どもが基礎教育の8年生を修了できていない。

前述の通り、２０１６年の基礎教育就学率が89・4％ということは、10％近くの子どもが就学できていないことになる。ネパール全国で基礎教育の就学年齢にあたる5歳から12歳の子どもは約５００万人と推定される。つまり、約50万人の子どもたちが、基礎教育の学齢期にありながら非就学の状態にある。この非就学の子どもたちには、(1)家庭が非常に貧しく家族の手伝いをしなくてはならない子どもたち、(2)山岳地域に住んでおり学校へのアクセスが非常に厳しい子どもたち、(3)何らかの障害をもっていて学校へ通うことが困難な子どもたち、(4)少数民族に属していて学校に行っても言語が異なり授業が理解できない子どもたち、(5)低カーストであるため差別を受けて学校にいくことが阻害されている子どもたち、が含まれる。こうした課題を抱える子どもたちを学校に通えるようにすることには、物理的な要因だけでなく、経済的、社会的、文化的な要因がかかわっており、多面的な解決が必要とされ、容易ではない。

一方、近年、都市部でも農村部でも、子どもが少しでもよい教育を受けることで、将来、高い収入を得られるようになると考える保護者が増加し、教育熱が高まっている。保護者の多くは、「公立学校よりも、私立学校の方が、先生が教育熱心で、教授言語も英語であることから、子どもたちがより質の高い教育を受けられる」と考え、子どもを私立学校に送りたいと考える。学費は日本円にして月額500円から1万円以上とさまざまであるが、2016年時点で、基礎教育を受ける子どもの15・6%が私立学校に通っており、特に都市部でこの傾向が拡大している。

最後に、子どもたちが学校で実際にどのような教育を受けているのかを理解してもらうために筆者が、ネパールの若者2名に彼らの学校経験についてインタビューをした結果を紹介する。

【S・S君（1984年生まれ）のケース】 S君は、国際協力機構（JICA）技術協力プロジェクトのITコーディネーターとして、パソコンやインターネット関連の管理や広報を担当した。彼は、エスニック・グループのうちネワールの有力なカーストに属する。S君の父親は中央政府の役人で、カトマンズの比較的裕福な家庭で育った。彼は、3歳で私立保育園に入園し、5歳で保育園が所属する私立学校に入学、15歳で同校10年生を修了した。私立カレッジで11年生・12年生を終え、国家試験を受けて高等教育への応募資格を得、同じカレッジで高等教育を4年間受けて2006年に卒業した。

丘陵地帯の小学校への通学路

丘陵地帯の小学校校舎

S君は、自分の学校生活を振り返って、全体的によい先生に巡り合えてよい教育を受けることができたと言う。学費も高かった分、よい環境で授業を受けることができた。彼が問題視するのは「体罰」である。彼によると、一般的に多くの先生が「体罰を与えないと子どもたちは勉強しない」という考えを持っており、年少の学年から頻繁に体罰が行なわれたそうである。中等教育に入ってからは、政治的な講義をしばしば受けなくてはならなかった。特定政党の方針などに関する講義であり、教員の家族や友人などの政党関係者が行なった。

彼は、引き続き大学で社会学を学び、将来は社会調査・研究に携わることを希望していた。

【D・D君（1987年生まれ）のケース】D君もJICAプロジェクトの事務所補助員としてコピー取りや資料届けなどを担当した。D君は、ネパールの東南、タライ平原の農村部で生まれた。彼のエスニック・グループはタルーである。タルーは、タライ平原に古くから住んでいた先住民であったが、1854年、征服者によって導入された「ムルキ・アイン」に示されたカースト制度で、可触民の下から2番目のカースト（不可触民の上）に位置付けられた。

D君は、7歳で公立学校に入学し、4年生まで修了したが、家計が厳しくて2年間のギャップを経て、13歳で同じ公立学校の5年生に入り、16歳で8年生を修了した。この学校は8年までしかなかったので、17歳で別の公立学校の9年生に入り、翌年10年生修了試験に合格した。11年生に進むにはまた別の学校に行く必要があり、知人を頼ってカトマンズに出て11年生に入学し、JICAプロジェクトの仕事をしながら23歳で12年生を修了した。

D君が初等教育を受けた学校は、教室はあったが、机や椅子がなく、床に座って授業を受けなくてはならなかった。中等教育以降、授業はネパール語なのに、試験は英語で行なわれたことも辛かった。授業では教科書の丸暗記が重視され、試験は丸暗記したことを書くだけで、授業を受けていてもおもしろくなかった。

S君とD君のケースから教育の具体的問題が理解できる。所得レベルや都市部と農村部での教育格差は大きい。D君は、タルーであったことで差別を受けた記憶はあまりないと言っているが、さまざまな機会へのアクセスは制限されていたと思われ、ネパール社会の複雑さから、教育開発の難しさがうかがわれる。

（石田洋子）

参考文献
後恵子 2017『ネパールの生活と文化――教育支援（NGO）を始めて』竹林館。
酒井治孝 2015『ネパールに学校をつくる――協力隊OBの教育支援35年』東海大学出版部。
村田誠吾 2008『ジャグラー算数教師のネパール奮闘記――青年海外協力隊員になってよかった！』彩流社。

32

高等教育

★ネパールの大学の現状と課題★

ネパールの高等教育は、世界各国の中でも最も若い、つまり歴史の浅い教育システムの一つである。1857年に、英国植民地政府が隣国のインドに三つの大学〔カルカッタ〔現コルカタ〕大学、ボンベイ〔現ムンバイ〕大学、マドラス〔現チェンナイ〕大学〕を設立した。そのインドの大学設立から100年以上経った1959年に、ネパール初の大学としてトリブバン大学が設立された。トリブバン大学が設立されるまでは、インドの大学の所属カレッジがあるのみで、ネパール固有の大学は存在しなかった。

それから60年の間に、ネパールでは高等教育機関が急増した。現在、10大学、四つの医科大学、さらにこれらの大学の傘下に数百のカレッジが存在する。カトマンズ大学を除く9大学と4医科大学は、全て公立大学である。これらの大学では、人文社会、科学技術、マネジメント、教育、薬学、エンジニアリング、農学、林学等において、学部、修士課程及び博士課程の教育を提供する。

ネパールは、英国ロンドン大学の制度を取り入れたインドの大学に倣って、大学教育に連合〔アフィリエイティング〕カレッジ制を導入している。連合カレッジ制では、複数のカレッジが一つの大学に所属し、その大学が所属するカレッジで教えられる学科やコースを指定し、プログラムをモニターし、最終試験を実施する。現在、9大学が連合カレッジ制をとることが許されており、4医科大学は連合カレッジ制をとっていない。

現在、ネパールに多数存在するカレッジは、3タイプに分類される。一つ目は、上記の9公立大学のいずれかに所属する連合カレッジで、学費に助成金が出る。二つ目は、民間機関によって運営される私立カレッジで、学費をとる営利機関である。三つ目は、個人経営で非営利型のコミュニティ・カレッジである。現在大学に通う全学生のうち、連合カレッジに通う学生は34％を占め、私立カレッジは35％、コミュニティ・カレッジは31％を占めている。私立カレッジと連合カレッジに通う学生の割合が若干多いものの、三つのタイプのカレッジに通う学生数はほぼ等しい。

大学教育では、学部で4年間、技術系では5年から5年半、修士課程では2年間の教育が提供される。大学に入学するには、最低限12年間の学校教育（基礎教育及び中等教育）を修了することが求められる。

トリブバン大学（提供：佐々木一憲）

高等教育の総就学率は14・9％で、ネパールが現在世界銀行により分類される低所得国の平均値7・6％よりは高い。しかし、低・中所得国の平均値23・1％との差は大きい。1990年代以降、ネパールでは高等教育の整備と普及が進められ、特に女性の就学が推進されたことから、男性、女性の間でほぼ同率の就学率となり、2015／16年度のジェンダー平等指数は1・09であった。これは、男性の就学率に比べて、むしろ女性の就学率が若干高いことを示している。

大学への就学者数は増加しつつあるが、大学教育における問題は山積する。こうした問題の一つとして、トリブバン大学の圧倒的な寡占があげられる。全学生の78・8％が、トリブバン大学または同大学の連合カレッジに通っている。このように一つの大学に学生のほぼ8割が集まっているということは、高等教育機関の間に健全な競争関係が成立しないということを意味しており、教育の質の向上や技術革新を実現するために必要な教育・研究環境は形成されにくい。

また、分野別の学生数に大きな偏りが見られることも問題の一つである。2016年には、学生の79・7％が人文社会、マネジメント、法律、教育等の文系の学部や研究科に所属しており、理系の学部と研究科の学生は20・3％に留まる。特に、ネパール経済の3割近くを支える農業を学ぶ学生は全体の0・27％しかおらず、科学技術には9・87％、エンジニアリング4・69％、薬学5・34％という状況となっている。一方、マネジメントを学ぶ学生の割合は42・25％と、全分野で最も大きな割合を占め、次いで教育学の学生が24・83％を占める。理系の学生が学生全体の20・3％を占めるという割合は、タイが33・4％、インド34・7％、ミャンマー49％と、他のアジアの国々の割合に比較して低い値である。ネパールにおいて、理系の学生が少ない理由としては、基礎教育や中等教育において質の高い数学教育や理科教育が提供されていないこと、理系の教員が不足しており、さらに理系教育にはより多くの費用が掛かることから、多くのカレッジが、理系の学部や研究科を整備していないこと、があげられる。

ネパールの大学就学率には、所得格差や社会グループ間の格差が、未だ顕著であることも問題である。一部の富裕層や、特定の社会グループの子どもが、学生に占める割合は非常に高い。また、大学が財政難にあることも深刻である。GDPに対する高等教育予算の割合は、過去数年にわたって0・3％に留まっている。インドは1・1％、ベトナムでも0・85％にあることから、ネパールの高等教育予算の低さが理解される。この少ない予算の大部分は、教職員の給与に使われるため、研究費に充てられる額はごく一部である。このため、学術研究は、国際的な研究機関の末梢的な役割を果たすのみであることが多い。公立大学の多くは、資金不足に悩んでいるものの、学費を値上げすることは学生による組合運動が活発であることから、ほとんど望めない。

カトマンズ大学マネジメント学部・教育学部（撮影：石田洋子）

大学のガバナンスにも課題は多い。大学トップは、政府によって任命され、その選定基準は明らかにされていない。政治的な有力者や政権政党の推薦を受けて任命されることが多く、有識者の間から疑問視する声が上がっている。また、各カレッジの自主性を高めるとともに、各大学には、意思決定組織として理事会を置いて、自らの経営体制を強化することの必要性が指摘されつつある。

グッド・ガバナンスは大学教育の質を高めるための十分条件ではないが、重要な必要条件であることは明らかであるにもかかわらず、ネパールの立法者はこうしたことに全く気付いていないようだ。早急に大学のガバナンスを強化し、不利益な立場にある若者も大学で学べるような制度を整備し、大学教育の質の向上を実現することによって、ネパールの大学には、国民の生活改善に学術面、経済面から貢献することが望まれている。

（ケダール・バクタ・マテマ／石田洋子 訳）

参考文献

Pramod Bhatta et al. 2008. "Structures of Denial: Student Representation in Nepal's Higher Education" *Studies in Nepali History and Society* 13-2. Mandala Book Point, Nepal.

33

ノンフォーマル教育

★女性のための識字教育を中心に★

ノンフォーマル教育とは、学校外の組織的な学習活動を意味する。日本社会では社会教育に該当する各種の学習活動となるが、開発途上国では、制度化された学校教育（フォーマル教育）とは異なる形態で、学校外の柔軟な体制における学習の機会を広く提供していくことが求められている。ネパールにおいても貧しさにより就学の機会から疎遠になっている学校外児童のための教育支援プログラムや、幼少期に学ぶ機会を得られなかった女性のための識字教育、収入向上のためのプログラム等がノンフォーマル教育として展開されている。なかでも、識字教育はその中心的なプログラムであり、簡単なネパール語の読み書き、計算の習得を目指す学習活動が各地で実施されている。

現在、15歳以上の国民のネパール語の識字率は男性71・6％、女性44・5％と報告されているが（Unesco Office in Kathmandu, 2015）、男女間格差に加え、都市部と遠隔地との国内における地域間格差も見られる。特に、農村地域では、「ここに名前を書いて下さい」とペンと紙を差し出しても、書くことができる人はそれほど多くはない。この国に近代学校教育制度が導入されたのは、1951年の王政復古以降のことである。当時の国民の識字率

図1　バクタプル（Bhaktapur）での識字教育

図2　ブングマティ（Bungmati）での識字教育

は約2%とされ、1956年の第一次国家開発計画（1956〜60年）より、「成人教育プログラム（Adult Education Programme）」と称する成人のための識字教育が実施された。基礎教育の機会を広く確保することで貧困の撲滅や、女性や低位カースト層の人々、少数民族等の社会的マイノリティの社会参加を促進することが具体的に国家の発展要素として位置づけられていくのは、1980年代以降である。

本章では女性を対象にした識字教育（リテラシー・プログラム）について紹介しよう。ネパール語の読み書き、計算力を習得する学習は、基礎学習を6カ月間、継続学習のポスト・リテラシーを3カ月間とし、通算して約9カ月間を1サイクルとする学習活動が一般的である。地域の集会施設などを拠点に、政府が提示するガイドラインに準拠し、国際援助機関やNGO、または地域におけるボランティア・グループが実施媒体となり、多様な形態で行なわれている（図1、2参照）。

学習教材はネパール政府が発行している識字学習のための教材を使用することが多い。国際NGOの中には独自に学習教材や教授法を開発し、実践している団体もある。ネパール政府が発行した教材

図4

1：母親、2：女性、3：友情、4：家族、5：工場、6：男の子・女の子、7：清掃、8：民主主義、9：進歩、10：煙、11：薪、12：事故、13：祭り、14：下痢、15：食べ物、16：性教育（家族計画）、17：財布、銀行、18：差別、19：ローン、20：マスメディア、21：知識、22：女性の権利、23：子どもの権利

出典：Mahila Saksharta Pustak (Women Literacy Book) より、筆者作成

図3

出典：Mahila Saksharta Pustak (Women Literacy Book)

にもいくつか種類があるが、ここでは、筆者が使用したMahila Saksharta Pustak (Women Literacy Book) という教材（図3）について紹介しよう。Mahila Saksharta Pustakは、ネパール女性を取り巻く生活課題に特化した構成内容となっている（図4参照）。家事や育児、農作業、家族計画や健康などのほか、銀行やローンの仕組みを学ぶことも課題となっている。また、社会で活躍している女性の姿も描かれている。特に、マスメディアの単元では、新聞やテレビ、街頭での演説に女性も広く関わっていることを示す挿絵が描かれており、興味深い。女性の権利、子どもの権利についても含まれており、今日のネパール社会における課題として掲載されているものと考えられる。

　しかし、各単元についての説明はなく、キーワードとなる単語を構成する文字と同じ文字が含まれる単語が挿絵とともに記載されている

図5

出　典：Mahila Saksharta Pustak (Women Literacy Book)

だけである。語彙を増やしていく構成になっているとはいえ、多様に、かつ、複雑に異なるネパールの人々の暮らしを網羅しているものではないといえる。

例えば、ルパンデヒ（Rupandehi）郡のルンビニ（Lumbini）地区で識字教室を実施した際に、新聞を読んでいる女性の挿絵（図5）を見た学習者からは、「こんな女性はうちの村にはいない」と違和感を示されたこともある。ルンビニ地区の住民の多くはイスラム教徒であるため、カトマンズ盆地に暮らす人々とは宗教や言語のみならず、大きく生活様式が異なるのであった。そもそも、ネパール語を母語とする人々は国民の約半数であり、それ以外の人々は民族の母語を中心とする生活である。そのように考えると、ネパール語の識字率が低いことの背景として、国内の多様な文化的背景についても考慮する必要があるといえよう。

また、識字教室に参加する女性の暮らしに着目すると、夫も就学経験に乏しく、家庭内に文字文化が存在しないことも珍しくはない。読み書きの学習が継続的に日常生活の中で実践されていくためにも、まずは、女性が学習活動に参加しやすい環境を整えていくことが欠かせない。家族の理解を得られなければ、学習に参加する女性がかえって不利益を被ることになってしまうからである。さらに、学習したことを忘れてしまわないように、基礎学習終了後の継続学習として、ポスト・リテラシー・

プログラムを提供していくことも重要である。文字を覚え、生活に必要な知識を習得するだけでなく、実践する中で身につけていこうというものである。筆者が取り組んだポスト・リテラシー・プログラムでは、日常生活における課題について、その問題解決に向けてグループで話し合ってもらった。多くの場合、村落社会における物事の取り決めや意思決定などは、男性に権限が委ねられており、女性が公の場で発言する機会は極めて少ない。また、家庭内においても女性が従属的な立場に置かれているため、自ら問題意識を高める機会がなければ、生活を改善していくことには結びつかないからである。

このほか、女性たちの日常生活を観察していると、彼女たちは口承を中心としたコミュニケーションの中で、人やモノの動きをつぶさに観察しつつ、生活を営んでいる姿が把握された。特に、近年のＩＣＴを活用した社会開発の動きを概観する限り、携帯電話の普及により、文字文化に乏しい環境に置かれている人々にとっても、情報へアクセスする機会は増してきている。今日の開発途上国における教育支援活動では、若年層を対象にメディアを活用した教育支援活動が主流となっている。社会のグローバル化の中で、成人女性を対象にした学習活動においても、各種メディアを活用したノンフォーマルな学習プログラムの展開が求められている。

（長岡智寿子）

参考文献
長岡智寿子 2018『ネパール女性の識字教育と社会参加――生活世界に基づいた学びの実践』明石書店。

34

日本のODAによる教育支援

★より良い教育を子どもたちに★

ネパールには教育分野の国家計画として「学校セクター開発計画（ＳＳＤＰ：School Sector Development Plan）（２０１６〜２３年）」があり、日本政府／国際協力機構（ＪＩＣＡ）、世界銀行、アジア開発銀行、ユニセフ等を含む援助機関が共同で取り組むプログラムとして、２０１６年７月より始動している。これまでの実績として教育へのアクセス改善（学校教育の普及）が一定の成果を上げたことを踏まえ、ＳＳＤＰでは、教育の質の向上に取り組むことが重視されている。援助機関はネパール政府と共に、ＳＳＤＰに沿ってそれぞれの教育支援計画を立てている。

ネパールへのＯＤＡに係る方針として、日本の外務省は国別開発協力方針（２０１６年現在）及び事業展開計画（２０１８年現在）を作成しており、その中で教育支援についてはＳＳＤＰに呼応し、基礎教育の質の向上に重点的に取り組むこととしている。同協力方針の下、ＪＩＣＡも基礎教育の質の向上に重点を置いて、支援を行なっている。学校や教室不足の解消、魅力ある学習環境の整備、分かりやすい授業の実践等を目指して、技術協力プロジェクト、有償・無償資金協力、草の根技術協力（ＮＧＯ等との連携）、海外協力隊等さまざまなアプローチによる支援を総合的に行なってきている。その中でも長期間支援をしてきた学校建設と学校運営改善の協力について今回紹介したい。

【学校建設の支援】 JICAは、1994年から10年以上にわたり、全国75郡中37郡に対し、教室建設の資機材の支援を行なっており、それによって建てられた教室は1万2千以上になる。当時は近所に学校がなく、子どもたちは何時間もかけて通う必要があるという地域が多くあり、そのことが不就学や中退の主な原因となっていたことから、教室建設の支援は、就学率・進学率の改善に着実に貢献してきたと言える。現在ネパールの初等教育の就学率は90％以上、初等から中等教育への進学率は80％以上と教育へのアクセスは改善されてきており、多くの子どもたちが教育を受けられるようになってきている。多くの郡に日本が支援をしてきた学校があるため、地方出張に行くと日本の支援で建てられた学校を見る機会が沢山あり、建物自体は少々古くなってきてはいるものの、それらの教室の中で笑顔で元気な子どもたちの様子を見られるのはとても嬉しいものであった。

一方で、2015年4月及び5月にゴルカ大地震が発生。ネパール全土で3万1千教室以上が全壊あるいは大きな被害を受け、被災地の子どもたちは竹やビニールシート、トタンで作られた仮設教室で授業を受けざるを得ない状況になった。雨が降るとビニールシートから雨漏りがし、暑い日はトタンで作られた教室は熱がこもりと、学習環境は良いとは言えないものであった。そのため、震災直後からJICAは地震によって被害を受けた学校施設約330校の修復・再建を支援している。「4月の地震が発生した日が土曜日で、学校が休校でなければ、もっと多くの子どもたちが被害に遭っていたはずだ」という発言を保護者や学校関係者等からたびたび聞いた。ネパールの学校はレンガ造りの

震災で全壊してしまった教室

再建した新しい教室で授業を受けている子どもたち（提供：JICA プロジェクト）

ものが多く、その重いレンガが崩れてくることを想像するだけでもとても恐ろしかった。本支援では、教室環境の改善だけではなく、次の地震で大きな被害が出ないように学校の耐震化という目的もあわせて、学校の再建にあたっている。

【学校運営改善】子どもたちにとって魅力ある学校づくりを進めるためには、行政、学校、保護者が一体となり、自分たちの学校の問題を共有し改善していく仕組みが必要となる。このために、ネパール政府は学校運営委員会（ＳＭＣ：School Management Committee）が学校運営計画（ＳＩＰ：School Improvement Plan）を作成し、それに基づく学校運営を行なうことを目指している。しかし、ＳＭＣがＳＩＰの必要性や、そもそも作成方法を理解していないということから、多くの学校でＳＩＰは形式的に作成され、学校運営の改善に結び付いていなかった。そのような状況を受け、ＪＩＣＡは「小学校運営改善プロジェクト」を２００８年から約10年間かけて実施し、より良い学校づくりのためのツールとしてＳＩＰが参加型プロセスにより作成・活用される仕組みを確立した。本プロジェクトにより校長、教師、ＳＭＣ、保護者が一堂に会してＳＩＰを作ることで学校の問題が関係者間で広く共有され、特に保護者の意識の高まりにより、多くの学校で問題改善のための取り組みが活発に行なわれるようになっている。加えて、本プロジェクト対象の学校では、教師間での情報交換や教師と生徒のコミュニケーションが多くなったことも確認されており、学校運営の強化が学習や授業の改善にも貢献している。地方分権化が進むネパールにおいて、このプロジェクトで確立したＳＩＰ作成の仕組みが、今後ますます、子どもたちの学びの場を改善していく有効なツールとして活用されていってほしい。

ネパールでは近年私立学校が急増しており、公立学校と私立学校で教育の質の格差拡大という問題が生じている。ある程度生活に余裕がある家庭は子どもたちを学習環境の整った私立学校に通わせる傾向にある。家庭の所得にかかわらず、ネパールの子どもたちが平等に良い教育を受けられるようにするためには、公立学校の質を上げていく必要がある。教育の質を上げるためには、校長や教師の指導力・モチベーションを向上させたり、教材を改善したりとさまざまなアプローチがあるが、すぐに結果がでるというものではない。そのため、これからもネパールに長く寄り添いながら、現場レベルから政策レベルまで包括的なアプローチを通じて、日本が教育支援を続けていくことが重要である。支援を通じて、子どもたちが多くの学びを得て、将来の夢の選択肢を持つことができるような教育の機会がネパールに広まっていくことを期待したい。

（富松愛加）

SIP 研修を受けている校長先生たち

35

日本のNGOによる教育支援

★校舎建設と防災教育★

国際協力NGOセンターのホームページからアクセスできる「NGOダイレクトリー」によると、ネパールを活動国としている67の日本のNGOのうち、39団体が教育分野で活動している。このうちネパールで国際NGO登録をし、ネパール政府の事業承認を得て、事業を実施している日本のNGOは11団体でこのうち7団体が教育協力事業を実施している（2019年7月現在）。なおこれら7団体には農業や保健、衛生など教育以外の事業を実施している団体も含まれている。この他、国際NGO登録はしていないもののネパールのNGOを通じて政府の事業許可証を取得して教育協力事業を実施している団体が3団体ある。表1にこれら計10団体の事業概要を示す。

表1からNGOによる教育協力事業の傾向として以下2点をあげることができる。第一は、教育施設の建設支援である。2015年の震災によって7553の校舎が倒壊したことから、校舎やトイレといった教育施設の建設や補修を支援している団体が5団体ある。第二は防災計画と防災教育の普及である。学校防災計画の策定、避難訓練、ハザードマップの作成、防災教育のための教材開発や教員研修、保護者や住民への啓発などを

表1　ネパールで教育支援を実施している日本のNGO（2019年7月）

団体名（50音順、●は国際NGO登録している団体）	事業名	実施年度
AMDA社会開発機構●	幼稚園環境整備プロジェクト	2017～18
e-Education	山岳部の貧困層に対する映像教育を通じた数学力向上支援	2017～19
国際開発救援財団●	学校環境改善	2018～20
シャプラニール＝市民による海外協力の会●	地域で命を救う、地震復興&防災プロジェクト（防災教育含む）	2017～19
	洪水に強い地域づくりプロジェクト（防災教育含む）	2016～18
シャンティ国際ボランティア会●	ヌワコート郡、ラスワ郡の被災小学校における防災能力強化事業	2017～20
チャイルド・ファンド・ジャパン●	シンドゥパルチョク郡における被災学校の再建と防災強化事業	2018～19
日本赤十字社●	地震復興支援学校基盤防災支援事業	2016～20
	青少年赤十字海外支援事業（学校での水・衛生事業）	2017～20
日本ネパール女性教育協会	女性教師養成制度の構築をめざすプロジェクト	2016～19
プラス・アーツ	教職員を対象とした持続可能な防災教育人材育成と教材開発に向けた研修	2017～28
ワールド・ビジョン・ジャパン●	ドティ郡学校・コミュニティ防災事業	2017～20

支援している団体が6団体ある。以下、教育施設建設の支援、防災教育の普及についての事例を紹介する。

教育施設の建設の事例としては、国際開発救援財団（FIDR）による住民参加を取り入れた校舎建設があげられる。ネパールでは伝統的に住民が校舎建設に参加して、学校を設立してきた。その後、教育行政機関が教員を派遣し、教科書を配布する。つまり、コミュニティ主導で学校は設立され、運営されてきた。現在も公立学校はCommunity Schoolと呼ばれている。しかしながら、住民が自ら建てる校舎は、家屋と似たような、レンガや石を積んでしっくいで固めるという工法で建てられてきたため、震災によって多くの校舎が倒壊してしまった。震災後、ネパール政府はBuild Back Betterの理念に基づいて、倒壊した校舎の再建にあたっては、耐震構造設計の校舎の建設しか認めない方針を打ち出した。耐震性校舎を建てるためには教室数が多い2階建ての場合、鉄筋コンクリート構造となるので、専門的な建設技術が必要とされる。また工期も震災前の建設方法と比べて長くなる。そこで、住民が自らが校舎建設を行なうことは技術的に困難になったので、NGOを含む援助機関は通常、競争入札を行ない、建設業者に委託する方式で、校舎建設を進めている。

その中で、国際開発救援財団は、質の高い耐震構造校舎の建設を従来の住民参加の強みも活かしながら進めている。専門技術能力を必要とする工程は地域外からの人材が行なうものの、プロジェクト雇用のエンジニアによる指導を受けながら、住民が耐震基準を満たすための基礎工事や鉄筋を組むなど、作業の多くの部分に従事している。また、日々の資材搬入の確認、作業員への賃金支払いなどでは、住民の代表らもNGOと一緒に現場管理を行ない、活動の実施運営を実践的に学ぶプロセスを導入している。この方法のメリットは、住民が雇用され、収入を得ることができることと、住民が建築技術や活動実施運営能力を習得できること、住民の学校に対するオーナーシップや子どもの教育への関心が高まることである。活動を通して地域に「人材」と「経験」を残すことで、将来の住民主体による校舎の維持管理も期待される。建設作業に従事したある住民は、「お金がたまったら何に使いますか？」の質問に、「子どもの教育費に」と答えている。

防災教育の事例としては、シャンティ国際ボランティア会による防災紙芝居の制作・普及があげられる。ネパールでは震災以降、多くの団体が防災教育のための教材を開発し、学校に配布してきたが、

教員が防災紙芝居を演じている様子（提供：Yoshifumi Kawabata / シャンティ国際ボランティア会）

これらは教員向け手引書、児童向け読み物、ポスター、掛け軸、フラッシュカードといった伝統的なツールである。この活動のユニークな点は、紙芝居を防災教材のツールとして活用したことである。

日本の防災紙芝居を参考にして作ったストーリー案を基に、ネパールの地理、文化、社会の文脈にあわせて、ネパール人の作家、イラストレーター、編集者がダミー版を作った。その後、日本の紙芝居作家に文やイラストを改善するための助言を得た。防災の技術的な面については、ネパールの防災専門家が指導した。最終案の段階で、学校で子どもを対象に実演し、子どもが理解しにくい表現や場面を改善したうえで最終化し、印刷した。これまでに「地震はなぜ起こるの」、「学校で地震が起きた時どうすればいいの」、「地滑り」、「雷と火事」など6タイトルの紙芝居を発行した。

紙芝居が教員によって効果的に演じられることを目的に38校の教員を対象に実施した。教員研修では、防災、紙芝居の仕組みと演じ方について理解した後、教員は紙芝居の実践の演習を行なう。研修終了時に校長に紙芝居を配布する。これまでに9千名の子どもが教員が演じる紙芝居を通じた防災教育を受けた。ある5年生の女子は、「紙芝居はおもしろいです。地震がなぜ起きるのかについてよくわかりました」と話している。

最後に日本の教育協力NGOの課題について述べる。それは連邦制に伴う3層の教育行政機関に対する政策提言の強化である。教育予算の増額、公立学校の質の改善、営利目的の私立校の規制強化、自治体教育課の職員や指導主事の増員や能力強化等の教育課題の改善のために、中央レベルの教育省、州レベルの社会開発省、自治体レベルの教育課に対する働きかけを、他国の国際NGOやネパールのNGOと協力して推進する必要がある。

（三宅隆史）

コラム2

縮小する市民社会とNGOのスペース
――政府の管理強化の中で

勝井裕美

9千名近い死者を出した大地震が発生した2015年の翌2016年、2017年のCivil Society Organization Sustainability Index（市民社会組織持続可能指標、USAID）は、ネパールの市民社会組織の環境および能力を2015年よりもやや前進したと評価している。これは、大地震の緊急救援のため海外から多くの援助資金、機関がネパールに流入した結果、ローカルNGOが資金を得、人材育成研修を実施できて得られた成果である。NGOだけでなく若者がインターネットで被災地支援ボランティアを募ったり、建築学部の学生が仮設住宅建設に協力したり、ボランタリズムの発露を感じた。カースト、親戚といったネパールに古くからある社会の単位を超えた、市民社会のうねりが見られた。

翻って2019年現在の市民社会はと言えば、2018年に発足したネパール共産党政権の下、政府の管理強化にさらされている。

NGOを管轄する行政組織、Social Welfare Council（社会福祉審議会、以下、SWC）には、ローカルNGOは5万358団体、国際NGOは245団体が登録している（2019年7月現在）。ローカルNGOは郡とSWCの二つに登録することが義務付けられており、国際NGOはSWCと一般協定書を交わして活動許可を得る必要がある。この許可を得るために、国際NGOは年間20万米ドル以上の支援事業の実施、管理費は事業予算の20％以下、国際NGOが全資金を負担するSWCによる評価作業の実施といったことが求められている。

さらに、支援事業ごとに事業開始前にSWCと事業合意書を締結する必要がある。締結前には、SWCだけでなく関係省庁によって事業内容が吟味され細かく内容の変更が求められる。近年では、意識啓発や研修実施などソフト中心の活動では認められない傾向にあり、学校建設や灌漑設置などのインフラ支援や生計向上につながる物資支援といった目に見えるハード面の活動予算が60％以上求められるようになっている。

2015年に発布された新憲法内でNGOは国のニーズと優先順位のある領域のみの関与が期待され、現政権はProsperous Nepal, Happy Nepali（ネパールの繁栄、幸せなネパール人、筆者訳）という経済成長を目指すスローガンを掲げている。つまり、政府は、NGOも国の方針に沿って経済発展に資する活動をするべきと考えているのだ。

さらに、現政権は、NGOの管理強化を狙っているとして議論を巻き起こした、国家の品位に関する政策案（筆者訳、以下、ポリシー。英語では、National Integrity and Ethics Policy 2074）を2017年に発表した。ポリシー案の中で大きくNGOに関わる部分を挙げる。

1　財務省に毎年、事業計画と予算を提出して承認を得なければならない。

2　ネパールの政策、法律に働きかける活動は禁止

3　政府に対して組織的な働きかけをしてはならない

1については、SWCとの一般協定書、事業合意書により同様の承認は政府から得ており、SWCへの毎年の会計監査報告書の提出、財務省のオンラインシステムを使用した事業予算の執行状況報告を通じて政府による会計監督はされている。いたずらに行政手続きを増やしてN

GOの活動の障壁を増やす内容である。

2、3については、政策提言活動の禁止のみならず、思想・言論・表現の自由、集会の自由の侵害につながる恐れがある。さらに、国際NGOに対しては、ネパールに対する不適切な主張、憎しみ、悪意を自国に伝えたり、広報したりしてはいけないという項目がある。しかし、何が不適切で悪意なのかという基準が不明確で、政府の解釈次第で国際NGOの活動を取り締まることができてしまう。

2018年7月、国際連合人権高等弁務官事務所は、このポリシーが思想・言論・表現の自由、集会の自由といった人権の侵害につながるという懸念を表すレターを発出した。ネパール政府はこのポリシーを施行していないが、事業合意書を得る段階で事業内容を政府の意向に沿って修正するよう求められるなかで、NGOは自らの団体理念をいかに貫くかに苦慮している。

市民社会の危機は政府のNGO管理強化に留まらない。例えば、2018年にはカトマンズ郡が、市民が集会、抗議活動をできる場所を郡内6カ所に限定し、民主化運動など多くの市民運動の中心となってきたマイティガル・マンダラ、ラトナパークなどは禁止した。市民の抗議を受け撤回されたが、集会・結社の自由を脅かす動きだった。2019年現在、報道の自由を脅かすとしてMedia Council Bill（メディア審議会法案、筆者訳）の行方が注目を集めている。報道内容が国の連帯、品位を損なったり、コミュニティの調和を乱す場合に、資産没収や罰金支払いを報道機関やジャーナリスト個人に命じる権限を持つメディア審議会の委員の多くを、政府が任命できる内容だからだ。これでは政府批判をするメディアが恣意的に排除され報道内容が政府に統制され、市民の知る自由も奪われてしまう。

2015年の地震直後のネパール市民社会は熱かった。憲法ができ、2017年の20年ぶりの地方選挙に投票に行く市民の顔は期待に満ちていた。しかし、その選挙で生まれた政権にとって、活発な市民社会は邪魔でしかなく、いかに管理するかに腐心している。この管理強化に対してどう行動するかがネパールの市民社会の正念場なのかもしれない。

【参考文献】

市民憲章（The Civic Charter）日本語版
特定非営利活動法人 国際協力ＮＧＯセンターのウェブサイトよりダウンロード
https://www.janic.org/wp-content/uploads/2019/07/CivicCharter_japanese.pdf

「もうひとつの南の風」（Vol.21-2）近年の制度変更から見るネパール政府と国際ＮＧＯの関係性
特定非営利活動法人シャプラニール＝市民による海外協力の会のウェブサイトよりダウンロード
https://www.shaplaneer.org/wp-content/uploads/2019/03/mouhitotsuno_20180327.pdf

「日本のＮＧＯによる、アジア・アフリカ諸国における政府と現地ＮＧＯの対話プロセス構築支援の方法に関する研究」
外務省のウェブサイトよりダウンロード
https://www.mofa.go.jp/mofaj/gaiko/oda/files/000372534.pdf

Ⅶ

ジェンダー、社会的包摂

36

ジェンダー

★平等の実現に向けて★

ネパールでは、1990年代の民主化以降、多様な女性市民団体と「女性・子ども・高齢市民省」が中心となり、国際的な潮流を踏まえつつ、同時に他の関連省庁と連携しながら、女性が直面するネパール固有の課題解決のために積極的に活動を展開してきた。

国際的には、ネパールは1991年に国連の女性差別撤廃条約（CEDAW）を批准し、その遵守を目指してきた。2015年の新憲法制定の際にはその理念を取入れ、あらゆるジェンダー差別の撤廃を目指した。さらに2000年に採択された国連安保理決議1325号（女性・平和・安全保障）とその関連決議に関しては、ネパール平和復興省が中心となり、その実現に向けて国家行動計画（2011〜16）を策定した。この決議は、主に紛争下の女性に対する暴力の撤廃を図り、平和構築に向けた女性の役割や参画の向上を目指すものである。

2015年には、持続可能な開発のためのアジェンダ2030と、それに伴う持続可能な開発目標（SDGs）の採択に対し、ネパール政府は国連の場で合意を表明した。SDGsは、2030年までに経済的、社会的、環境的に持続可能で平和な世界を作ることを目指して17目標を設定している。その目標の第5番目は、「ジェンダー平等と全ての女性・少女のエンパワメントの達成」である。これは、ひとつの独立した優先順位の高い目標であると同時に、他の16目標を達成するためにも不可欠な目標だと考えられている（SDGsの第5番目の目標には、さらに具体的に以下のようなターゲットが設定されている。①ジェンダー差別の撤廃、平等を達成するための法改正、②女性に対する暴力・性的搾取の根絶、③未成年者の結婚及び有害な慣行（harmful practice）の撤廃、④公共サービス・インフラ・社会保障の提供、無報酬の家事やケア労働の再評価、⑤政治・経済・公共分野の意思決定への参画、⑥リプロダクティブヘルス・ライツ、⑦資源や財産権の保障、⑧ICTなどの技術へのアクセス、⑨これらのための適正な政策と予算の確保）。

また、「女性・子ども・高齢市民省」は女性市民団体と協働して、ネパール固有のカースト制度や民族、障害の有無、ジェンダーなどにより、人々が社会から排除されないように、「ジェンダー平等と社会的包摂（GESI）」に向けた政策を策定し、民主的な社会の実現を目指してきた。その結果、具体的なGESI指針が策定され、災害復興時の女性支援のためのクラスター（連携・調整のための組織）の取組なども大きく前進した。これらの政策の策定やその実現のためには、国際市民団体、国連女性組織（UN Women）、国連人口基金（UNFPA）、アジア開発銀行、（独）国際協力機構（JICA）など多くの国際機関が、資金提供や技術協力を通じて協働してきた。

ネパールの貧困率は、1996年には42％だったが2011年には25・4％まで減少した。さらに、SDGsの前身であるミレニアム開発目標（MDGs）の期間を通じて、人々の栄養、教育、健康、衛生状況なども大きく改善した。この背景には、「女性・子ども・高齢市民省」や女性市民団体が果たした役割が大きい。しかし、いまだに多くの女性は厳しい状況に置かれている。なかでも、暴力や性的ハラスメント、地域の文化や慣習に起因する有害な慣行、ジェンダー／ＳＯＧＩ（性的指向・性自認）・カースト（ジャート）・宗教・言語・年齢・障害・婚姻・経済などによる複合的ジェンダー差別、さらにジェンダー平等な法律や政策があってもその実効性が必ずしも高くないことなどが大きな要因となっている。

女性に対する暴力は特に深刻な問題で、15～49歳で肉体的・性的暴力を受けたことがある女性・少女は28・2％、過去12カ月では約14％となっている（２０１１年）。妊産婦死亡率も改善しているとはいえ、10万出生対２５８人（２０１５年）で、日本の５人に比較すると50倍以上で、女性の身体や健康に対する基本的権利が保障されていない。さらに、ネパールには有害な慣行として、児童婚、ダウリ（持参金・財）、月経に関する禁忌や隔離、寡婦への差別、魔女狩り、カムラリ、人身取引などがある。月経小屋への隔離では、寒くて体調を崩したり、動物に襲われたり、月経期間に学校を休んで学業が遅れるなどの問題につながっている。魔女狩りは、予期せぬ不幸や事故が起きた場合、祈祷師が特定の女性が原因だとして悪霊を追い出すために村人が暴力をふるうケースである。また、南西部には親の借金を引き継ぎ強制労働させられる家事使用人の少女（カムラリ）が、違法な児童労働として現存している。

ネパールの農村部には雇用の機会がほとんどないため、若者は出稼ぎ労働者として転出し、農村には女性や子ども、高齢者が残される。２０１５年４月に起きたネパール大地震では、男性が不在で、貧困ライン以下の人々が多く居住する農村部の女性世帯が被災し生活がさらに困窮した。土地や銀行口座を自分名義で所有している女性は少なく、住宅復興のための政府補助金を受け取るために多くの困難も生じた。

一方で、女性の政治参加は確実に進んでいる。2015年9月に公布されたネパールの新憲法は女性の権利を尊重しており、下院議員の3分の1は女性が占めること、首相のほかに大統領を儀礼的な国家元首とし、大統領・副大統領のいずれか一方は女性とすることなどを規定した。それに伴い、2015年10月の大統領選挙では、女性運動家だったビドヤ・デビ・バンダリが、女性で初の大統領に就任した。

さらに、2017年の地方選挙では、人身取引サバイバーの教育や社会復帰を支援してきたNGOの「マイティ・ネパール」代表のアヌラダ・コイララが、第3州（現バグマティ州）の知事に選出された。

アヌラダ・コイララさん（2015年6月、カトマンズ）

彼女は、ネパールの草の根の貧しい少女が直面している問題に精力的に取り組んできた優れた女性リーダーの一人である。

さらに、1万4千人以上の草の根の女性市民団体などの代表が各種の地方議会に選出され、女性の躍進が進んでいる。しかし、議長などのポストについている女性は約2%に過ぎない。女性たちの政治家としての経験は浅いため、どのように政策を策定し予算を確保するのかなど、まだ十分にそのリーダーシップが発揮できていない。

ネパールではこれまで中央レベルでジェンダー主流化をけん引してきたが、連邦制になったことで、その影響力が薄まるとの懸念がある。一方で、連邦制だからこそ、足元を見据えた実質的な取り組みが進むという期待もある。ネパールでは既に１９９０年代から多数の草の根の女性市民団体が活動してきた。近年では、女性リハビリテーションセンター（ＷＯＲＥＣ）が中心となり、２００７年に女性の人権擁護全国連合（ＮＡＷＨＲＤ）が結成され、女性に対する暴力撤廃のための活動が全国に広がった。さらに、２０１１年には女性人権組織（Women for Human Rights：ＷＨＲ）、フェミニストダリット組織（ＦＥＤＯ）、ファティマネパール財団（ＦＦＮ）、ネパール女性障害者組織（ＮＤＷＡ）など10団体が集結し「平和・正義・民主主義のための女性連合」（Sankalpa）を立ち上げた。

これらの精力的な女性市民団体との連帯と運動を進めていくことは、女性の自己実現や能力の発揮、多様な人々の意思決定の場への参画、社会変革の担い手やリーダーとしての可能性を拡大し、ネパールのジェンダー平等とＳＤＧｓの目標達成に繋がると考える。

（田中由美子）

参考文献

Asian Development Bank and UN Women. 2018. *Gender Equality and the Sustainable Development Goals in Asia and the Pacific: Baseline and Pathways for Transformative Change by 2030*. Bangkok, Thailand.

Government of Nepal, Ministry of Peace and Reconstruction. 2011. *National Action Plan: On Implementation of the United Nations Security Council Resolutions 1325 & 1820*. Kathmandu, Nepal.

National Alliance of Women Human Rights Defenders (NAWHRD). 2018. *CEDAW Shadow Report*. Kathmandu, Nepal.

公益財団法人プラン・ジャパン ２０１４『わたしは13歳、学校に行けずに花嫁になる――未来をうばわれる2億人の女の子たち』合同出版株式会社。

田中由美子 ２０１９「災害とジェンダー統計――ネパールの災害後ニーズ調査（ＰＤＮＡ）から」『統計』２０１９年３月。

37

複雑化する人身売買への対応

★被害を乗り越えたサバイバーによる活動★

「150万近いネパール人が人身売買に遭う危険性あり」――2019年8月にネパール国家人権委員会が発表した『ネパールにおける人身売買報告書』のショッキングな内容は、ネパール内外のメディアで取り上げられた。2018年度だけで、1万5千人の男性と同数の女性、5千人の子どもの計3万5千人が被害に遭い、その7割が外国就労と児童労働による被害者だと推計されている。現在、外国で就労中の人、国内の歓楽街で働く人、村から街に仕事を求めてやってきた女性や少女、働く子どもたちの数があわせて150万人ほどおり、彼らは人身売買の被害に最も遭いやすい。

外国就労の渡航先の多様化にともない、中国やアフリカでも人身売買の被害が報告されるようになっている。しかし、インド―ネパール間の開放国境は、依然として人身売買の危険を高める大きな要因である。NGOは国境での監視に力を入れており、2018年度だけで1万人以上を国境通過前に救出した。警察も2千人以上を国境地帯からネパール側に帰している。それでも被害を防ぐことはできず、インドからは、今も年間千人近い女性や少女が救出されている。2015年の地震以後、N

GOは監視や啓発を強化しているが、被害は漸増傾向にあり、被害者は性産業、強制労働や家事労働に従事させられている。

人身売買とは、売春や強制労働など搾取を目的とし、誘拐や詐欺などの方法で人を移送したり、引き渡したりする行為を指す。搾取には性的搾取や奴隷化のほか、臓器の摘出も含まれる。ネパールは、被害者を生み出している「送出国」であるだけではなく、他国出身者の「通過国」、他国の出身者を売る「目的国」でもある。国内移動による被害者も多く、風俗産業や家事労働に従事する女性や少女、レンガやサリーの工場で強制労働を強いられる子どもたちなどがその例である。外国就労者の場合、カタールなどの湾岸諸国のほか、東アジア諸国やマレーシアで、建設労働者、工場労働者、家事労働者、そして性産業の従事者として搾取されている。また、多額の手数料をブローカーに支払って渡航した日本への留学生も人身売買の被害者として報告書に記録されている。被害が減らず、対策が困難になっている背景として、就労斡旋に見せかけて人身売買を企てる側の手口の巧妙化や、留学や国際結婚など国外移動の目的と渡航先の多様化があげられる。搾取に遭いながらも、人身売買という言葉がもつイメージが限定されているために、自分が被害者であることを認めることができない例もある。

ネパールのメディアで人身売買について周知される契機となったのは、1996年のことである。2月にムンバイの買春宿から、インドだけでなく、ネパールやバングラデシュ出身の女性と少女約500人が警察に救出された。しかし、ネパール出身者が市民権証をもっていなかったこと、HIV感染の可能性があることを理由に、当初、ネパール政府は彼女たちの帰還を拒んだが、ネパールのNGOがインド側と交渉を続けて、9月に128人を帰国させた。

帰還者を受け入れたのは、ネパールの七つのNGOである。これらの団体は帰還した女性や少女たちを「本人の意思に反して買春宿に送られた罪のない被害者」として扱い、家族等との再結合、社会への再統合、回復のための支援を行なった。しかし、メディアが「ムンバイ帰りの少女たち」に対して否定的なイメージを植えつける報道をしたため、家族のもとに帰って地域で受け入れられない者が少なくなかった。彼女たちは、家族や出身地域以外で、生活再建の場を必要としていた。

NGOの研修に参加した有志15人は、1997年にネパール語で「力強いグループ」を意味する当事者団体シャクティ・サムハを結成した。人身売買の被害を受けた人が会員となり、専門職員とともに、ネパール全土に広がる人身売買の被害に遭った少女や女性たちの救出や帰還、保護、権利の回復、生活再建や社会への再統合と、人身売買の防止の分野で活動している。リーダーたちは、自らを「被害者」ではなく、「生きのびた人、困難を切り抜けた人」を意味する「サバイバー」と呼んでいる。外部者が代弁するのではなくサバイバーの自己決定権の尊重を目指しており、政策提言や国家人身売買撲滅委員会、他のNGOとの合同キャンペーンに関わっている。

「少女は売り物じゃない！」とアピールするシャクティ・サムハの職員（2015年、国際婦人デー、カトマンズ）

2000年に国連で「国際的な組織犯罪の防止に関する国際連合条約を補足する人（特に女性及び児童）の取引を防止し、抑制し及び処罰するための議定書」が採択されてから、ネパール政府は法制度整備や支援体制を強化し、学校内外での教育を通じた啓発を進めている。

２００７年、ネパール政府は「人身売買及び移送（管理）法」を施行した。この法律はすべての人身売買の形態を含み、人身売買をした者に対する懲役を5年から20年と定めている。国外で人身売買の被害に遭ったネパール国民の救出、人身売買被害者の家族との和解や社会復帰、その過程を支えるための社会復帰センターや基金の設立に関する項目が含まれていることは評価されたが、被害者個人の情報や安全性などに対する配慮は十分でなく、犯人逮捕のための調査に被害者が協力しづらいことや財源の問題から、実効性に乏しいという批判がある。依然として加害者訴追は容易ではないが、２０１６年度には３８９人の被疑者が罪に問われている。

米国国務省発行の『人身売買報告』は、世界各国の人身売買対策について、「加害者の訴追」、「被害者の保護」、「人身売買の防止」の観点から過去1年間の進捗を四段階評価し、政府への提言を毎年まとめている。ネパールは「最低基準を満たしていないものの対策への努力をしている国」という上から二番目の評価が続いている。米国国務省は、人身売買撲滅のために貢献をした人を「現代の奴隷制廃止のために闘う英雄」として選んでおり、２０１９年までにネパールから四組が選出されている。インドのサーカスで働かされていたネパール出身の少女たちの解放に貢献したエスター・ベンジャミン記念基金のレスキューチーム、被害に遭った当事者として初めて加害者を訴追し有罪判決を勝ち取ったシャクティ・サムハの設立メンバーであるチャリマヤ・タマン、被害者の立場を尊重して政府に賠償金の支払いを命じたマクワンプル郡地方裁判所の裁判官テク・ナラヤン・クンワル、女性や子どもに対する犯罪捜査に貢献したバクタプル郡の警察本部長キラン・バジュラチャルヤが選ばれている。

ネパールの人身売買をめぐる問題は山積しており、移住労働の加速化に伴って、その問題も複雑化しているが、当事者団体だけでなく、司法や警察の関係者など多様な関係者が解決に尽力している点にわずかに希望がもてる。

（田中雅子）

参考文献

田中雅子　2016『ネパールの人身売買サバイバーの当事者団体から学ぶ――家族、社会からの排除を越えて』上智大学出版。
NHRC. 2018. *Trafficking in Persons in Nepal: National Report*. Kathmandu: NHRC (National Human Rights Commission).

38

チベット難民

★ネパールに居場所を求めた人々の現在★

チベット難民とは、1959年のダライ・ラマ14世によるインド亡命に端を発し、中国の領有主権下にあるチベット本土から南アジア諸国（等）へ出離した人々の集団を指す。当初、中国からの分離独立を掲げていた亡命政府は、88年にダライ・ラマ主導でチベット独立を放棄し、非暴力と対話によって問題解決を図ることを国際社会に訴えた。仏教の「不殺生戒」を基幹としたこの非暴力路線は、翌年のノーベル平和賞受賞を経て、民主化や人権など、国際社会が共有すべき普遍的価値に合致するものとして受け入れられ、これ以降のチベット問題は、単なる一国内の民族紛争という文脈を離れ、欧米を主体とする国際社会の普遍的な関心事を反映する指標としての性格を持つようになった。

今日、南アジアにはインド、ネパール、ブータンを合わせて約11万人のチベット難民が居留している。このうちネパールには、カトマンズを中心にポカラ、ヒェンザなど各地に散らばって1万5千人ほどが暮らしている。彼らの内部構成として重要なのが、「古参」と「新参」の区分である。前者はダライ・ラマの亡命に伴ってネパール領内に逃れた人々で、中央チベットと東チベット（今日のチベット自治区と四川省北部）出身者が多く、早くから仏具や交易品の取引に従事し、その商業ネットワークを介してネパール社会に深く根付いている。他方、後者は中国の改革開放に伴う移動制限の解除により、80年代以降にチベット本土から南アジアに流入した人々で、東北チベット（青海省・甘粛省）出身者が多い。彼らの中でも比較的近年になって亡命してきた若年層の多くは、迫害から逃れることを目的とした政治亡命者というよりは、より良い教育や就業の機会を求めて中国の外へ出ることを志向する一時的な越境者という性格が強い。こうした若手新参者の多くが、古参難民が必要とする物資輸送や資産移動（非合法的手段によるインドへの金品持ち出し）を請け負ったり、各地で開かれるカーラチャクラやモンラムといった大規模な仏教祭儀に合わせて飲食店や土産物の屋台を出店するために、ネパールからインドに跨るチベット難民のコミュニティを常時往来する流動的な生活を送っている。

このように、チベット難民にとってカトマンズは、彼らの商業ネットワークの中核を占める重要な拠点であるが、これと併せて特筆すべきなのが、伝統的なチベット仏教教学の世界的な普及センターとしての役割である。ネパールを訪れた人ならば、ボダナートやスワヤンブナートなどで金色の屋根を連ねるチベット仏教僧院群を目にしたことがあるだろう。こうした景観は実際には古くから存在したわけではなく、難民たちがネパールに到着して以降、半世紀の間に形作られたものである。1959年には盆地内に14座しか存在しなかったチベット仏教僧院は、チベット動乱から60年目の2008年には140座に達し、10倍増となっている。僧院の新規創建はその後も間断なく続いており、昨今では十分な用地取得が困難なカトマンズ盆地を避けて、ファルピンやナモブッダなどの郊外

ボダナート発スノウリ経由でブッダガヤへ行き来するチベット難民向けの越境バス

地にシフトする流れが顕著になっている。カトマンズとその周域で今日も続く僧院の建設ラッシュは、チベット本土からヒマラヤの南側へ亡命した高僧たちが、外部のパトロン（当初は欧米信徒が主体だったが、近年では華人系信徒の台頭が目覚ましい）の支援を受け、中国の影響を逃れた場所で自らの教学を再建しようとする熱意に支えられてきた。中でも、ニンマ派のディルゴ・キェンツェ（1910〜91）、カギュ派のトゥルク・ウギェン（1920〜96）やタング・リンボチェ（1933〜）ら、亡命第一世代を代表する世界的に著名な高僧たちがネパールに拠点を設け、シェルパやタマンを始めとするヒマラヤ仏教徒の子弟をネパール領内で育成してきたことで、チベット本土に由来する正統教学がヒマラヤ山間部に伝わる古層の土着仏教の世界を糾合し、これを統合的に再編していく流れを生み出してきた。換言すれば、チベット本土からネパールに移植されたディアスポラのチベット仏教によって、シャハ王朝期に衰退の一途を辿ったヒマラヤ諸民族の土着仏教が新たに賦活され、「正統仏教」として普遍化されていく動きが加速しているのである。

以上のように、ネパールのチベット難民社会はこれまで、カトマンズを中核とする商業ネットワークと仏教ネットワークの両輪によって、ネパール社会の経済や民族文化との間に密接な紐帯を確立し、近代ネパールの国家形成の中で隠然たる勢力を保持してきた。だが、2008年の王制廃止以降、ネパール政界で進むインド離れと、それに伴って相対的に影響力を高めている中国の経済進出によって、ネパール領内のチベット難民たちはかつてない苦境に立たされている。中国は、２００８年３月に起こったチベット民族主義運動の広範な広がりを受け、巨額のネパール向け開発援助の見返りとして、ネパール政府に国内の「チベット独立派」を一掃するよう強く求めている。同年以降、ネパール官憲はチベット難民の統制を強化し、彼らの言論・集会活動（ダライ・ラマの長寿祈願など宗教儀礼を含む）を厳しく取り締まるとともに、中国要人が訪問するたびに難民居住区を封鎖し、一部を中国側へ強制送還するなどの暴力的な対応を取るようになった。これに伴い、カトマンズでは２０１１年以降４件の焼身抗議（うち２件は未遂）が発生し、ネパール官憲と難民社会の間でにわかに緊張が高まっている。

ボダナートのチベット難民居住区

こうした中で、冒頭に述べたチベット問題に付随する「非暴力」というスピリチュアルな宗教性と、これを自らの普遍的関心事に絡めて評価する欧米諸国では、中国の政治・経済的台頭に対する不信感とも相まって、ネパール政府の親中国的な姿勢に対して重大な懸念が表明されている。他方、ネパール国内においても中国系資本が無条件に歓迎されているわけではない。２０１１年にマオイストのP・

K・ダハル議長が要職を務める中国系ファンドによって公表された「ルンビニ広域総合開発プラン」では、同ファンドによる30億ドルに上る巨額投資が表明され、「国家発展のための仏教」というヒンドゥー政治家たちの言動が世論を賑わした。これに対し、ヒマラヤ仏教徒を筆頭とする国内仏教徒の政治団体が「仏教徒による、仏教徒のための開発」をスローガンに掲げて街頭に繰り出し、ヒンドゥー高カースト政治家が主導する開発プランの見直しを求めている。こうしたコミュナルな政治闘争の背後に、この半世紀の間に醸成された「正統仏教」の普遍性に基づくヒマラヤ仏教徒の広範なアイデンティティの芽生えが関係していることは論を俟たない。こうして、一見根無し草の弱小勢力のように見えるチベット難民たちの存在は、新憲法のもとで国民統合を進めるネパール政治の先行きにも色濃い影を落としているのである。

（別所裕介）

参考文献
別所裕介 2013『ヒマラヤの越境者たち――南アジアの亡命チベット人社会』Design Egg 社。
山本達也 2013『舞台の上の難民――チベット難民芸能集団の民族誌』法蔵館。

39

被差別カーストの人権をめぐる状況

★「ダリット」による解放運動★

「ダリット」とはヒンドゥー不可触カーストの自称で「抑圧された者」、「粉砕された者」の意味を持ち、ネパールでは人口の約12・5％がダリットとされている（2011年国勢調査）。ダリットは「伝統的」に担ってきた職業があることから「職業カースト」また「被差別カースト」とも呼ばれている。現在、カースト差別は法律上禁止されているものの、人々の意識の中に定着している「浄・不浄」の観念や身分階層の意識は根強く残り、不可触制に基づく差別は後を絶たない。

カースト差別は、現在でもネパールの社会開発における阻害要因となっている。ネパール全人口の約25％が貧困層であるのに対して、ダリットだけで見ると150～200万人にあたる約42％とその割合は高い。また、ネパール全体の識字率が65・9％であるのに対して、ダリットは52・4％、特に平野部のダリットでは34・5％と低く、教育格差も歴然としている。貧困問題はカースト制度のもと社会の最底辺に置かれてきたことに由来しており、それによる構造的な差別や社会的排除、機会の欠如が連鎖的に作用し、ダリットを貧困の負のスパイラルに追い込んできた。

解放運動の萌芽は1930年代に見られる。中部バグルン郡での「サルバジャン・サンガ」による「聖紐」（高位カーストのみが着用する紐）の着用を巡る抗議運動に始まり、ダリットには参詣が禁じられてきたヒンドゥー教の「聖地」であるパシュパティナート寺院の集団参詣運動など、当事者による組織的な動きが見られるようになった。その後のパンチャーヤト体制時は多くの組織活動が禁じられていたために運動は下火となったが、1990年の民主化後は政党活動が合法化され、諸政党が下部組織による活動を本格的に開始させた。1992年にはネパール共産党の「被抑圧カースト向上フォーラム」、ネパール会議派の「ネパール国家ダリット人民開発評議会」などが設立された。現在は、会議派の「ネパールダリット協会」、ネパール共産党の「ネパールダリット解放組織」などがある。

国は2002年に「国家ダリット委員会」を設置し、政策立案と提言活動を目的としてダリットの生活向上に関する取り組みを行なってきた。雇用、教育、政治における留保制度を通じた是正措置や不可触行為を禁止し制裁を科す法律もあり、制度は整ってきたものの、それらが効果的に実施されていないことや、十分な予算が配分されていないことが問題となっている。ダリット解放を目指す民間の当事者組織も1990年の民主化以降急増。1996年に設立された「ダリットNGO連合」に加盟するダリットNGOは現在344団体である。同連合はダリットNGOのネットワーク組織としてダリットの権利擁護の取り組みを行なっている。例えば、政府の開発計画や憲法制定時にダリットへの配慮や権利を求めて積極的な提言活動を行なっているほか、公益訴訟の提起、加盟団体の能力向上支援などの活動を展開している。加盟団体の各々は保健医療、教育、収入創出などの生活ニーズに基づく支援とともに、権利擁護や人権啓発を全国で行なっている。しかし、中には実質的な活動を伴わない名ばかりの団体もあり、玉石混交の状態である。

ダリットと一口にいってもさまざまな民族、言語文化や社会構造を抱えている。ダリット内のカースト間にも階層があり、団結が難しいため内部は一枚岩ではない。また、ネパールでは家父長制の意識が根強く、ダリット女性はダリットゆえに差別を受け、女性ゆえに蔑まれ、最も周縁に追いやられた集団として、さまざまな困難を強いられてきた。不可触制に基づく日常的な差別行為に加え、家庭内暴力、性暴力、幼児婚、人身売買などの女性に対する暴力も他のカーストに比較すると多く、現地NGOの調査によると、ダリット女性の49％が暴力の被害に遭っているという。例えば、ダリットの「バディ」カーストの女性は伝統的に売春を生業とせざるを得ない状況に置かれやすく、「魔女」だとして暴行を加えられる被害もダリット女性に多く見られる。また、全国的に外国への移住労働が盛んになるなかで、出稼ぎの原資を持たないダリット女性は非正規ルートでの渡航を斡旋されることが多い。現地では脆弱な状況に置かれるため、性暴力を受けたり、望まない妊娠をして帰国したりする女性が増加している。また、本章冒頭で平野部のダリット・コミュニティの識字率の低さを指摘したように、ダリット内でも格差は大きい。貧困率が高く、保守的なダリットのコミュニティに属する女性は教育機会も少ないうえに幼児婚も未だに多く、さらに脆弱である。

このように複合した差別を受けるダリット女性たちも自ら運動団体を結成して女性たちを組織化し、存在を可視化する取り組みを行なってきている。「フェミニスト・ダリット協会」（以下ＦＥＤＯ）はダリット女性たちによって１９９４年に設立された現地のＮＧＯであり、56郡に支部を持つ。伝統的父権社会とカースト差別に抗し、カーストとジェンダーの複合差別に苦しむダリット女性のエンパ

FEDO パルサ郡のダリット女性自助グループ会議の様子（提供：反差別国際運動）

FEDO パルサ郡支部のデモ行進の様子（提供：反差別国際運動）

ワメントを目指し活動を展開している。識字をすべての活動の基盤として位置づけ、女性グループや学校にいけない子どもたちにノンフォーマル教育を行なうほか、教育、保健衛生、収入創出、啓発・政策提言の分野において、女性たちを組織化しながら活動を展開している。活動の担い手のほとんどがダリットである。特に人材育成に力を入れており、地域の潜在的な女性リーダーにさまざまな研修を行ない、地域で運動を担うリーダーを育成するのである。研修を受けた女性たちが地域でダリット女性のための市民権証取得や出生届キャンペーン、持参金制度の廃止キャンペーンなどに協力し、地域の人々を動員する役割を担っている。また、女性の政治参画にも熱心である。現在、新憲法で保障されているカースト差別の撤廃やダリット女性のエンパワメントを実現するため、国への働きかけに尽力している。

ＦＥＤＯの創立者であるドゥルガ・ソブは「これまでダリット解放運動において、また女性解放運動において私たちの声が反映されることは殆どなかった。女性解放を語る時、ネパール人口の1割を占めるダリット女性の抱える困難や、複合的差別の状況を視野に入れることを抜きにしては、ネパールにおける真の女性解放、開発はありえない」と強く語る。

２０１７年の地方選挙ではダリット女性の留保枠もあり、７５２６人のダリット女性が立候補し、６５６７人が当選するなど、大躍進を果たした。しかし当選した女性たちは政治経験の浅い人も多いため、現在ＦＥＤＯはこの女性たちの能力向上に力を入れている。

当事者の運動は着実に前進している。しかし、差別や排除という根本的な原因をなくし、格差を是正するためには、ダリットではない人々もカースト差別を「自分ごと」と捉えて、地域、国、そして地球規模での連携・連帯を進めることが重要である。

（山本　愛）

参考文献
反差別国際運動（ＩＭＡＤＲ）２０１８『ダリットを知る――グローバルイシューとしての世系に基づく差別に向きあい、誰ひとり置き去りにしないために』反差別国際運動（ＩＭＡＤＲ）。
FEDO. 2013. *Study on the Situation of Violence against Dalit Women and Children and Advocate for Their Prevention and Protection*. Kathmandu: Feminist Dalit Organization (FEDO).
Kisan, Yam Bahadur. 2005. *The Nepali Dalit Social Movement*. Lalitpur: LRPS-Nepal (Legal Right Protection Society - Nepal).

コラム3

カースト的慣習とその変化
――不可触制に基づく差別

山本　愛

不可触制では、穢れは身体接触などによって「伝染する」と考えられており、日常的な相互行為において、高位カーストはダリットの体に触れてはならないとされている。高位カーストとダリットが井戸の共有を避けている地域も残る。同じ場所で飲食することや、食器を共有することも忌避されている。村の茶屋などでは、ダリットは建物の中に入れず、使用するコップも専用のものが用意されていたり、口をつけた食器は自分で洗ったりしなくてはならない地域もある。ダリットはヒンドゥー教徒であるにもかかわらず、参拝を許されない寺院もある。

従来カーストを持たない人々とされてきたチベット・ビルマ語系の先住民族の間でも、ダリットとの共食を拒否し、家に招き入れないといった慣習が広く行なわれてきた。差別は、農村部において伝統的な宗教の戒律や社会規範を守る保守的な高位カーストによって特に強く行なわれている傾向がある。社会情勢の変化に伴い、特に都市部では不可触制に基づく差別は目立っては見られなくなってきている。また、ダリット解放運動が活発な地域では、差別に抗して、茶屋でグラスを割ったり、飲食をボイコットしたりする抵抗運動、集団での寺院参詣運動、不可触制に基づく差別は法的に禁止されているという情報をさまざまなメディア媒体を使って宣伝し、被害を受けたら告訴するなどの運動が行なわれており、徐々に差別は減ってきている。

しかし、結婚や入居差別は都市部においても未だに根強い。借主がダリットだとわかると、部屋を貸したがらない高位カーストは多い。しかしダリットであることを理由に入居拒否することは違法であり、有罪判決が下された事例もある。

異カースト間結婚はネパール社会において忌避されてきており、同じカースト内で通婚するための見合い結婚が主流である。特にダリットと非ダリットとの通婚はタブー視されてきた。都市化や教育の普及などを背景に、異カースト間の恋愛結婚も増加しているが、相手がダリットである場合、家族が強く反対したり、また婚姻後に相手の地域や家族から排除したりする事例もある。ダリットと非ダリットの結婚は9割が破綻しているという調査結果もある（2011年、フェミニスト・ダリット協会調べ）。

庭で栽培したコリアンダーを販売用にまとめているダリットの女性（ラリトプル郡にて）

ダリット出身のRさん（24歳）は高校で同級生の高位カースト男性と恋仲になった。男性は「今の時代、カーストの違いは関係ない。親も説得するから結婚しよう」とRさんに伝えた。しかし男性は親に結婚の話をしたところ、「生まれてくる子どもが差別されるはずだ、かわいそうだ」という理由で猛反対された。男性の親族は、女性に対して脅迫も加えた。結婚するなら親子の縁を切ると言われた男性は悩んだ末、Rさんと別れることを選んだ。Rさんはその後精神的に不安定になり、仕事にも就けず、自殺を図った。幸い一命をとりとめ、その後ダリット女性の支援団体につながり、同じような体験を持つ女性たちと出会うことで少しずつ立ち直ってきた。「彼は親を説得すると約束してくれたのに、裏切られた気持ちで目の前が真っ暗になりました。その時私は何も言えませんでした。彼は駆け落ちしたいと言っていましたが、駆け落ちしても結局離婚する人たちが多いと聞いたので、今は彼と結婚しなくてよかったと思っています。家族と縁を切って生活することはネパールでは難しいので、仕方なかったのかもしれません。でもこんな理不尽な差別は許せません。私の子どもの時代にはこのようなことが起こらないように、社会を変えたい。自分自身も強くなりたい」と、Rさんは語る。一方、少数ではあるが婚姻が破綻していないケースもある。その場合、男女ともに高い教育を受け、実家の経済力も同等であれば可能となることが多いという。

不可触制に基づく差別に抗議するダリットは増加し、訴訟も増加している。結婚差別は深刻な問題であるにもかかわらず、プライバシーの問題として扱われてしまい表面化しないことは、日本の部落差別にも共通している。ダリットであるか否かは苗字、親の職業、出身地域などから推測が容易である。結婚の反対理由をはっきり告げず、問題をすり替えて反対する場合もあるため、結婚差別として表面化しないことも多い。ネパールでは教育機会が増し、ダリットに対する差別是正の措置もとられる中で、都市を中心に「差別してはいけない」と認識している人たちは増えている。しかしながら、こと身内ごとになると「差別する側」に容易に立ってしまうことは、日本でもよく知られていることである。

FEDOが作成した啓発ポスター

今後、恋愛結婚が増えると結婚差別に当事者として直面する人たちも増えるであろう。根強い忌避感や偏見を払拭するには、論理だけでは難しいかもしれない。しかし、差別の撤廃を目指し、制度の充実とともに、人権の視点での効果的な啓発や教育の取り組みが今後一層求められるのではないだろうか。


【参考文献】

ヒューライツ大阪（一般財団法人アジア太平洋人権情報センター）編 2003『地球規模で捉えるカースト差別・部落差別の今』《国際人権ブックレット10》。

Devkota, Prabodh M. (ed). 2005. *Dalits of Nepal. Issues & Challenges*. Feminist Dalit Organization.

40

ようやく始まった社会保障制度の構築

★包摂的な社会に向けて★

長くネパールの障害者団体を統括してきた「ネパール障害者連盟（National Federation of the Disabled, Nepal: NFD-N）」の創設者で前副代表、視覚障害の当事者でもあるテク・ナート・ネウパネ氏は、筆者に「『障害』という言葉は、ネパールで機能不全や不十分といった意味で政治家やメディアが繰り返し使ってきた、ネガティブなものである。我々はそういう意味での『障害者』ではなく、人、そのなかで障害をもっているというだけの『障害をもつ人』である。この違いは障害者権利条約（CRPD）の考え方を踏まえたものであり、とても重要だ」と語った。

ネパールでは近年、障害をはじめとして、高齢者、女性、子ども、特定の民族・カーストなど、これまで出自や差異によって排除されやすい立場にあった人々の「包摂」（田中２０１７）が目指されている。１９９０年民主化以降、ＮＧＯや当事者団体などの市民社会組織（ＣＳＯ）は、排除されてきた人々の権利の実現と社会参加を目指す担い手として活動してきた。冒頭のように障害者というカテゴリーよりもまずは人として平等である、という点を強調するネウパネ氏の言葉が示していることは、ＣＳＯの活動が実現しようとしている包摂的な社会の、ひ

表　社会保障手当の概要

社会保障手当の種類	概要（対象）	金額	開始年
高齢者手当	70歳以上の高齢者 (60歳以上の全てのダリットとカルナリ県在住の高齢者)	3000ルピー/月 2000ルピー/月	1995年
寡婦手当	60歳以上の単身世帯女性と全ての寡婦	2000ルピー/月	1996年
障害者手当	最重度障害:障害証明カード（赤）取得者。介助ありでも日常生活が困難な者 重度障害：障害証明カード（青）取得者。介助があれば日常生活が可能な者	3000ルピー/月 1600ルピー/月	1996年
児童保護補助金	カルナリ県在住の5歳以下の子どもと全地域のダリットの子ども	600ルピー/月	2009年
危機的先住民手当	（消滅）危機的先住民に属する人々	3000ルピー/月	2009年

とつのかたちのように思えた。

生活を守るセーフティネットが主に家族によって担われてきたネパールにおいて、これまで政府による社会保障はほとんど整備されてこなかった。しかし近年、包摂を実現する方法の一つとして社会保障が注目され、構築が進められている。日本で社会保障というと、制度構築から実施に至るまですべて政府が行なうイメージが強いが、ネパールではCSOなどの中間支援組織が政府のカウンターウェイトになっているという構造があり、制度の構築でもCSOによるロビー活動や社会運動が無視できない。本稿ではこれらを含め、制度の概要をみてみたい。

ネパールの社会保障は、第一次民主化（1990年）、人民戦争（1996～2006年）、包括的和平協定（2006年以降）という三つの政治的な転換点を通じて、少しずつ構築が進められている（高田2020）。きっかけは、第一次民主化によって解放された民衆の力だった。それまで活動が制限されてきたNGOは、民主化を経てそれまでのネパール社会にあった出自や差異（特定の民族・カースト、高齢、障害、ジェンダー）による排除や差別、不平等の改善を求めた。その方法の一つが政府による社会保障制度であり、CSOはその導入を積極的に政府に求めていった。

以後、こうした要求を下地として、1992年の社会保障政策に関する国家計画の立案、ネパール共産党マルクス・レーニン主義派による、ネパール初となる社会保障である1995年の「高齢者手当」の導入、1996年に社会保障の導入を求めたマオイストによる「40項目要求」と人民戦争、2006年の和平協定締結とその後の「包摂」、2007年の暫定憲法での権利に関する規定の大幅な拡張などをへて整備が進められ、2018年9月には「社会保障法」が成立した。

同法は社会保障を「同法で規定する、社会保障受給資格のある市民に提供される現金、手当または支援」とし、高齢者、生活困窮者、無力で寄る辺なき人々、寄る辺なき独身女性、障害のある市民、子ども、自身をケアできない市民の七つとし、主に社会保障手当（SSA）と実施方法を定め、現在は表1のように展開されている。

SSAの申請は、全国で約六千箇所あるとされる地区オフィス（Ward Office）で申請し、手当は4カ月に一度（年三回）支給される。障害者手当については、障害の程度に応じての支給になるが、障害の手当は地区オフィスでの申請後、地方自治体（Local Government）の委員会（副首長1名、医師4名、障害当事者3名、地区の校長1名の9名で構成）で四つの障害程度区分が決められ、それに応じて異なる額の手当が支給される。

こうした制度の利用者からは概ね、好意的な声が聞こえてくる。高齢者手当を受けるタナフン郡出身の男性は「高齢者手当を受けるようになって、出かけるときにはチヤ（茶、この地域では通常ミルクティー）を飲み、ビスケットを食べられるようになった。孫たちにお祝いしてお小遣いをあげることもできる。政府は良いことをしていると思う。自分で何か食べたいときも息子に何もお願いしなくてよくなったことが嬉しい」と語った。

ようやくかたちが見えてきたSSAだが、この背景には制度だけでは見えない市民社会活動の活発な要求とロビー活動があった。第一一次計画で女性、とりわけ寡婦を社会保障の対象として組み込むことに成功したのは「女性の権利・寡婦グループ（WHR）」のロビー活動によるものであったし、同CSOは当初存在していた寡婦手当の年齢条項撤廃に向けた運動を行ない、これを実現させた。また高齢者についても2007年暫定憲法制定にあたって当初は含まれていなかった基本的権利のうちに、高齢者の権利を含むよう政治的に働きかけ、これを達成したのはネパール最大の高齢者団体「国民高齢者連盟（National Senior Citizen Federation: NASCIF）」であったし、冒頭のNFD-Nは当初、障害の種類に基づいてバラバラに活動していた団体を結びつけ、障害者の権利の実現の一つとしてSSAの要求を続けてきた。危機的先住民手当も、59の先住民のうち、ネパール政府が消滅危機にあるとするラウテやキサンなど10の先住民を対象にしたものだ。また現在も慣習として残存するカースト制で不可触扱いを受け、貧困率も高い傾向にあるダリットと呼ばれる人々、ネパール中西部に位置し、特に貧困線以下の生活を余儀なくされている地域であるカルナリ県在住の人々なども、同様の活動団体によって社会保障手当の対象に含まれた。一見すると見えにくいが、ネパールではこのように市民社会運動によって法律や政策の整備が進められ、現在のような制度が形作られてきている。ＳＳＡのほかにも、グローバルな流れと連動して国内でも進められている「社会的保護」（ＳＳＡを含めて「社会保険」「社会扶助」「労働市場介入」という三つの領域で進められている）プログラム（ILO and MoLEN 2017）や、２０１６年に導入された国民健康保険プログラム（National Health Insurance Program: NHIP）が、現在も人々の生活を支え、排除や差別、不平等を是正するために制度の構築が進められている。一方で国土面積の多くが丘陵地帯、山岳地帯であるネパールでは「ＳＳＡの支給額より交通費の方が高くつく」といった声や、保健施設に30分以内にアクセスできる世帯は全世帯の６割であったり、ＮＨＩＰも適用される病院が限られているためにほとんど実態がなかったりするなど、制度はまだまだ形式的なものにとどまっている。またこれまで制度構築に貢献してきたＮＧＯなどの活動に対して政府が管理を強める動きもあり、一定の懸念も指摘されているが、ようやく始められたネパールの制度構築がどのように排除や差別を解消していけるのかは、引き続き、注目されていくだろう。

（高田洋平）

参考文献
高田洋平　２０２０「第４章　ネパール」『新　世界の社会福祉　第９巻』旬報社。
田中雅子　２０１７「第８章　テーマ・コミュニティにおける『排除』の経験と『包摂』への取り組み――人身売買サバイバーの当事者団体を事例に」名和克郎（編著）『体制転換期ネパールにおける『包摂』の諸相――言説政治・社会実践・生活世界』三元社。
ILO and MoLEN. 2017. *An Analytical Briefing on the Social Security Sector in Nepal*. Kathmandu, Nepal: ILO and MoLEN.

41

障害者をとりまく現状

★社会参加の進展をもたらした新たな制度★

私は、２００６年に第6回ダスキン障害者リーダー育成海外派遣事業の研修生として来日した。障害者の自立生活のパイオニアとして、日本で学んだことをもとにネパールで障害者の自立生活運動に取り組んだ。民主化運動にも積極的に参加し、責任ある市民としての義務を示すとともに、障害があっても無能力ではないことを全国民に示すきっかけをつくった。民主化運動に参加して障害者が逮捕されたり、暴力を受けたりする様子が報道されたことは、他の人々をも民主化運動に巻き込む契機となった。同年、２００６年に自立生活センター（Independent Living Center、以下ＩＬＣ）を設立し、現在では多くの郡に支部がある。

自立生活とは、障害者による自立的で生産的なライフスタイルのことで、私たちは障害者のエンパワメントと社会に変化を起こすための活動をしている。ＩＬＣは、障害者のための普遍的な権利を保護し、また保障するとともに、家族や地域社会、国家の責任に関わる課題解決に貢献することを目指している。権利基盤アプローチにのっとって、自立生活運動および自立生活の原則を推進することによって、障害者の政策決定過程への

自立生活センターのメンバー

意義ある参加を保障し、人権および開発課題において障害者を主流化していくことを可能にする。ＩＬＣは、障害者のニーズに基づいたサービスや保護、社会参加の機会の拡大を実現させるべく、政府を側面から支援し、政策提言活動を行なっている。

２０１１年のネパール国勢調査によれば、総人口の１・94％にあたる51万３３０１人が何らかの障害を抱えているとされているが、ここに含まれていない人もいると考えられる。障害者の生活実態に関する詳細な調査はなされておらず、政府によるサンプル調査の結果も、政策立案やサービス提供に十分活用されているとは言えないからである。

障害者自身による権利を求める闘いによって、２０１５年公布の新憲法では障害を理由とした如何なる差別も禁止され、障害者およびその他の周縁化されたコミュニティの権利を守るために特別な法律を制定することが規定された。包摂の原則に基づき、障害者がさまざまな国家機構や公共サービスに参加する権利が保障され、周縁化されたコミュニティの特別な権利を規定している基本的人権条項に、障害者も追記されるべきことが明記された。例えば、連邦議会（下院）に関する条項第８条は、政党が連邦議会選挙の候補者を選ぶ際、障害者も代表させるよう謳っている。59人のメンバーによる国民会議（上院）に関する条項第86条は、上院において政党が選出する合計56の議席（各州から8議席ずつ）のうち各州につき1議席は障害者またはマイノリティのグループの代表に与えるとした。州議会に関する条項第１７６条は、政党が州議会選挙の候補者を選ぶ際、適格な障害者を確実に代表させることを明記している。新規定により、上院では各州1名ずつ計7名、下院に3名、州議会に３名の障害をもつ議員が誕生している。第一次制憲議会では障害をもつ議員は2名のみであったことを考えると政治参加は前進したと言える。ただし、候補者選びは政党に委ねられている。当事者の声を政策に反映させることができる議員を送り出すために、障害者運動は議会でも発言できるリーダーを育てていく必要がある。

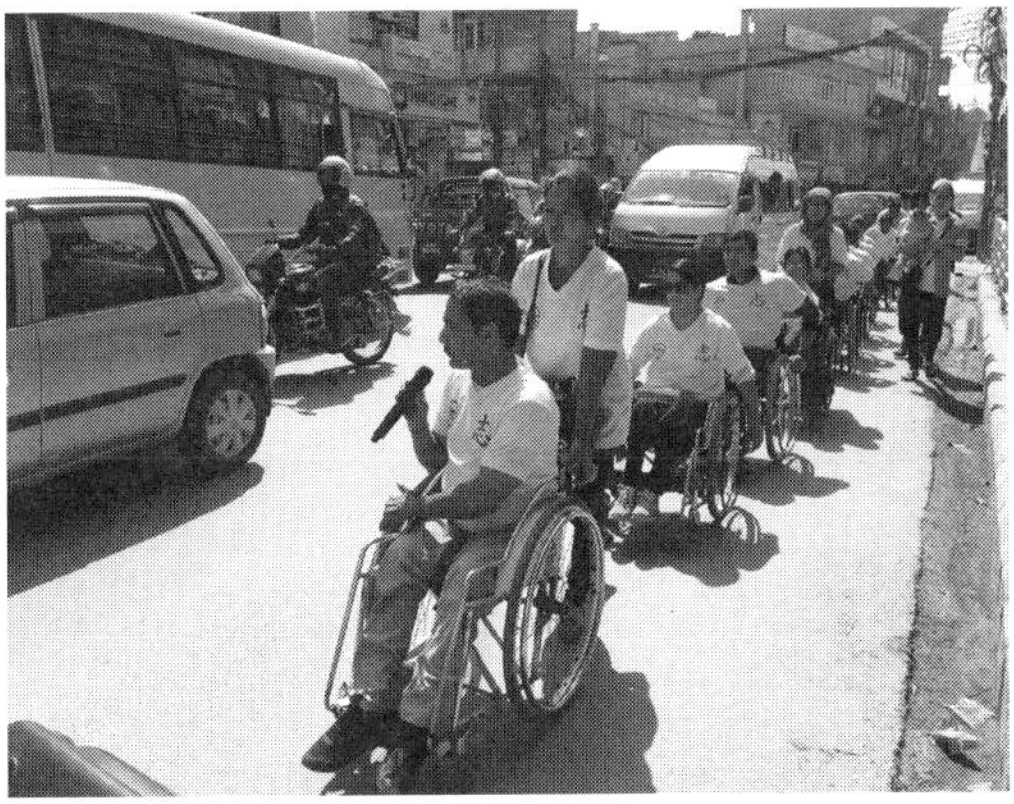
街頭行動の先頭に立つ筆者

２０１７年8月に可決された障害者権利法は、１９８２年の障害者保護福祉法の修正、２００９年に批准した国連障害者権利条約の国内での適用、２０１５年憲法で規定した障害者に関連する条項を取り入れるために制定された。女性・子ども・高齢者省が、連邦レベルでの障害者の課題を扱っている。同法の実施に関して具体的な義務と責任、権限をもつ委員会を地方自治体、州、連邦の各レベルに設置することが明記され、委員会には障害当事者を含むことになっている。

障害者権利法では、障害を、⑴身体障害、⑵視覚障害、

表１　障害者証明カード発給数（2017 年 3 月現在）

カードの色（障害の度合い）	女性	男性	計
赤（最重度）	16,308	20,977	37,285
青（重度）	8,863	40,214	49,077
黄（中度）	27,041	39,798	66,839
白（軽度）	19,034	27,255	46,289
合　計	71,246	128,244	199,490

出典：Ministry of Women, Children and Senior Citizen. *Resource Book* (2016/17).

⑶聴覚障害、⑷視聴覚障害、⑸言語障害、⑹精神および心理社会的障害、⑺知的障害、⑻遺伝性血友病に関連する障害、⑼自閉症、⑽重複障害の10種に分類している。政府は、障害の度合いに応じた等級にあわせて色の異なる「障害者証明カード」を発給している。ネパール全土の推定60万人程度の障害者に対して、表1を見ると２０１７年３月末までの発給数は約20万人にとどまっている。障害者証明カードで受け取ることができるサービスのひとつとして、障害者手当が支給される。赤のカード所有者に1カ月あたり２千ネパール・ルピー、青のカード所有者に６００ネパール・ルピーが支給されているが、黄と白のカード所有者には支給されない。

さらに障害者証明カードで受けることができるサービスとして、障害を持つ子どもは、公立学校および大学で無償教育を受けることができるほか、奨学金や点字教材、受験時の補助員も提供される。しかし、障害者がアクセスしやすい環境やカリキュラムは不足しており、最重度および重度の障害を抱える子どもたちの多くが教育を受けられない状態にある。ほかには、公共交通機関の乗車料金の免除、公立病院での無償外来診療などの制度がある。

現在、ネパール障害者連盟の傘下に３００以上の障害者団体が加盟している。地域を基盤としたリハビリテーションを行なう団体のネットワークなどもある。これらの団体には、障害をもつ当事者だけでなく、障害をもつ当事者以外の人々が運営するものも含まれており、障害者のためにさまざまなサービスを提供している。それらの団体は、生活支援のための器具や技術の不足、住宅や公共施設、公共交通機関へのアクセスの問題、介助者の不足、雇用における差別、不十分な障害者手当や年金など社会保障の問題、医療・福祉サービスの受けにくさ、障害を持つ子どもの教育、障害のある女性への性差別問題、重度の障害を持つ人々の困難な生活環境の改善などの課題に取り組み、政策提言、意識の向上、職業訓練、リハビリテーション、慈善活動などを行なっている。政府は、これらの団体がエンパワメントや意識向上のための活動をするための助成金を提供している。国際NGOも、都市部を中心に障害に対する理解の促進や政策提言活動に資金を投下している。しかし、最重度または重度障害者のための制度・政策の充実に向けた活動をしている障害者関連団体は今もまだ少ない。ネパールでは、新憲法制定後、連邦レベル、州レベル、地方自治体レベルで多くの法律や政策について調査・立案が進められている。公務員だけでなく、新たに選出された議員たちも、障害者や他の周縁化されたコミュニティのためにどのような支援制度をつくるべきか混乱しているように見える。（クリシュナ・ゴータム／定松栄一 訳）

Ⅷ

時代への対応：少数民族、宗教

42

諸民族の多様な選択

★「カースト／民族」人口、運動、宗教★

１９９０年、２００６年の民主化で唱えられた多様性の尊重（等）は、法律にも反映され、施策が徐々に実行されつつある。国勢調査はその一環で、１９９１年から「カースト／民族」人口表が加えられた。ネパールの国勢調査は本格的な形では20世紀中葉に始まり10年ごとに行なわれているが、当初はこの種の表はなく、母語人口から推定するほかなかった。

「カースト／民族」は、英語ではcaste/ethnic group（２０１１年にはethnicity）、ネパール語では「ジャート／ジャーティ」である。国勢調査の集計表では、カーストと民族は区別されずに各「カースト／民族」名（項目）が人口とともに列挙される。「その他」以外の項目数は、１９９１年60、２００１年１０１、２０１１年１２５で、近年（同定の進みや多様性の潮流に乗った判断等で）「カースト／民族」の数は大幅に増えている。

表１は、人口数が多い30項目に絞った２０１１年の「カースト／民族」人口である。人口が多いのはネパール語を母語とする山地ヒンドゥー教徒の高位カーストのチェトリとブラーマン（バフン）で、山地とタライ（南部平地）の７グループが百万人台で続く。表１には示せないが数百人のグループもある。

民主化とともにジャナジャーティ（諸民族）、ダリット（旧不可触諸カースト）、マデシ（タライ［のインド系］住民）という包括的な用語・概念が組織的な運動とともに広まった。国勢調査には包括的社会範疇の人口がなく、筆者の判断で括った集計が表2である。

従来ネパールの政治の中心を占めてきた山地ヒンドゥーの人口は、母語人口からの推定で、全人口の半数近くと捉えられていた。しかし91年以降のデータから判断すれば（ダリットを含めた）山地ヒンドゥー人口は全人口の三分の一強に留まり、ジャナジャーティ人口に近い。これは後者の人々を力づける要素になったと考えられる。マデシ人口は、（明らかな山地出身者以外の）タライ住民のどこまでを含めるかで揺れるが、全人口の2〜3割で、これも大きな勢力になる可能性をもつ。

　いろいろな民族が自ら

表1　「カースト / 民族」人口　2011 年

カースト名	人口	全国人口比
チェトリ　PH	4,398,053	16.60%
山地のブラーマン（バフン）　PH	3,226,903	12.18%
マガル　PJ	1,887,733	7.12%
タルー　TJ	1,737,470	6.56%
タマン　PJ	1,539,830	5.81%
ネワール　PJ	1,321,933	4.99%
カミ　PH (d)	1,258,554	4.75%
ムスリム	1,164,255	4.39%
ヤダブ　TC	1,054,458	3.98%
ライ　PJ	620,004	2.34%
グルン　PJ	522,641	1.97%
ダマイ／ドリ　PH (d)	472,862	1.78%
タクリ　PH	425,623	1.61%
リンブー　PJ	387,300	1.46%
サルキ　PH (d)	374,816	1.41%
テーリー　TC	369,688	1.40%
チャマール／ハリジャン／ラーム　TC (d)	335,893	1.27%
コーイリー／クシュワハ　TC	306,393	1.16%
ムサハル　TC (d)	234,490	0.89%
クルミー　TC	231,129	0.87%
サンニャーシ／ダスナミ　PH	227,822	0.86%
ダーヌック　TJ	219,808	0.83%
ドゥサード／パスワーン／パシ　TC (d)	208,910	0.79%
マッラハ　TC	173,261	0.65%
ケーワット　TC	153,772	0.58%
カタバニヤン／バニヤ　TC	138,637	0.52%
タライのブラーマン　TC	134,106	0.51%
カルワール／スディ　TC	128,232	0.48%
カーヌ　TC	125,184	0.47%
クマル　PJ	121,196	0.46%
その他	2,993,548	11.30%
全人口	26,494,504	100.00%

注：筆者の判断でカースト、民族を以下のように区別して示す：PH ＝山地ヒンドゥー（カースト）／ PJ ＝山地ジャナジャーティ（民族）／ TC ＝タライ・カースト／ TJ ＝タライ・ジャナジャーティ（民族）／ d ＝ダリット
出典：CBS. 2012 をもとに筆者作成。

表２　民族・カースト（包括的社会範疇）人口 2011 年

包括的社会範疇名	2011 年	
	人口	対全人口比
山地ヒンドゥー（ダリット以外）計	8,278,401	31.25%
山地・高地ジャナジャーティ（民族）計	7,094,772	26.78%
山地・高地ダリット計	2,256,463	8.52%
タライ諸カースト（ダリット以外）計	3,866,205	14.59%
タライ・ジャナジャーティ（民族）計	2,392,870	9.03%
タライ・ダリット計	1,308,623	4.94%
ムスリム、パンジャービー / シク等計	1,171,431	4.42%
その他計	125,739	0.47%
総計	26,494,504	100.00%

出典：CBS. 2012 をもとに筆者作成。

の言語・文化の振興、アイデンティティ確立を目指す運動・組織は以前からあったが、民主化で急増した。１９９１年、包括的組織「ネパール民族連合」が発足し、10年後に「ネパール先住民族（アディバシ・ジャナジャーティ）連合（ＮＥＦＩＮ）」と改称した。運動の焦点は当初は諸民族の文化振興にあったが、政治的な動きも強め、他の政党や組織の要求とあいまって、ネパールを「世俗」国家、連邦制とし、諸民族（等）への優遇措置の方向性等を定めるうえで影響力を発揮した。「先住民族連合」への改称には国際的な先住民運動の影響もあるが、古い住民であると主張しネパールの主人公の位置を18世紀以来の支配層バフン・チェトリ等と争うという姿勢もみられる。

近年の政府はこのような運動の関係者も含み、国際動向にも敏感で、２００２年には先行の委員会を改組して「国立（国家）先住民族開発機構（ＮＦＤＩＮ）」を設け、先住民族に分類される59民族の名称を列挙した。またこれら59民族はＮＦＤＩＮとＮＥＦＩＮの同意のもと、「先進群」から「消滅危機群」までの５段階に区分された。このようなリストに（恵まれないグループとして）載ることは留保制度等で優遇措置を受けられるかどうかを左右する。ただこのリストと国勢調査の民族名・数には食い違いもある。社会範疇の確定は難しく、さまざまな思惑やかけひきがあると推測される。

文化振興や統合の方向は多様な形でみられる。

東ネパール山地のリンブーやライ系の諸「民族」は言語や慣習の多様性で知られる一方、以前から（インドの古典にある名称である）「キラータ」「キランティ」等の名前でまとめて呼ばれることがあった。国勢調査は（ライ系諸族を細分化するなど）そのまとまりを重視してこなかったが、宗教の集計項目には1991年から「キラータ」を入れている。その人口比は2011年にはヒンドゥー教81％、仏教9％、イスラム教4・4％に次ぐ3％で、キリスト教人口1・4％をしのぐ。

この人々の間には、地域ごとに異なりつつも共通性を示す始祖神話等の伝承がある。それを伝統的とされる文字で記し、創作やヒンドゥー教的改変も加え、民俗信仰を改革する運動が1940年頃に起こった。これはまもなく下火になったが、近年その教祖の後継者を称する宗教者が複数あらわれ信者を集めている。それとはまた別に首都への移住者の間では一つの「キラータの宗教」を目指す方向がみられる。首都圏の町パタンの南の「キラータ神祠」は、リンブー、ライ、ヤッカ、スヌワールそれぞれの拝壇を備え、それを表現している。ここには、土着・民俗信仰の改変、伝承の文字化による文明化、古い名称の活性化等をとおして民族文化を高度化し統合しようという動きがみられる。それは外からの承認も求めるものであり、国勢調査項目の改変はその一環といえる。

東ネパール山地での他の動きに、グルンの移住者を唱道者として「モンゴル民族組織」の名のもとに多くの先住民族を糾合しようとした運動がある。これは王政廃止や連邦制を唱えた政治的組織で、国会進出も目指したが、政党結成が認められなかったこともあり国会議員は誕生せず、運動は下火になった。この組織は反ヒンドゥー的文化変革・統合も目指し、仏教への傾きもみられたが、部分的な動きに留まった。

山地諸民族の中には、マガルやグルンのように比較的早くヒンドゥー勢力に組み込まれ、ある程度ヒンドゥー化した民族もあるが、彼らの近年の運動には、それを否定的に評価した反（非）ヒンドゥー・反ブラーマンの主張や仏教への接近もみられる。タライのタルーの間にはブッダを自民族の祖先と主張する著書もあらわれている。その他、個別の民族的運動・組織や宗教的動きも多い。

「ヒンドゥー国家」だったネパールは、２００７年の暫定憲法で（公的には宗教間の差別のない）「世俗」国家となった。これは従来従属的だった諸民族の運動の結果であり、またヒンドゥー以外の諸宗教の人々を力づけるものとなった。しかしヒンドゥーの人々は人口、教育、行政面等で依然として力をもち、（２０１５年憲法等）揺り戻しの方向もみられる。一方、仏教や他の宗教は一枚岩ではなく先住民族の連携や運動の核にはなっていない。

先住民族運動はリーダーとその仲間の運動家が推進し賛同者を集めている。都市に移住したリーダーたちが宣伝・広報活動を行なっている場合も多く、地方の農山村への浸透の度合いは組織・運動によって大きな相違がある。子弟への教育や良い職業、日々の生活や健康の方が大切と考える人もあるであろう。海外在住者の民族協会等もさまざまであり、帰属意識や自文化への関心は状況に応じ浮上して形を成すものと考えられる。そのあらわれ方は、時代の流れに沿いつつも多様性に満ちているのである。

（石井　溥）

参考文献
CBS. 2012. *National Population and Housing Census 2011*. Kathmandu: CBS (Central Bureau of Statistics).
Gellner, D.N., S.L. Hausner, & C. Letizia. 2016. *Religion, Secularism, and Ethnicity in Contemporary Nepal*. New Delhi: Oxford University Press.
Hangen, S.I. 2010. *The Rise of Ethnic Politics in Nepal*. London & N.Y.: Routledge.

43

マラリアの平野から

★タルーの覚醒★

ネパール南部のタライ平野に「タルー」と呼ばれる人々が住んでいる。タライ平野にはかつてマラリアが蔓延しており、丘陵部の人々は冬以外にはそこに滞在することがなかった。タルーは古くからタライに定住して稲作や牧畜を営んで来た。その多くがマラリアへの遺伝的な耐性を持つことで知られる。かれらの生活が大きく変わるのは20世紀半ばである。1950年代、ネパールの開発の時代の幕開けに開始された「マラリア撲滅プログラム」によって、丘陵部の人々（パハリ）のタライへの移住が可能になった。同じ頃、土地所有や登記制度の近代化も始まっていた。タルーの多くは読み書きができず、役人に知り合いもいない。移入してきたパハリたちが新たに土地の所有権を得る一方、多くのタルーが土地を失った。土地を失ったタルーの一部は、地主の家に住み込んで「カマイヤ」として働くようになった。カマイヤという仕組みはタライ西部に見られるもので、典型的には、地主に借金をした者が、その地主の下で専属的に働く。借金を返せば自由になるが、地主に専属的に低い報酬で働きながら返すのは難しい。この仕組みは、国際人権法で禁止されている「債務労働」にあたると考えられ、

カマイヤ解放運動、カトマンズのデモで最前列を行進するモティ・デビ・チョーダリ氏。最前列右から２人目（2000年7月）

１９９０年代にネパール政府やＮＧＯ、国際機関がカマイヤの調査や支援プログラムを開始した。１９９０年代半ばの西部タライ平野で、おそらく10万人前後のタルーがカマイヤとして働いていたと考えられる。

西ネパールのダン郡で、タルーの小農の長男として生まれたディリ・チョーダリは、１９７０年代、小学校に行くと教師や同級生から「なぜタルーが学校に来るのだ？」と言われた、と回想する。タルーは、他人に言われるまま水牛のようにただ黙々と働く存在だと思われていたのだ。タルーが貧しく、他人から見下されているのは、教育がなく、法律も土地所有証書の重要性も知らなかったからだ、とディリは考えた。１９８０年代後半、まだ10代だったディリは仲間と青年クラブをつくって、夜間識字教室を組織し、タルー農業労働者の権利教育と労働条件改善のための活動を行なった。１９９０年の民主化とともにディリは組織をＮＧＯとして登録し、外国政府や国際団体から多くの資金援助を受け、その活動は西部タライの5郡に広まった。２０００年には他の開発ＮＧＯや人権団体と連携してカマイヤ解放運動をリードし、西ネパールとカトマンズにおける大規模な抗議活動を経て、政府による「カマイヤ解放宣言」を勝ちとった。

モティ・デビ・チョーダリは１９７４年に、バルディア郡でカマイヤ家族の長女として生まれた。雇い主の地主は村長でもあった。父はモティがまだ幼い頃に死んだ。地主に革靴を履いた足で何度も血を吐くまで蹴られたのが原因だった、と母はモティに語ったという。7歳の頃から地主の子どもたちの子守りとして働いた。10歳頃からは、炊事・洗濯など家事全般をする「オルガニヤ」になった。その後、2年間、親戚であるタルーの地主の家で働いた。報酬は、年75kgの籾米と1着の服だった。その家では、自分は名前で呼ばれず、年寄りから小さな子どもまでが、自分を「カマラハリ！」（カマイヤの女性形）と呼んだ。同じタルーで、親戚でもあるのに、そのように差別的な振る舞いをするのだ。いまでも「私たちはタルーだ」というセリフを聞くと、その時のことを思い出して胸が締め付けられる。その後はまた、パハリたちの家で働いた。高カーストのパハリたちは、夜間には屋内で排便していた。その金属の排便容器を夜明け前に洗って、天日に干し、また寝る前に屋内に設置するというのが、なによりも嫌な仕事だった。17歳のときにカマイヤの男性と結婚し、子どもを3人産み育てながらも働き続けた。そのうち、地主はモティの夫と娘をカトマンズに連れていき、娘にはオルガニヤとして家事をさせると言いだした。学校に行けなかったモティは、自分の子どもにだけは必ず教育を受けさせると決めていた。地主とも夫とも大げんかの末、家を出て川岸に小屋を建てて子どもたちと住み始めた。その頃、タルーのNGO主催の識字教室に通うようになった。同じ頃に、カマイヤ解放運動も始まり、すぐに参加した。カトマンズのデモでも、先頭に立って行進した。

モティ・デビ・チョーダリ氏、バルディア郡の解放カマイヤ居住区の自宅前で（2017年10月）

２０００年のカマイヤ解放宣言のあと、多くのカマイヤが地主のもとを離れたが、マオイストとの武力紛争の影響もあって、政府による元カマイヤの再定住プログラムは進まなかった。そのためカマイヤたちは森林や空港建設予定地などの公有地を集団で占拠して住み始めた。マオイストがＮＧＯによる支援活動も厳しく制限したため、元カマイヤたちは２００２年にみずからの組織「解放されたカマイヤの会」を立ち上げ、モティはこの組織の副委員長に就任した。組織は土地の権利や生活の保障を求めて運動を行なった。２００６年の民主化のあとに暫定議会ができると、モティはマオイストの推薦によって、元カマイヤとして初の国会議員になり、２００８年まで務めた。２０１７年10月に解放カマイヤ居住区内のモティの家を訪ねると、健康上の問題で、最近はあまり外出することもなくなったという。治療のための借金も抱えている。彼女に続いて政界に進出した元カマイヤのタルーたちも多い。選挙前になると、モティを訪ねてくる。「癌にかかったせいで前のように力仕事もできないし、ネパール中を飛び回ることもできない。ただ私はたくさんの経験を持っているし、話すこともできる。モティ・デビはまだ死んでいない」と言って笑った。

チャンドラ・チョーダリ氏（左）、バルディア郡の解放カマイヤ居住区にて（2017年10月）

同じ日に、別の解放カマイヤ居住区で、ばったり会ったチャンドラ・チョーダリという30代の男性は、カマイヤ解放宣言のあと、いくつかの居住地を移り住み、最終的に政府から１・７

アールほどの土地の分配を受け、米を作っているが、もちろん1年分の食料をまかなうことはできない。2年ほど前にカタールに出稼ぎに行き、つい最近戻ったところだ。向こうでは高層ビル工事の足場を作る仕事をしていた。W杯を前に建設ブームが続くカタールでは、毎年数百人のネパール人労働者が死亡していると言われる。チャンドラのいた部屋には南アジアからの出稼ぎ者20人が寝泊まりしていた。ひどい目に合わなかったか、と尋ねると、チャンドラは、「そんなことはない」と言ったあと、「そういえば、同じ部屋にいたバングラデシュ人が一人死んだ。そのまえの夜はちゃんと御飯を食べて寝たんだけど、翌朝になったら死んでいた」と言った。出稼ぎに行く費用は10万ルピー(約10万円)かかったが、2年間で25万ルピーほど貯めることができた。その資金で自転車修理店を開こうかと思っている。

タライ平野の、水牛のように物静かな働き者として知られてきたタルーの人々は、時代の変化に伴い、激動する民主政治やグローバルな労働市場に身を投じながら、自らの新しい在り方を模索している。

(藤倉達郎)

参考文献
藤倉達郎 2010「開発と社会運動」田中雅一・田辺明生(編)『南アジア社会を学ぶ人のために』世界思想社。
藤倉達郎 2015「開発、人民戦争、連邦制——西ネパール農村部での経験から」南真木人、石井溥(編)『現代ネパールの政治と社会——民主化とマオイストの影響の拡大』明石書店。

44

都市の食生活の変化とカースト

★カドギたちによる起業★

カトマンズ盆地を故地とする民族であるネワールの人々の社会では、儀礼や催し後の宴会で、肉が振舞われることが多い。伝統的な太鼓演奏ナェキ・バジャの披露会に参加したときの出来事である。太鼓の先生は、最も良い演奏をした少年を表彰した。そして、軽食として出されたチウラに、この少年にだけご褒美としてアヒルの頭のフライがのせられた。しかしながら、この少年は丸ごとフライされた頭を怖がり、手羽の方がいいと他の少年と交換して食べていた。

また、地域の主神の儀礼では、水牛の血の供犠が行なわれる。儀礼ののち、水牛は解体され共食される。儀礼的地位が最も高いもののカレーには、煮込まれた水牛の右目が入る。ここでは、儀礼のおかしらは「名誉あるものだ」と水牛の目を食べていた。他方で市場では目の値段は5ルピー程度にすぎず、店頭では売れないことも多い。

この二つのエピソードは、儀礼や伝統行事において肉に見出される価値と、人々の日常食において肉に見出される価値の間に、大きな乖離が生まれていることを物語っている。ネワール社会において家畜の供犠と肉の加工販売を担ってきたのは、カドギ・カーストの人々である。カドギたちは、カーストによって上位カーストの人々と水の授受ができず、差別に苦しめられてきた。しかしながら同時にカドギたちは、カーストによって食肉加工という生業をもたらされてきた。では、カドギの人々は、肉を取り巻く二つの価値の乖離にどのように対応しているのだろうか。ここでは時系列で読み解いて行きたい。

カトマンズ盆地で最も多く消費されている肉は、水牛の肉である。現在、一日あたりおよそ1千頭の水牛が屠殺され解体されている。これらの水牛はネパールの農村で見られる水牛よりも体が大きく色も黒い。食用水牛はほぼ100％、国境沿いに点在する定期市を経てインドから輸入されているからである。

この定期市を20世紀初頭に開いたというカドギの子孫にあたる一族に話を聞いた。定期市は、もともとは年間を通じて血の供犠を必要とする「国の守護神」タレジュ女神への供犠獣を安定的に調達するために開かれたという。当時珍しかった電話線を自宅に引き、水牛の供給源であるインドのウッタル・プラデーシュ州に住むムスリムの仲買と交渉を行なった。この定期市には、当時国内の農村各地から水牛を連れてきていた仲買人らも参加するようになり、次第に規模が大きくなる。1970年代、タライとカトマンズをつなぐハイウェイが整備され、運搬も徒歩ではなくトラック輸送となった。ハイウェイ沿いにある定期市が、こうしてメインルート上の市場になったという。

1973年、ネワールの他のカーストに先駆けて、カドギ・カーストの人々はカースト団体ネパール・カドギ・セワ・サミティ（「ネパール・カドギ・奉仕団体」以下、NKSS）を結成する。当時は政治活動が禁じられていたため、献血などの奉仕活動と、水牛市でのムスリムとの交渉の拠点としての活動が中心であったという。１９８０年代、水牛に次いでヤギ市が形成され、１９８３年、ブロイラーの生産・加工・流通を担う企業が設立された。１９７０年代、外来白豚と在来猪の交配種「猪豚」が、不浄観で避けられた「黒豚」とは異なるとし商品化された。「猪豚」がカトマンズの消費者の一部で受け入れられたことは、市場での価値付けが伝統的・儀礼的価値付けを凌ぐ場合もあることを示していると言えるだろう。

カドギ以外のさまざまな人々が食肉市場に参入するようになり、タレジュ女神の供犠獣の調達は民間業者間の共同入札制になった。カトマンズ市役所の調査によれば、２０１０年時点でカトマンズ盆地内に約３３００件の肉屋があり、カドギが肉屋の約7割を占めている。鶏肉、豚肉、山羊肉では他のカーストや民族の人々の参入が見られるが、複雑な解体技術を要する水牛肉屋はカドギが占めている。カドギの人々は、水牛肉の加工というカースト役割を、市場で現金収入をもたらす仕事として取り組むようになったのである。

現在、カドギの人々は、政府が進める食肉近代化事業への対応に迫られている。２０１０年代より役所に張り出されるようになった啓発ポスターには、「健康的で衛生的な肉は、病気のない人生をもたらす」と記される。ここでは細菌汚染がないか等の科学的分析を根拠にするのではなく、「整序されている場所」で売っているかなど、見た目のきれいさを重視している。２０１５年4月におきた大地震は、消費者意識にも大きな影響を与えた。多くの建物が倒壊し混乱状況にあったカトマンズ市街地において、肉屋の店頭では古くなった肉や死者の肉が紛れて売られているという噂が流れた。新聞やテレビで「屠畜は私達の環境を汚染している」、「国家による適切な監査が必要」という意見が報じ

水牛肉屋の店頭（2017年8月）

られ、これを訴える消費者も増えてきた。そして２０１６年、政府は２０１９年からのカトマンズ盆地内商用屠畜全面禁止を宣言したのである。これは、家の裏や居住区付近で水牛屠場を営んできたカドギの人々にとって死活問題であった。

ＮＫＳＳは、盆地内水牛屠畜禁止に反対する全国ストライキを実施し肉を販売しないことで、政治家たちを会合の場に引き出した。ここで、政治家は「カドギの伝統的な仕事である屠畜をよりシステマティックなものにするために盆地外に近代屠場を建設することを支援する」と表明し、カドギ側は「公衆衛生の観点から清潔な肉を作る必要がある」と応答した。このやりとりからは、カドギの伝統的な屠畜をベースとした食肉近代化へと、政府とカドギ双方が折り合いをつけたことが読み取れる。

２０１６年８月、ＮＫＳＳが母体となり、Hygienic Livestock Food Product社（「衛生によい食肉生産社」以下、Ｈ社）が設立された。開会式のバナーには、「国家と環境に帰依する（belongs to nature and nation）」と明記され、式典にはカトマンズ市長や政府の局長レベル、ＮＫＳＳ代表らが参加した。パンフレットは、公社の形をとり国中から株式のシェアを募ると述べる一方で、「ＮＫＳＳで社会奉仕をしてきた人々、食肉業組合に所属してきた人々、カドギ社会の支援を想定した仕事をしている人に、シェア配分の優先権がある」とも記載している。今後、政府が盆地外に近代屠場を設立し、その運営はH社が担う予定である。近代屠場で加工された肉は冷凍状態でH社のシェアホルダーの小売店に輸送されることとなっている。

とはいえ、水牛屠畜の盆地外完全移行は難しく、当面はもともとある個々の屠場をコミュニティで集約して少し改良を加えたものが中心となるという見方もある。「衛生的」で「健康的」な冷凍肉よりも、その日の朝に顔見知りによって解体された生肉に「新鮮」で「安心」という価値を見出す消費者も多いからだ。

肉は儀礼での名誉ある供物から、市場での商品へとその価値付けが変わりつつあり、カドギの人々はカーストの役割として職業人として、さらには会社を立ち上げて肉と関わり続けている。カドギたちは、これまで彼らに苦難をもたらしていたカーストを、同じカースト同士の互助的なつながりであると読み替え、全国規模のつながりを生かした会社を軸に新たな挑戦を始めたばかりである。

（中川加奈子）

［追記］

2020年3月、ネパール政府は新型コロナウィルスの感染を防ぐため事業所の封鎖等の措置をとったが、これはカトマンズの人々の食をめぐる衛生管理意識にも大きな変化をもたらしている。

食肉店は食料品店として封鎖対象ではないものの、その多くは自主的に店を閉じている。同様に封鎖されているインドからの供給が滞り、水牛肉と山羊肉は市場にほとんど出回らなくなったからだ。一方、国内生産体制が整っている鶏肉においても、売上が大きく下がり価格も通常の約3分の1程度に暴落しているという。3月24日付のカトマンズポスト紙は、封鎖体制下で肉が売れなくなった理由の一つとして、消費者が「疫病が蔓延しているときに肉を食べるのは不健康である」とみなし、忌避していることを指摘する。

3月30日時点でカドギの友人に電話で状況を確認したところ、鶏肉は少し売れるが、水牛肉は解体処理に人手がかかること、せっかく捌いても忌避のムードがあり売れ残る可能性が高いことから、禁止はされていないものの封鎖開始後一度も水牛の解体をしていないとのことであった。

震災後、カトマンズの人びとが「公衆衛生」への意識を高めた時と同様に、もしくはその時以上に、人々は「衛生」「健康」に敏感になっている。食肉は不浄で不健康だというイメージが固定してしまわないよう、カドギの人々には食の衛生管理という課題に正面から向き合うことが求められつつある。

参考文献

石井溥 2003『ヒマラヤの「正倉院」――カトマンズ盆地の今』山川出版社。
中川加奈子 2016『ネパールでカーストを生きぬく――供犠と肉売りを担う人びとの民族誌』世界思想社。

45

シェルパの変容

★ヒマラヤ観光を生きる人々★

「シェルパ」という言葉は、エベレスト（ネパール語名：サガルマータ、シェルパ語名・チベット語名：チョモランマ）をはじめとするヒマラヤ登山のガイドとして、日本でも比較的よく知られているだろう。シェルパとはチベット語で「東の人」を意味し、もともとはエベレストの南麓にあたるネパール東部のソルクンブ郡を中心に居住する民族（ジャート）の名称であった。シェルパの祖先となった人々は、16世紀に東チベットのカム地方からヒマラヤを越えてネパール側へ移住してきたと伝えられている。ヒマラヤの南面に定着したシェルパの人々は、チベット仏教に基づく生活スタイルを保持しつつ、標高差に応じて多様な生業体系を発展させてきた。以下では特にソルクンブ郡の北部、トレッキング観光で有名なクンブ地方に暮らすシェルパの生活とその変化について見てゆきたい。

クンブ地方はヒマラヤ山脈を境にチベットと接する、標高3千メートルを超える高山地帯である。クンブに住むシェルパたちは19世紀の半ばまで、オオムギやソバの栽培、ヤクやウシおよびその一代雑種であるゾプキョ（雄）とゾム（雌）の飼養、そしてヒマラヤ南面の中間山地帯とチベットとを行き来するヒマラヤ越えの交易によって生計を立ててきた。クンブ地方では19世紀の半ばごろにジャガイモが導入されたことで人口が急増し、新天地を求めたシェルパたちの一部は、英領インドの避暑地として当時開発が進められていたダージリンへ出稼ぎや移住に向かうようになる。20世紀初頭に英国を中心とする西洋諸国がダージリンを拠点にヒマラヤの高峰登頂プロジェクトを推進すると、ダージリンに居住していたシェルパの人々がポーターとして雇われるようになる。すると彼らは登山隊のなかで目覚ましい活躍を果たし、シェルパはヒマラヤ探検に不可欠の高所ポーターとみなされるようになった。そして１９５３年、エドモンド・ヒラリーとテンジン・ノルゲイ・シェルパによってエベレスト初登頂がなされたことで、「シェルパ」の語はヒマラヤ登山を支援する職業を指すものとして世界中に広まっていった。１９６０年代のはじめにチベット動乱の影響からネパール—チベット国境が閉ざされたことで、ヒマラヤ越えの交易は衰退する。その一方で１９５１年にネパール政府がそれまでの鎖国政策を改めて外国人に門戸を開くと、はじめは登山隊が、やがて一般のトレッキング客もクンブ地方に入るようになり、シェルパの人々の生活は観光産業に依存するものへとシフトしていった。

　現在のクンブ地方はヒマラヤの山々を眼前に望むトレッキング／登山観光の名所として知られ、年間３万人を超える外国人観光客がこの地域を訪れている。車道のないクンブへは、南隣するパラック地方の斜面に開かれたルクラ飛行場がアクセスポイントとなる。特に乾季となる春と秋の観光シーズンには、カトマンズから観光客を満載した小型飛行機がひっきりなしに到着し、ガイドに連れられたトレッキング客のほか、物資を運ぶポーターや荷役獣によって細い山道は渋滞の様相を呈する。トレッキングの主要な目的地まではルートの整備が進み、沿道ではロッジやレストランが英語の看板を掲げ

トレッキングの拠点ナムチェ村（2019年3月）

て観光客を待ち構えている。トレッキングの拠点となる主要な村にはロッジや土産物屋がひしめき、シーズンになると、首都と比べても遜色のない洒落たカフェやバーから歓声や西洋音楽が夜遅くまで漏れ聞こえてくる。さらにはネパール各地からもさまざまな出自の人々が収入機会を求めてクンブを訪れ、「シェルパ」を名乗ってガイドなどの仕事に携わっている。

こうした観光化への対応は、クンブ地方でも村ごとに大きく異なっている。ナムチェなどトレッキング・ルート沿いに位置する村の住民たちは、近年は危険な登山の仕事からは手を引いて、トレッキングやロッジの仕事に専念したり、他地域から流入してきた人々に家屋を貸して自らはカトマンズに暮らす人も多い。裕福になった家庭では子弟を首都や海外の学校に送り、観光とは無関係の職に就かせることも珍しくなくなった。

他方でルートから少し外れたターメやポルツェなどの村では、いまも多くの人々が登山の仕事に携わっている。私が住み込んでいたおよそ90戸400人のポルツェ村には50人以上のエベレスト登頂者が居住しており、ほぼすべての世帯が何らかの形で観光産業から収入を得ていた。村人たちは、普段は農作業やヤクの世話を行ない、観光シーズンが来ると男性を中心に登山やトレッキングに出かけてゆく。

クンブの観光化はこの村の景観も大きく変えることになった。訪れるトレッキング客はさほど多くないとはいえ、村内には10軒のロッジが営業している。この村ではまた、1990年代にトレッキングで訪れた海外の篤志家の支援により診療所やゴンパ（チベット仏教のお寺）が建てられ、水力発電ポンプが設置されて電気もつくようになった。2000年代になるとアメリカのNGOが入り、冬季にネパール人向けの登山学校を開催している。村人たちはこうした生活の変化をおおむね肯定的に捉えており、ある古老は「昔はチベットまで荷物を運んでお金を稼いだ。いまは観光客の荷物を担げばお金がもらえる」と語る。またある若者は、「オフシーズンにはヤクを追い、シーズン中は観光客を追うんだ」と述べた。こうした語りからはまた、観光による変化もそれ以前の生活と連続的なものと捉えられていることがうかがえる。

農作業をするポルツェ村の人々（2016年9月）

2015年のネパール大地震では、クンブ地方の人的被害は相対的に少なかったものの、ほとんどの建物が大きな被害を被った。だがクンブには観光のなかで生まれた海外の顧客や組織とのつながりを通じて、政府の援助に先駆けて大量の支援物資や義援金が届き、他の地域と比較すると極めて迅速な復興を果たすことになった。地震後のソルクンブ郡では郡政府の予算によって車道の建設が急ピッチで進められるようになり、現在は郡庁のあるサレリの町からルクラ方面へと工事が進んでいる。完成後はナムチェまでの延伸計画もあるという。車道は物資の流通を容易にして物価を下げ、医療や公共サービスへのアクセスを向上させるだろう。その反面、歩くことに価値を置くトレッキング／登山観光には大きな影響を与えることが予測される。予定地沿道の人々は車道の延伸をおおむね歓迎しつつ、ガイドやポーターの仕事が減ったら運転手にでもなるしかないなどとも言い交わしている。

とはいえ、そこにエベレストがそびえ続ける以上、この地域から観光客の姿が消えることは考えにくい。そしてすでに見たとおり、５００年ほど前にチベットからやってきたシェルパの人々は、常に時代の流れに対応しながら変わり続けてきたのであった。シェルパの社会は、これからも柔軟に変容を続けてゆくことだろう。

（古川不可知）

参考文献
鹿野勝彦２００１『シェルパ――ヒマラヤ高地民族の二〇世紀』茗溪堂。
根深誠１９９８『シェルパ――ヒマラヤの栄光と死』山と溪谷社。

46

チェパンのキリスト教入信と世代間の断絶

―――★シャマニズム的伝統と新たな信仰のはざまで★―――

カトマンズ盆地から南西におよそ20km から80km 離れたマハーバーラタ山脈（マクワンプル、ゴルカ、ダーディン、チトワンの4郡）の斜面に、先住民チェパンが暮らす家々が点在している。現在、タマン、マガル、ネワール、パルバテ（山地の）・ヒンドゥーなどのカースト・民族集団が混住しているが、チェパンはこの地域の最も古い住民だと考えられている。

チェパンの人口は、2011年現在で6万8399人、そのほとんどが都市に進出することなく山村に留まっている。チェパンの山村での暮らしを永らく支えてきたのは、1950年代まで森に自生するヤムイモの採集や漁撈・狩猟を中心にした生業だった。オカボやヒエ、アワなど雑穀の農耕も古くから行なわれてきたが、ヤムイモの採れない雨期の食料を賄うための補助的な位置付けにあった。そのため、近隣の他のカースト・民族集団の住民や研究者の一部から「農業を全く行なわない」などと誤解され、「未開」「後進性」の象徴として取り上げられることも少なくなかった。1960年代のパンチャーヤト時代に地域開発や公衆衛生の改善が進められるとチェパン山村の人口は急増し、農業生産が生業の中心になっていったが、ネパール政府は1970年代にチェパンを開発の対象として指定、以降、農業指導や生活改善などさまざまな開発プログラムを実施した。1990年から2000年代になると外国の団体もそこに加わり、国際的な開発支援が進められた。

そのチェパン社会で、キリスト教化が急速に進んでいる。1990年には、筆者が調査したチトワン郡南西部のチェパン山村周辺で、キリスト教徒の存在は全く確認できず、1997年にわずか数軒のチェパン家族が入信していただけだった。それが2006年頃には、ほとんどのチェパン住民がキリスト教徒になっていた。他の地域でも、キリスト教徒になったチェパン住民が圧倒的に多い。

こうした流れの背景には、1990年のネパール民主化で従来の規制が緩くなり、キリスト教団体の布教が徐々に活発化したことがある。だが、チェパン集住地域の他のカースト・民族で、そこまで急激にキリスト教化した集団は目につかない。なぜチェパン社会で、劇的な変化が起きたのだろうか。

「キリスト教の教会が、貧しいチェパンに金品を与えるからだ」。チェパンの入信があいついでいることを、チェパンの「貧困」と結びつけて説明する近隣住民は少なくない。だが、こうした語りもチェパンに対する誤解に基づいている。教会から金品が流れているのは確かだが、その量は僅かなもので、チェパンの村人たちが、それを評価しているわけではない。

チェパンの山村には、もともとパンデといわれるシャマン的な司祭が多数存在し、そうしたパンデたちが病気になった村人（歩けない場合はその家族）に対して治療儀礼を行なっていた。また、パンデたちの一部は、父系的な親族集団の葬儀や祖霊儀礼も執り行なっていた。パンデは誰でも神々や精霊の夢を見ればなれるとされ、女性や若者もわずかながら見られるが、中高年の男性が圧倒的に多い。複

パンデの治療儀礼（1990年）

雑な儀礼的知識が求められる葬儀や祖霊儀礼を行なうパンデは、実質的に世襲となる。

パンデたちは、夜になって病人たちがやってくると、太鼓を叩きつつ自らの魂を飛翔させたり、神懸かりになって、病人の魂や病気をもたらす悪霊の居場所と状況を探る。そして、悪霊を追い払うのに必要に応じてニワトリやヤギなどの生け贄を捧げる。キリスト教が広まるまで、村によっては5軒に1人以上の割合でパンデがおり、夜な夜な村のあちこちからパンデたちが叩く太鼓の音が響きわたり、病人やその家族たちは、近隣のパンデの治療儀礼で快方に向かわなければ遠方のパンデのもとへ、というふうに渡り歩いていた。

このようなパンデを中心とした宗教的実践は、「〇〇教の信仰」というかたちでは認識されていなかった。筆者は1991年に実施されたあるチェパン山村での国勢調査に偶然立ち会ったが、ほとんどの村人たちは調査員から自らの信仰する宗教をきかれたときに「わからない」としていた。2001年の国勢調査でも、チトワン郡南西部のチェパン山村の宗教の項目を確認すると、大多数の人の宗教が「特定なし」となっていた。

チェパン山村でのクリスマス（2016年）

キリスト教は、宗教の選択の問題というより、それまでの治療儀礼の延長線上に新たな選択肢として現れた。村のパンデの治療儀礼を受けても回復しなかった人たちが、すでにキリスト教徒になっていた親族から「キリスト教の祈りで病気がよくなる」と聞き、試しに行ったのである。その結果、病人たちの症状は改善し、パンデの治療儀礼同様、キリスト教の祈りには効果があると見なされるようになった。ただし、祈りを続けるために洗礼を受け、キリスト教に「入信（「宗教に入る」と表現される）」すると、パンデが執り行なう儀礼を受けることは固く禁じられるようになる。そのため、徐々に、しかし確実にキリスト教徒が増えていくことになった。やがて、パンデたちも「キリスト教徒になってもらわないとあなたの葬式をあげられない」と親族にいわれ、やむなく入信していった。

こうしたプロセスが進むなか、外国の教会組織が関わるようになり、村の青年を指導して牧師とし、資金を出して村の教会建設を進めた。教会組織は、ダサインという年に一度のヒンドゥー教的な大祭の継続は認めたが、それまで親しまれてきた飲酒を禁止した。教会では週に一度、牧師の説教と礼拝が行なわれるようになったが、「酒を止める気はない」という中高年の男性たちが教会に行くことはほとんどない。他方で、村の教会組織で中心的役割を果たすようになったのは、若い世代である。

1960年代、チェパンの村々では農業生産増大のために役牛の使用が拡大し、人手の重要性が低下、核家族化が進んでいた。1950年代までの拡大家族の暮らしを直接知らないその世代は、学校教育を受け、近代的な病院に行くようになり、開発関係者と交渉を持ち、後に政党政治にも関わるようになった世代でもある。この若い世代と中高年世代との間には大きな社会的断絶が生じており、キリスト教化が進む前から、若い世代に新しいパンデはほとんど生まれなくなっていたのである。

1998年にチェパンの権利団体であるネパール・チェパン協会が立ち上げられ、外国の開発援助団体の支援も受けて、現在チェパンの文化保護活動が進められている。そのなかで、キリスト教化に伴う伝統文化の喪失がしばしば問題視されるようになり、そうした議論は山村のキリスト教徒のなかでも見られるようになっている。こんにちのチェパンは、文化的アイデンティティの維持と新たな信仰の問題との折り合いをどうつけていくのか、という難しい舵取りを迫られているのである。

（橘　健一）

参考文献

橘健一　2017「ネパール先住民チェパン社会における『実利的民主化』と新たな分断」名和克郎（編）『体制転換期ネパールにおける「包摂」の諸相――言説政治・社会実践・生活世界』三元社。
橘健一　2009「キリスト教徒になったチェパン」『人権と部落問題』61―(5)、部落問題研究所。

47

キリスト教と近年の諸問題

★活気づく教会と宗教間関係の行方★

記録されている限りでは、カトマンズ盆地を最初にキリスト教徒が訪れたのは、1628年のことだった。南チベット宣教団に属するイエズス会の神父が、チベットからインドへの道程でカトマンズ盆地に立ち寄った際、王からの歓待を受けたという。その後、カプチン会によってチベット宣教のための基地がカトマンズ盆地に作られ、1715年から1769年の間、複数の神父が暮らしていた。なお彼らには、宗教と布教の自由が認められており、カトマンズ盆地でも改宗者を獲得していた。

ところがプリトゥビ・ナラヤン王がカトマンズ盆地を征服すると、キリスト教は一掃されることになった。プリトゥビ・ナラヤン王はヒンドゥーであったが、他の宗教を平等に扱っていたという。だが征服の過程で、征服対象たるカトマンズの王が神父を通じて東インド会社に軍事介入を要請しているという情報を摑んだのだった。その結果、神父は国外追放に処され、現地のキリスト教徒は棄教するか国を去るかという選択を迫られた。以降ネパールは、およそ180年の間、キリスト教に対してその門戸を閉ざすことになったのである。

ネパールにキリスト教が再流入するようになるのは、ラナ専制政治が終焉を迎えた1951年以降のことだった。宗教の自由が認められたことによってキリスト教徒の入国が許されるようになり、また宣教団体には、布教は禁止されたが、教育や医療といった社会活動を展開することが許されるようになった。例えばタンセンでは古い国法に基づき布教および改宗の疑いでキリスト教徒が逮捕・投獄される事例もあったが、この時期には概ね自由な教会活動が認められていたようである。だが1962年憲法によってネパールがヒンドゥー王国と定められ、1963年の国法によって布教と改宗の禁止が明文の下に（再）確認されると、キリスト教徒は公的弾圧の対象とされるようになる。例えば1950年代にカトマンズ盆地に移り住み、キリスト教の展開に携わってきたラジェンドラ・ロンゴン博士は、当時の状況を次のように回想している。

［……］政府、警察、軍隊そして原理主義的ヒンドゥー教といったあらゆる組織が、キリスト教徒たちと敵対しているようであった。実際に、この時期、全てのキリスト教徒は迫害の危険の中にいた。全国のキリスト教徒たちは、打擲、投獄、排斥、それから罰金刑の対象であった。［……］教会や会合の場は、警察の手入れを受けた。聖書は焼かれた。キリスト教徒の活動についての情報を得るために、ファイルや記録が調べられた。ほとんどすべての牧師や教会の指導者は、警察署もしくは地方役人の事務所に呼ばれ、取り調べを受けた［……］。腕を縛って吊るし上げたり、逆さに吊るしたり、足の裏で蹴り飛ばしたり、身体を傷つけたりといった拷問は広範囲に広まった。［……］多くの者が職を断られ、他の者は昇進から除外された。キリスト教徒だったことがその理由である。キリスト教徒になることは犯罪だったのだ。

［Rongong, Rajendra K. 2012. *Early Churches in Nepal: An Indigenous Christian Movement, Till 1990*. Ekta Books. p.111.］

１９９０年の民主化運動の結果、キリスト教徒に対する公的な弾圧は弱まり、教会活動はこれまでになく自由かつ活発に行なわれるようになった。その結果、自らの信仰を公にする者や、新たにキリスト教へと改宗する者が急増した。このことは国勢調査にも反映されており、キリスト教徒人口は、民主化運動以前の１９７１年から１９８１年には、２５４１人（総人口比０・02％）から３８９１人（０・03％）とそれほど増えてはいないものの、民主化運動後の１９９１年には3万１２８０人（０・17％）とこれまでにない伸びを見せている。その後もキリスト教人口は、２００１年には10万１９７６人（０・45％）と、また２０１１年には37万５６９９人（１・42％）と堅調に伸びている。なお２０１４年に実施した筆者の聞き取りでは、カトリックはおよそ8千人とのことだから、プロテスタントがキリスト教徒人口の多勢を占めると推測される。プロテスタントが活発な布教活動に取り組んできたことが、その要因であろう。

さて、近年のキリスト教をめぐる問題へと話を進めよう。まず挙げられるのは、「承認」をめぐるそれである。ネパールにおいてキリスト教の存在は、依然として十分に認められているとは言い難い。キリスト教への改宗は、往々にして、低カーストの人々がカースト制度から離脱したり、あるいは教会や宣教師からの経済的援助を獲得したりするためだと語られてきた（筆者の調査によれば、キリスト教への主要な改宗動機は「病気治し」である）。そして、こうした「不純な」動機に基づいて改宗するキリスト教徒は、しばしば祖先、共同体や国家に対する裏切り者と見なされ、蔑視や敵愾心の対象とされて

礼拝日には、金属探知機による所持品検査を実施する教会もある

きた。キリスト教の存在感が高まる今日では、教会の爆破といった大規模な暴力事件すら見られるようになっている。またキリスト教は、法的にも、十分な承認を得ているとは言い難い。例えば、教会を「宗教施設」として登記する制度すら存在しないのが現状である。

近年のキリスト教をめぐる問題としてもう一つ取り上げておくべきは、彼らの布教活動である。ネパールにおいて布教活動、より厳密には「他者に宗教を変えさせること」は、今日に至るまで禁じられてきた。このことは、ヒンドゥー教から「国教」の地位を奪い、ネパールを「世俗主義」国家と定めた2007年暫定憲法および2015年憲法にも明記されており、近年ではキリスト教徒が逮捕される事例が散見されるようになっている。法的な議論においては、なるほど、単に福音を聞かせることは「布教活動」にはあたらないという意見や、「宗教の自由」や「基本的人権」の下に布教活動は合法化されるべきという意見もあるだろう。しかしながら筆者がこれまでに出会ってきたキリスト教徒の多くも合意するように、他宗教へのあからさまな批判を伴ったり適切な人間関係を欠いたまま行なわれたりする布教活動は、宗教間関係を悪化させる危険性を孕んでいるがゆえに、慎まれなければならないように思われる。

（丹羽　充）

参考文献
丹羽 充 2017「乱立する統括団体と非／合理的な参与――ネパールのプロテスタントの間で観察された団結に向けた取り組み」名和克郎（編著）『体制転換期ネパールにおける「包摂」の諸相――言説政治・社会実践・生活世界』三元社。
Kirchheiner, Ole. 2017. *Culture & Christianity Negotiated in Hindu Society*. Regnum Books International.
Perry, Cindy. 2000. *A Biographical History of the Church in Nepal*. Nepal Church History Project.
Rongong, Rajendra K. 2012. *Early Churches in Nepal: An Indigenous Christian Movement, Till 1990*. Ekta Books.

IX

生活の場、文化からの対応

48

情報通信技術の普及

★小さな非営利組織の挑戦★

私の故郷ミャグディ郡ナンギ村で電話が使えるようになったのは、今世紀に入ってからである。日常生活や商売に必要なことも、直接出向くか人づてに伝えるしかなく、電話一本かけるために、最寄りの町まで5時間から8時間歩かなければならなかった。

しかし、近年、携帯電話の普及率が大幅に向上している。ネパール電気通信局によれば、2019年6月現在、情報通信サービスの普及率は、携帯電話が137%、インターネットは64%である。政府はすべての農村に光ファイバー・ネットワークの敷設を計画しているが、険しい地形のために実現は困難である。農村の住民の多くが、未だにインターネットを利用する機会を奪われている。

ネパール・ワイヤレス・ネットワーキング・プロジェクト（以下、ネパール・ワイヤレス）は、2001年、遠隔地の住民に安価な情報通信手段を提供するために発足した。当時は政治状況が良くなかったので、国際ボランティアの助けを借りて機材を輸入した。WiFi用機材や中古の衛星テレビ用アンテナも寄付してもらった。チームのメンバーは、自家製で低価格アンテナ

アンテナを立てる筆者（提供：川角靖彦）

を作り、それをさまざまな周波数帯でテストした。知識や財源不足のために、私たちはそのような低価格の方法を採用しなければならなかったのである。中継基地で必要な電力は、太陽光パネルと風力発電機を使って蓄電した。最初の2年間、インターネット接続は、ポカラにあるダイアルアップ回線から五つの村で共有した。２００４年になると、ダイアルアップから64キロバイトの無線にアップグレードされ、今では80メガバイトになっている。

ネパール・ワイヤレスは、農村にインターネットやコンピューターをもちこむだけでなく、遠隔地の住民が受ける情報通信技術の恩恵を最大化し、農村を社会的また経済的に変革しようと格闘している。教育、保健医療、商取引の分野でその技術を活用できるようになっただけでなく、アンナプルナ・ベースキャンプなどにも気象台を設置して、気象データをリアルタイムで提供している。

教育分野では、遠隔指導と遠隔研修のプログラムを作成することにより、より良い教育の機会を提供することができる。ワイヤレス・ネットワークでつながっている学校では、Eライブラリーやオンラインサービスを使って、学生や教師だけでなく住民にEラーニング教材を届けている。その大半は、オープン・ラーニング・エクスチェンジ・ネパール（OLE-Nepal）という団体がネパール語と英語で制作し、ネパール・ワイヤレスは農民たちにコンテンツの使い方を教えている。

オンラインサービスが導入されたナンギ村の学校

保健分野では、農村の診療所や保健ワーカーを都市の病院とつなぎ、遠隔医療事業によって質の高い医療支援を提供することを目指している。バーチャルに医師を村まで連れて来て、農村で診療することもできる。農村の保健ワーカーと都市の病院の医師をつなぐために、テレビ会議システムを活用する。このプログラムを開始した２００６年から、村の診療所とポカラの病院がつながり、今では村の八つのクリニックがカトマンズの病院とつながっている。患者の治療に必要な時はいつでも、保健ワーカーは都市の病院の専門家に相談することができる。遠隔医療は、従来の診療所や病院より速く、安価で、効率的である。地理的に遠いところに病院を建設するにはお金がかかり、通常数年はかかる。加えて、大都市での勤務を好む医師たちにとって農村地域は魅力的ではないため、人材を集めることも難しい。

コミュニケーションの分野では、バイバー（Viber）、スカイプ（Skype）、ワッツアップ（WhatsApp）などのアプリケーションやフェイスブック（Facebook）やツイッター（Twitter）などのソーシャルメディアを使って、音声電話サービスを提供することで、農村地域の生活の質の向上に貢献している。今では村人たちがインターネットを使って、世界各地にいる家族や友人たちとコミュニケーションを取っている。世界各地で働くネパールの農村出身者たちは、より容易で安価な通信手段を使うことができる。

産業分野では、イントラネットやインターネットを使って、村人が彼らの生産品を国内や海外の市場で販売する手助けをしている。またインターネットを使って、農村地域の観光の振興にも取り組んでいる。

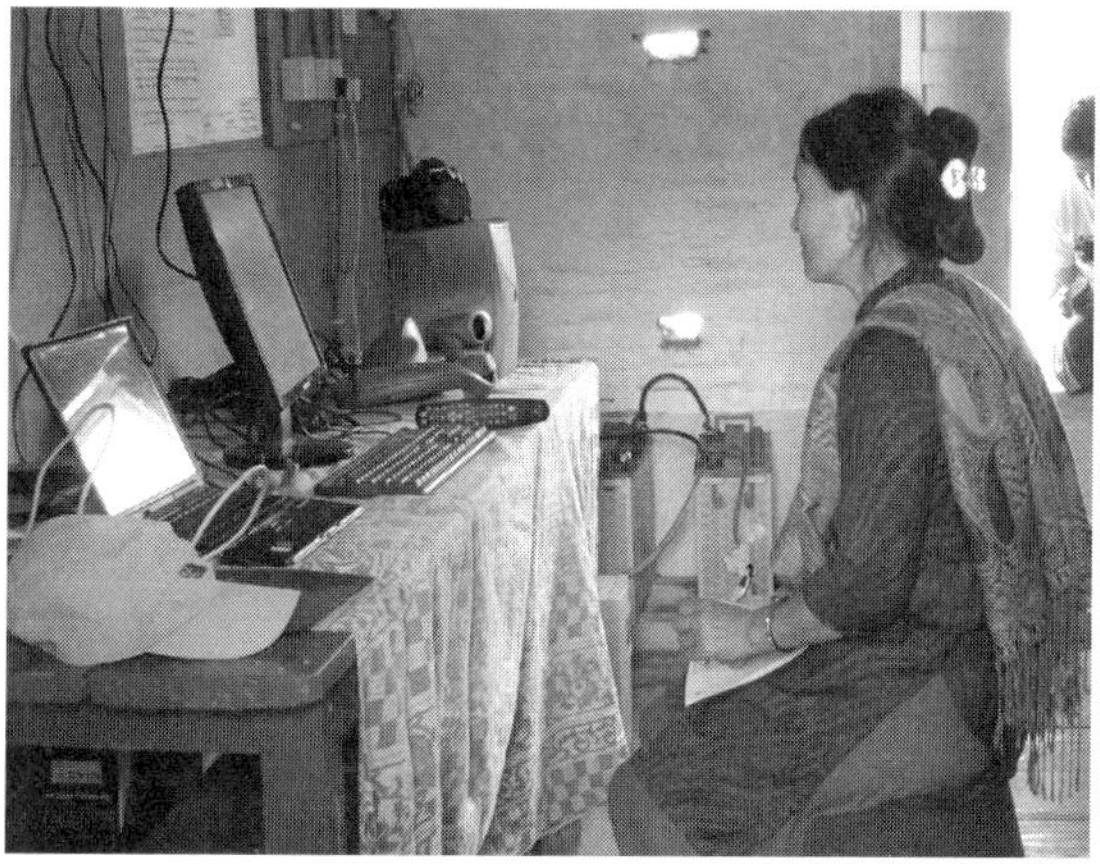
遠隔医療を取り入れたナンギ村の診療所

雇用創出の一環として、私たちはコミュニケーション・センターや送金サービスなど情報通信技術サービスを通じて、若い世代の雇用を生み出そうとしている。ある村では、若者が外国で暮らす親戚から金を受け取るサービスを始めている。

新たに取り組み始めたのは、気候変動監視プロジェクトである。研究者たちを助け、遠隔でデータを収集し、ヒマラヤの飛行ルートの気象情報をリアルタイムで提供している。航空会社などにとって、リアルタイムの気象情報は、悪天候時やモンスーンの季節に重要である。

ネパール・ワイヤレスは小さな非営利組織であり、ネパール全土の遠隔地でインターネットを提供することは不可能である。私たちがこれまでにインターネットでつなげることができたのは、約200の村の約7万人に過ぎない。ネパールの山岳地帯には、ブロードバンドのインターネットサービスを必要とする村が何千とある。携帯電話会社が農村地域に進出しつつあるが、彼らのデータサービスは村人たちにとっては高価で、ブロードバンドを利用できていない。

情報通信技術は、今や食料や住まい、衣類のように、人々の基本的なニーズの一つになっている。しかし、ネパールにはこの重要な道具を使うことができない人々がまだ大勢いる。政府は、子どもが教育を受ける権利の中で、情報通信技術について学び、活用できることを保障すべきである。そのような政策がないとデジタル情報格差が生じて、多くの子どもたちが現代社会のさまざまな機会から、遠ざけられてしまうであろう。

（マハビール・プン／定松栄一 訳）

参考文献
ネパール技術革新センター（National Innovation Center）ホームページ https://nicnepal.org/
Nepal Telecommunications Authority. 2019. *MIS Report Issue 127*, Vol. 175. Nepal Telecommunications Authority.

49

生活の場の変化

★内戦・地震と山地の人々の対応★

私は、1994年から東ネパールのオカルドゥンガ郡の村を断続的に調査で訪れている。四半世紀の間には、さまざまなことがあった。私が行く村は内戦にも地震にも巻き込まれた。

マオイストになった人にも話を聞いたことがある。1990年の民主化以前から統一共産党で活動していた彼は、1990年代後半に統一共産党が王政を支持する国民民主党と連立政権を組んだことが許せずに、マオイストに入党した。また、夫がマオイストの党員として活動していた女性は、夫や村の仲間を治安部隊に殺される経験をした。彼女のように、家族や知人が治安部隊に逮捕・勾留され、拷問を受けたり、殺害されるなどの被害を受け、マオイストになった人も少なくない。こうした恨みの連鎖が

写真１　マオイストによる犠牲者追悼集会（オカルドゥンガ行政村役場 2008 年 3 月 4 日）

表１　内戦による死者数の推移

西暦	マオイストによる死者（全国）	国家による死者（全国）	国家による死者（オカルドゥンガ郡）	行方不明者（オカルドゥンガ郡）
1997	32	16	0	0
1998	75	334	0	0
1999	141	328	0	0
2000	219	180	2	0
2001	390	243	3	4
2002	1337	3266	29	1
2003	646	1217	10	4
2004	1113	1616	22	1
2005	709	815	10	0
2006	286	313	2	0
2007	15	37	?	?
不明	—	—	0	3
合計	4963	8365	78	13

出典：渡辺和之 2015「マオイストの犠牲者問題」南真木人・石井溥（編）『現代ネパールの政治と社会』明石書店、91-134 頁。

表２　国外人口の増加

西暦	ネパールの総人口（人）	国外人口（人）	総人口に占める割合（%）
1981	15,022,839	402,977	2.68
1991	18,491,097	658,290	3.56
2001	23,151,423	762,181	3.29
2011	26,494,504	1,921,492	7.25

出　典：CBS. 2014. *Population Monograph of Nepal 2014*, Vol.1, p.224.

内戦の長期化で拡大し、内戦後も遺族に心の傷跡を残した（写真1）。

1996年にマオイストが人民戦争を開始してから2006年の停戦まで、治安部隊、マオイスト、市民をあわせて全国で1万3千人の死者が出た。表1には、全国とオカルドゥンガ郡内の死者の数を示した。もっとも死者が多かったのは、全国、郡内ともに2002年である。2001年の国家非常事態宣言を境に、それまで西ネパールが中心だった襲撃事件が東ネパールのオカルドゥンガ郡でも起きるようになった。このため、2002年以降、全国、郡内ともに犠牲者が著しく増えている。2001年のあたりで内戦をやめておけば、これだけ多くの

図1　ネパール大地震による死者数の拡がり

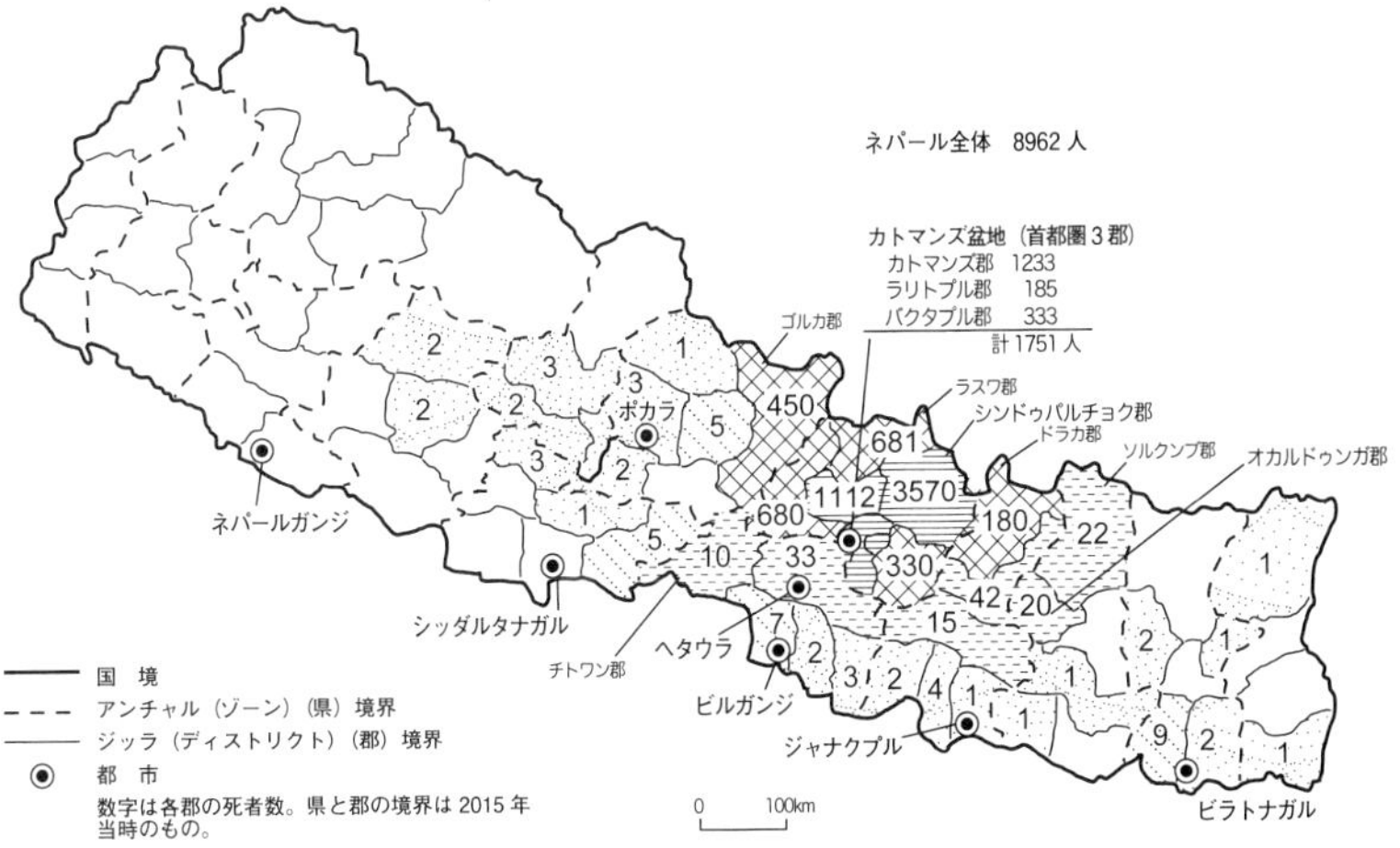

出典：Incident Report of Earthquake 2015, http://drrportal.gov.np/

人は亡くならずに済んだのである。

内戦の時期には、首都への移住や海外への出稼ぎが増えた。マオイストはお金持ちから多額の献金を要求した。このため、内戦の拡大とともに首都に移り住んだ人も少なくない。カトマンズのリングロードの外側にある１９９０年代には田んぼだった所の多くは、２００６年までに山地から移住した人たちの住宅地に変わった。

海外への出稼ぎは２００１〜２０１１年の間に増加した（表2）。１９９０年代には観光客が多かったカトマンズ空港の国際線の待合室は、２００６年には海外に出稼ぎに行く若者で混雑するようになった。若者の大多数にとっては、国の政治よりも金を稼ぐことなのだろう。

山地の暮らしもよくなった。１９９０年代には山道を２日歩いた道のりが、２０１６年にはカトマンズから車で８時間で到着するようになった。携帯電話も２０１０年頃から村でも使えるようになり、村に残る家族は、出稼ぎ帰りの人が買ってきたスマートフォンで、中東で働く夫や兄と連絡を取りあっている。

２０１５年４月25日、ゴルカ郡を震源とする地震が起きた。５月12日にはドラカ郡を震源とする余震があった。被害は中部ネパールを中心に広がった（図1）。もっとも死者が多かったシンドゥパルチョク郡の村では、建物の崩壊を免れたのはごくわずかであった。ラスワ郡のランタン街道では、ランタン村が山から崩れ落ちた氷河で村ごと埋まり、外国人観光客を含め、確認できただけでも２００人以上の人々が生き埋めになった。タマン・ヘリテージ・ルートでは地震で温泉が枯れ、湯治客が激減した。カトマンズ盆地のある首都圏３郡でも被害は大きかった。世界遺産の寺院群のなかには瓦礫と化したものもあった。

こうした被害と比べると、オカルドゥンガ郡の被害は軽微であった。ルムジャタール村の場合、建物が全壊・半壊したのは32軒中1軒だけである（写真2）。幸いなことに死者はなかった。

写真２　地震で崩れた家屋。オカルドゥンガ郡ルムジャタール村（2015年6月）

しかし、それでもほぼすべての家にひびが入り、地震発生直後は全住民が外に仮小屋を建てて避難した（写真3）。

避難生活は短い人で1カ月、長い人では2年半に及んでいる。もっとも被害がひどかった家の人は、2年半仮小屋暮らしをして、家を新築した。比較的軽微な被害で済んだ人は、泥と牛糞を混ぜて家のひびを埋め、外壁の色を塗り直し、1カ月から3カ月後に家に戻った。ただ、その後、ひびが気になる、床が沈んで気持ち悪いなどの理由で家を建て替えた人もいれば、改修や再建の目途が立たず、元の家に住み続ける人もいる。

ネパール政府も、家を失った人には最大で30万ルピーの見舞金を出すことにした。ただ、ルムジャタール村で出稼ぎ帰りの人が建てる家は、少なくとも200万ルピーかかっている。また、家が全壊した人のなかでも、書類不備や規定よりも大きな家を建てるなどの理由で、一時金1万5千ルピーしかもらえなかった人もいた。

写真３　仮小屋。オカルドゥンガ郡ルムジャタール村（2015年6月17日）

地震後、カタールに出稼ぎに行った家の息子は250万ルピーで新しい家を建てた。「大きな家を建てたせいで、借金ばかりが残った」とこぼしていた。一方で、「村の家は直さない」という人もいる。彼は地震前からカトマンズで暮らしており、村の実家は直さないという。また、災害からの復旧は、家族の将来計画とも関わる。兄夫婦と両親と妹が同居していた家では、父親の死後、妹がカトマンズに嫁に行った。地震から3年たってようやく家族の問題が決着し、兄夫婦が家を改修することになった。

内戦と地震は、被災者に物質面で大きな損害を与え、残された遺族の心に傷跡を残した。ただ、その被害は地域によっても違うし、同じ村内でも人によって明暗をわけた。

また、生き残った人々にとってみると、山地の村の人々は内戦と地震によって、どこで、誰と生きてゆくのか、自分の生き方を問い直すことになった。内戦と地震の起きたこの20年間は、ちょうど村以外で生きる場が広がった時代と重なる。国の政治を憂い、マオイストに合流した人もいれば、カトマンズに移住した人もいた。海外で働く人もいれば、村で生きる人もいる。また、地震は家の再建を通じて、家族の問題を、一人ひとりに迫ることになった。都市や海外に住む人は、村の家をどうするのかを考え、村に残った家族はこれからどこで誰と生きてゆくのか、判断を迫られた。

遠く離れても、山地に住む家族は苦労を厭わずに連絡を取りあっている。それは、もともと彼らが家族や親族や村人との顔を突き合わせた社会関係を大事にしてきたからだと、私は考えている。

（渡辺和之）

参考文献

小倉清子 2007『ネパール王政解体――国王と民衆の確執が生んだマオイスト』（NHKブックス1075）、日本放送出版協会。
八木浩司、南真木人、ケシャブ・ラル・マハラジャン、森本泉、丹羽充、田中雅子 2017「特集ネパール大地震後の地域と社会」『地理』（古今書院）62（9）、14〜55頁。
渡辺和之 2015「マオイストの犠牲者問題」南真木人・石井溥（編）『現代ネパールの政治と社会――民主化とマオイストの影響の拡大』（世界人権問題叢書92）、明石書店。
CBS (Central Bureau of Statistics of Nepal) 2014. *Population Monograph of Nepal 2014*, Vol.1.（最終閲覧日2019年8月15日）
Incident Report of Earthquake 2015, http://drrportal.gov.np/（最終閲覧日2020年4月23日）

50

山地から内タライへ移住したプン・マガルの語り

★生き方を方向付けるモノ★

マガルの一氏族集団プン・マガルの年長者に、山地から平地へ移住した歩み（経緯）を尋ねると、開口一番「歩いて来た」と、そんな答えが返って来たことがある。おじいちゃんおばあちゃんの話しから、最低限の食糧と牛を連れ、娘もドコ（背負籠）に担ぎ、家族ぐるみで山の道を、河沿いの道を、前のめりに何日も歩いている姿を思い浮べる。中間山地ミャグディ郡一帯から新天地に期待を寄せ、内タライに下りたプン・マガルが他地域の移出者とナワルプル郡カワソティに移住した。今から半世紀前のことである。本章は、プン・マガルのお年寄りや移住第二世代の目に映った、内タライ入植計画「ナワルプル再定住プロジェクト」の歴史的な過程。そして入植後の生活感覚の移り変わりを彼／彼女らの語りから振り返る。

年長者に移住史を伺う（2010年9月）

東西に走る標高500〜1500mのマハーバーラタ山脈と、標高300〜600mのチューリヤ

お年寄りから子どもまで集まり演奏、歌、踊りを楽しむプン・マガル（2017年1月）

丘陵に囲まれた盆地を内タライと呼ぶ。その南のインド国境沿いに広がる低地がタライである。タライは北インド系住民が多く、政治文化的にも内タライとは明確に区別される。１９５１年のネパール開国後、開発援助が大挙して押しかけた。中央内タライ（ナワルプル、チトワン、マクワンプルの3郡）のチトワン郡では１９５５年、ＵＳＡＩＤ（アメリカ合衆国国際開発庁）の前身であるＩＣＡ（国際協力庁）によるラプティ谷開発プロジェクト。１９５８年、ネパールマラリア撲滅機構による亜熱帯樹林のＤＤＴ散布。そして１９６４年、ネパール再定住公社（Nepal Punarvas Company）によるナワルプル再定住プロジェクトが開始した。プロジェクトは中間山地の人口増対策、耕地拡大による食糧増産、地滑り等の災害避難民とミャンマー（旧ビルマ社会主義政権）の市民権法制定による在住ネパール人引き揚げ者の入植、自発的移入者の再定住等を目的に実施された。

第二次世界大戦後も印中印パ国境が緊迫し、「片目を閉じ人差し指を曲げて銃を撃つ構えができれば皆グルカ兵」といわれた当時。多くのプン・マガルが移住計画をインド駐留中に知った。山村では手紙や噂、離村家族から、生産基盤や食糧が不足する住民スクンバシーに、無償で土地が提供されることを知る。「トウモロコシが稔る頃に雹でやられた」「ディロ（シコクビエの粉を湯で練る主食）を水で薄め家族10人で食べた」。山地斜面の限りある耕地で、空腹を満たせなかったことが移動を促す要因となった、移住前の記憶である。

個々自発的に内タライに下りると、「土地は分配済みでスクンバシーも大量にいてバラックを建て開拓労働者として働いた」という。土地が供与される機会をじっと待った5年半後の1970年、「同郷者のアフノマンチェ（身内）である行政官の計らいで」「29戸のプン・マガルが一戸当たり2ビガ（1・36ha）の開拓地カワソティへ移住した」とのこと。一方で再び雪崩込んだスクンバシーに軍警察が、「不法占拠者としてバラックに火や象を放す光景を何度も見た」という。無秩序な移住計画だったことが示唆される。1970年代は東西幹線道路が整備され、カワソティにはその後も多くの人口が流入。退役グルカ兵年金受給者が多いプン・マガルもその経済力や親族を頼りに土地を購入、1979年には42戸となった。その後も移入や分家により現在151戸に及ぶ。同時にさまざまなカーストと諸民族の混住社会となっている。しかし移住初期の暮らしも厳しく、「田植えも知らず耕地があっても水がなく稼ぎもないので土地を買う人が来れば切り売りした」と。他方で高カーストの移入者は、「土地転がしで高騰した土地を売却し利益を得た」という。当初は祭礼の時だけ食べた米が、「今は毎日米食とな

乾季の放牧中、水路の水に浸かって上がって来ない水牛（2012年4月）

プン・マガルの祖先神の儀礼（ヤギの供犠）を撮る。スマートフォン社会の到来（2018年12月）

りずいぶん暮らしは良くなった」とも語る。しかし、手の届かない価格に地価が上昇した今、「土地資産は孫らの商売や海外移住資金で簡単に売って終わった」という。

移住時子どもだった第二世代（40代50代）からは、「トウモロコシの土寄せは10人10戸の畑でパルマ（手間換え）だった」「今は畑が狭くなり人手も現金で確保することが多い」。「食うに困らなくなったが前のように皆顔見知りでどの家で食べても良いような関係は薄くなった」と、過去を懐かしむ。乾季の水田裏作がなかった１９８０年代、「学校から戻ると牛を連れ、刈り跡の田んぼを突き抜け、ジャングルへ日帰り放牧が日課だった」。ある日「発情した牝牛が牡牛を探しに突如走り出したが追えば追うほど遠くへ逃げた」「日暮れまで探しても見つからず家に帰ったが母は気にしなかった」。案の定「夜中に牝牛は戻って来た」、母は自分の牛床を覚えている牛の習性をわかっていたのだ。思い通りにならない牛と付き合い続けていたのである。子どもが担ぐには、大き過ぎる青銅の水がめの凹み跡を見せ、「水汲み場から帰る道中に水がめを何度も落とした」ことを思い出す。ジャングルで薪拾い、水汲み、家畜の世話に明け暮れたが、「今では薪がプロパンガスとなり湧水が水道水となり家畜は（舎飼で）あまり飼わなくなった」と語る。「昔は水を汲む水源地周辺の地価が高かったが今は幹線道路沿いの地価の方が高い」という。かつて生活の中心は、湧水を汲み洗濯も水浴びもでき、ほとりで水牛も体を洗い、ヒトが交流する水源地であった。それが今では、水源池から離れ都市化された幹線道路沿いが中心となった。

こうした激しい社会変動の中、グルカ兵を先駆けに海外出稼ぎが慣例となっているプン・マガルは、「土地資本があっても新たな生計手段や工夫が乏しく」「バフン、チェトリ、ネワールのように公的機関で働く人脈や企業家がいない」ことを挙げる。そうした要因として、「学校教育を重視しなかったからではないか」と語り、女子の教育も人的資本として考えてみる。開発援助・グルカ兵・移住計画・教育……そうした時代の潮流は今、入植者の孫世代を世界経済の大衆化した労働市場へと駆り立てる。

従来の枠組みを超えてみたり、比較してみたり、追随してみたりする。その時々で現実に対応して来たプン・マガルの多くは現在、移住当初の農地が経済生活を維持するための宅地物件へと変わり、暮らしの立て方が根本から変わった。生産と消費が分業あるいは分断される中、「食べることから稼ぐことを考えるようになった」という。そうしたプン・マガルの語りの背景には、近代化という時代性が強く連動していることに気付かされる。同時に過去を語る背景にはもう一つ、歩いて来た道はあっていただろうか、と薄々感じる「現代」が映されてもいる。

（藤井牧人）

参考文献
南真木人1991「ネパールの内タライ入植小史――ナワルパラシ郡ナワルプルの事例から」『族』16号、筑波大学歴史人類学系民族学研究室。
藤井牧人「連載：ネパール・タライ平原の村から」『地域・アソシエーション研究所』75号（2010年）～、http://www.ne.jp/asahi/institute/association/

51

半世紀で変わったこと

★グティと私とネワール社会★

プニ・グティ　半世紀以上も前、物心がついた頃、家で祖父がとびぬけて機嫌がいい日があった。額に黒、黄、赤色のティカ（吉祥の印）、帽子に花びら、淡いバラ色の頬、やや踊り目で初孫を抱いて一杯の愛情を注ぎこむ。専業農家で、米、小麦、トウモロコシ、豆類、各種野菜、イモ類の栽培・販売をしていた普段は物静かで仕事熱心な祖父のぬくもりは気持ちよかった。宴会の持ち帰りのご馳走があれば喜びは倍だ。後にそれはプニ・グティ（満月のグティ）の宴会の日とわかった。グティ（ネワール語ではグーともいう）は「集会」を表すが、私の属すカトマンズ盆地のネワール社会では、宗教・文化的活動、公益活動、慈善事業、娯楽的活動を行なう基礎的社会単位である。

祖父はパタンの町のある町内の宗教音楽楽団の（神仏の讃）歌の師匠で、仲良し数名のグループが月に一度満月の日にガネデョー（ガネーシャ、象の頭を持つ神）を拝み、宴会をした。宴会のご馳走作りは持ち回り当番制だ。ご馳走は基本的に九品だが当番によっては一、二品が追加される。当番が濁酒、米焼酎を作り神酒として供えた後、皆がお下がりとしていただく。当番に当たると、大家族のわが家は大騒ぎだった。

近所では電気がある二軒のうち一軒がわが家だった。グティヤ（グティのメンバー）たちは飲食後も夜遅くまで讃歌を歌ったり、踊ったりしていた。あかりは100ワットの裸電球だったが暗かった。後に知ったのだが、当時の電気はネパール最初のファルピン水力発電所で作られる少量の電力で電圧は安定せず、必要な明るさは出なかった。1970年代に日本の援助でできたクレカニ水力発電所から配電が始まってからは、蛍光灯、電気アイロン、扇風機、ヒーター、ストーブ、テレビなど電気製品が一気に増えた。電気を引く家も街燈も増え、町は一変して明るくなった。

サンル・グティ　母方の祖父はサンル（サンヌ）・グティに属していた。サンルは現ネパールの公用暦であるビクラム暦の各月の初日のことである。このグティの宴会も当番制だった。祖父に当番があたった時には母と一緒によくご馳走をいただきに行っていた。そんな時、母は数日前から宴会のご馳走や酒作りの手伝いに実家に行っていた。祖父は第二次世界大戦で大英帝国側についたネパール軍の歩兵としてインパールで日本軍と向き合い、足に銃弾を受けながら生還し勲章ももらい、戦後は役所に勤めていた。このグティはカルナマエ（観音、カルナーマヤ）を礼拝してから宴会を行なう。この仏（神格）は別名ブンガ・デョー（ネパール語ではマチェンドラナート）。雨をもたらし、稲を実らせ、繁栄をもたらす慈悲深い神で、パタンの守り神とされる。毎年1カ月以上かけてその山車が町の主要な箇所を巡行する。最終日には国家元首（以前は国王、今は大統領）、大臣、政府要人、各国大使が礼拝する国家的祭りである。祖父の一族は山車作りの際、その安全・無事を祈願し、山車作りに携わる人々に一回食事を出す役割を担っていた。

デプジャ・グティ　血縁関係者が毎年ディグ・デョー（一族の守り神）を礼拝し宴会を行なうのがデ

プジャ・グティ（ディワリ・グティ）で、一族の団結が再確認される。成員数にもよるが、水牛一頭が神に供えられ宴会で消費される。子供は新しい洋服・靴などを買ってもらえるので喜びは格別である。この宴会も割り勘・輪番で実施される。

サナ・グティ　町内で人が亡くなると、多くの人が集まり準備し、行列で遺体を担いで火葬場へ行き一連の儀礼を行ない、灰になるまで見守る。このような弔い行事を実施するグティをサナ・グティと呼ぶ。弔いの行列に参加できない人には罰金が科される。火葬役は当番制である。このグティも毎年割り勘・輪番制の宴会を行ない仲間意識が再確認される。サナ・グティによってはグティヤによる寄贈地、あるいは相続人がいない家財・土地をサナ・グティが引き受け、信託基金として活用しているケースもあった。グティヤは町内を離れて居住していても役割分担の責任があり、グティのサービスも享受する。

マンカ・グティ　町内で道や下水道、寺、仏舎利塔、公民館、共有作業場・休憩所、池、井戸、他の水汲み場、公共トイレ等を維持・修繕するグティがある。これはマンカ・グティといわれ、日本の町内会と類似している面がある。とりわけ、雨季開始時のシティ・ナカーと呼ばれる祭日には町内の道の修繕、井戸などの掃除が行なわれる。町内の各世帯の代表がマンカ・グティのグティヤになり、有志が民族楽器（笛、打楽器等）や歌、踊りの教室、宗教音楽の教室等を開催したり、技芸の女神や音楽・歌の神を礼拝したりして文化を継承する活動も行なう。このグティも年に一度マンカ・ボエ（共同宴会）を割り勘、輪番制で実施する。

町内を超えた共同作業も、雨乞い、火葬場、ピータ（町の境界の母神の聖所）の維持管理、（乾期に水にぬれず川を渡るための）簡易橋作りに各町内の代表を募り実施される。

このように、町内外で血縁的、地縁的グティが重層し、その人間関係の中で生活・社会が維持され、ネワール文化が継承されている。

両祖父が他界した後、誰もプニ・グティ、サンル・グティを継がず、その後両グティは自然消滅した。職業や娯楽、余暇のあり方が完全に変わってしまった現在、そのようなグティは減少する一方であるようだ。もともと参加世帯数が少ない父方のデプジャ・グティも自然消滅し、家の守り神を礼拝する祭りは家族（祖父の息子らの家族からなる大家族）だけで祝うようになった。母方の叔父も自分は年若いのにタカリ（長老）役が回ってきて居心地が悪く、２００世帯もが参加するデプジャ・グティを脱退した。そのグティもまた消滅の道をたどり、個々の世帯・家族で儀礼を行なうようになっている。

その他の公益性の高い活動を行なうグティもなくなる一方である。その背景には、就業構造、生活スタイルの変容、社会ネットワークの多様化、信託基金の減少・消滅、政府による公共事業の推進等がある。

他方、広い地域をカバーするカースト・職能組織、職業組合、政党支部、宗教団体支部などは増加傾向にある。さらに、社会開発の機運の中で、各地域に青年会、母の会、女子会、子供会などができ、社会文化的活動への積極的参加が奨励されている。グティへの女性の参加はタブー視されていたが、女子会（ミサ・プチャー）などは宗教音楽グループに積極的に参加し、民族舞踊・音楽を華やかにしている。政治への女性参加の傾向も全国的に見られ、世界的にも好評である。組織によっては、貯蓄、頼母子講的活動、金融・投資活動などを行なうものもある。ネワール社会では伝統的社会組織だけではなく増加傾向にある新しい種類の社会組織においても従来の祭りに合わせて総会を開き、宴会を行なう組織が多い。時が変わり、職業、政治、行政などが変わっても八百万の神々を拝み、ハレの舞台を設け、文化的活動を行ない、そのために基金を創るというネワールの傾向は変わらないと身近に感じている。

このような状況下でサナ・グティだけはあまり変わらず続いている。マンカ・グティも継続し、寺や水場等の維持・修繕やシティ・ナカーの日の井戸や池の清掃・修繕を行なっている。道や下水道は地方行政の管理下に入ったが、町内での行政窓口組織はマンカ・グティとほぼ重なる。廃れていくグティも多い一方、お互いに支え合いながら通過儀礼や日常生活に必要な活動を担うグティは、中世から統一ネパールのシャハ王朝時代、ラナ専制時代、第一次民主化時代、パンチャーヤト党時代、第二次民主化時代、マオイストによる闘争時期、その後から今日まで脈々と続いている。

（ケシャブ・ラル・マハラジャン）

参考文献
石井溥　１９８０『ネワール村落の社会構造とその変化』東京外国語大学アジア・アフリカ言語文化研究所。
Locke, J. K. 1980. *The Cult of Avalokitesvara: Matsyendranath in the Valley of Nepal*. Kathmandu: Sahayogi Prakashan.
Nepali, G. S. 1988 (reprint). *The Newars: An Ethno-Sociological Study of a Himalayan Community*. Kathmandu: Himalayan Booksellers.

52

祭り、儀礼、慣習

★その変化★

ネパールの秋はいくつもの祭礼行事に彩られている。9月のインドラ・ジャトラに始まり、10～11月にはダサイン、ティハールと大きな祭事がたて続けである。人々は雨季明けの爽やかな晴天と豊かな実りの喜びに満たされ、親類・友人たちと集まり楽しい日々を過ごす。

共和制以前には官公庁、学校、会社等は何日もの連休をとる「国民の祝日（ネパール語では公休日）」の連続であったが、共和制発足後は、連休はあるものの、いくつかは短縮されたり、中には廃止されたものもある。逆に、女性や少数民族の権利重視という点から、新たに創られた祝日もある。

この地の人々の世界観では、時季に応じて神々を迎え、国の平安と豊かな作物の実りを願うことは何よりも大切な生活習慣であった。

祭礼行事は大方がヒンドゥー教の神々の祭祀の形で行なわれ、共和制以前の憲法にある「ネパールはヒンドゥー王国」との規定のもとに国家行事として行なわれているものも多かった。なかでも最大の祭りダサインは「十日祭」（概訳）の意味で、10日間にわたりヒンドゥー教の大女神ドゥルガーの祭祀を行なうのである。初日の朝、各家庭の清浄な部屋の床を清め、水を入れた壺に女神を招いて繁栄と平和を祈る。別に平瓶に砂を入れて大麦の種をまき、水をやって、陽の当たらないようにして10日間育てる。10日目の朝、黄色に美しく育った若芽をとり、悪魔との伝説上の戦いでの女神の勝利のしるしとして、各自が身につける。同時に、額に吉祥のしるし（ティカ）をつけてもらう。この祝福のしるしは、家族や職場の長から与えられるのだが、以前は国王に貰いに行く人も多かった。このために、元の王宮の前には長い人の列ができたものだったが、国王のいない現在はこのようなことはない。ダサインの祭りは、シャハ王家のネパール全土支配体制が確立した後（18世紀末）にヒマラヤの山岳地帯の村々にネパール語の普及とともに広められ、非ヒンドゥー教の民族の間にも行なわれるようになったものであるが、１９９０年代からのマオイストの活動の活発化に伴い、地域によっては家庭に立ち入ってのダサイン中止命令が行なわれたということも聞いている。

すでに、２０１５年の憲法では、「ヒンドゥー国家」という規定はなくなり、「世俗国家」という文言が入れられている。多民族から成る国としては「包摂的社会づくり」が目標として掲げられ、信教の自由が保障されるようになった。

こうした法・社会の変化のもと、以前は抑圧的であったキリスト教に対する政府の姿勢も大きく転換した。その結果、人々の生活の基本であるカレンダーにも大きな変化がもたらされた。クリスマスの祝日化等である。それとともに、国内の各民族の祭日も「国民の祝日」として制定されることになった。例えば、東ネパールのキランティと呼ばれる少数民族の祭日ウバウリとウダウリが国の祝日とされることになり、またチベット・ビルマ語系民族であるシェルパやグルンの新年であるロサールも祝日となった。さらに、イスラム教徒への配慮も欠かさず、断食（ラマダン）明けも祝日として組み入られた（イード・ル・フィトゥル）。

さて、これに反して従来のヒンドゥー教や旧体制に基づく祝日は短縮、あるいは削除されている。ダサインの連休は6日間に、ティハールも短縮された。（旧）憲法記念日は削除され、前政権の国家統一記念日、父の日、母の日、グルプルニマ等は国民の祝日ではなくなった。

このように、伝統的旧習として解される祭日は廃止、あるいは短縮されたが、私（寺田）が秘かに危惧していた祭礼や文化財の破壊等はなく、現在でも残存していることには胸を撫で下ろした。例えば、天空の神であるインドラ（帝釈天）を長い木柱に招び降ろし、豊作と王権の安泰を祈る9月のインドラ・ジャトラの柱建ては唯物論者にとって無意味であり、チベットでは文化財の破壊が相次いだので、爆破でもされないかとひやひやしていたのだが、そういうことはなかったようだ。クマリも変わらず祀られているし、2018年の旅行者の報告によれば（風の旅行社ウェブマガジン・コラム516話「風の向くまま・気の向くまま」（『インドラ・ジャトラ』原優二、2018年9月27日）、インドラの柱は

立ち上がったインドラの柱（2013年9月、撮影：山上亜紀）

政府要人たち（2013年9月、撮影：山上亜紀）

地震以後も従来同様に建立され、国王に代わって大統領が登場し、軍楽隊の演奏も賑々しく、広場は群衆で埋め尽くされていた。2015年の大地震以前には、祭場前の旧王宮の白亜のバルコニーには政府要人が登場し、国民に挨拶をしていた。ここには、国王が不在であるだけで、クマリ等の山車巡行も変わりない。神々の出現である仮面舞踊も出ている。私が、1990年代以前から見ていたものがそこにあるようだ。なお、この祭礼の形態は、日本における諏訪の御柱祭と酷似しており、相互の基層文化（縄文等）における関連性についての考究が求められていることを申し添えたい。

これら、国の行なう祭礼に関しては、以前は大蔵省（Ministry of Finance）に属するグティ・サンスタンという公団のような機関が執行に当たったのであるが、新憲法によれば、グティ（宗教的行事の執行組合：「ネパール語文献を読む会」訳）の組織には変化をもたらさないとされており、連邦民主共和国政府は、マオイストがメンバーに入っているにしても、教条主義の強さはあまり見られないように思われる（山下甫『最近のネパール政治情勢』日本・ネパール会例会資料、2018年）。それよりも、20世紀後半から強まった西洋近代文化の影響は大きく、1970年代でも私の聞いた限り、クマリの神格化に伴う幼女の閉じ込めに対する批判は大きかったし、一部の若者の間では生神信仰は疑問視されていた。ダサインに関しても、祝祭の習慣は保持されていても、動物の供犠に対する嫌悪や批判も出ていた。一方で、日本の正月のように一家揃って集まり、祝いの食を共にするという生活習慣としては長い間の伝統は変わらず、現在もなお各家庭に残されており、ネパールを訪れる者にとっては、ダサインへの招待は楽しみの機会である。ダサインはネパール文化の実態をうかがう指標であるので、時代の変化を写す鏡として、今後も状況を見守っていきたい。ネパールを訪れる方々の報告を頂きたいところである。

（寺田鎮子／山上亜紀 協力）

コラム4

クマリ

寺田鎮子

旧王宮前の館に住む生神「クマリ」は、ネパールを訪れる人々にはよく知られた存在である。ガイドブックや旅行会社のパンフレットにも、その美しく愛らしい幼女の姿はよく見られ、ネパール観光の目玉になっている。

神という畏怖の念を感じる存在と、あどけない幼女の組合わせは、合理主義の現代人には好奇心をかき立てると見え、ネットの世界でもよく取り上げられ、ネパールのみならずインドのベンガル等のクマリ祭祀も報じられている（佐藤喜市氏の報告）。

カトマンズを訪れ、クマリを見に行くと、何がしかのお布施を出せば拝めるというので、中庭に面した三階の窓から顔をのぞかせてくれる。赤い衣装をつけ、額には赤い化粧をほどこし、シヴァ神と同様の第三の目をつけている。胸には蛇の飾り、頭に九種の宝石をつけた宝冠をかぶっている。これが「クマリ」として正式の姿なのだが、ふだんは装飾をつけていない方が多い。

クマリは、純粋なネワールの金工師カースト、サキャ（シャーキャ）氏族から選ばれる。いわゆる、憑坐童《よりましわらわ》なのであり、またネパール国や人々の守護神と信じられている幼児としての開発されていない脳の直感的働きをもって、国や人々の運命の予言というわざを行なわせているのである。クマリに選ばれる条件は、身体的にはブッダと同様の三十二相ともいわれ、指の間の水かき、膝までの長い手など、非現実的なこともあるが、実際的には美しい肌と歯をもち、初潮前で、かつ病気や怪我の跡のないことがあげられている。さらに、国王との占星術上の相性が良いことも肝要である。

　こうした幼女が選び出されると、最終的な試みとして、ダサインの夜、タレジュ寺院内で行なわれる祭祀において水牛の供犠を見せる。血の流れるその情景、切られた首を見せられても泣き出さなければ合格である。選び出された幼女は、旧王宮前の専用の館に住み、世話係の老女（アジ）に厳しく躾けられながら、預言者や治癒者としての役目を果たす。その能力を保持するため、または聖性を保つために外出は禁じられ、近代的教育はほどこさない習わしであった。しかし、私（寺田）が１９９０年代にネパールを訪れた頃には、一部の女性たちから人権侵害であるとの声が上がり、フェミニズムが盛んになってきた時代の趨勢として、初等教育が与えられるようになったとのことであった。

クマリ（撮影：ラクシュマン・シュレスタ）

　クマリは、英語で言えば virgin goddess で、「処女崇拝」と解する向きもあるのだが、そうした曖昧なものではない。ヒンドゥー教の大女神ドゥルガー（実は大地母神であり、宇宙のすべてを動かすエネルギー、すなわちシャクティの女神である）を清浄なる器である幼女の体に宿らせた、恐ろしい人神《ひとがみ》なのである。仏教の女尊、ヴァジュラデーヴィーという説もある。その入魂の方法を、私はヒンドゥーの祭司から聞いたことがあるが、それはネパール特有の密教そのものであった。現人神の存在は日本の民俗社会にもあったが、現代社会での残存は珍しいので、ネパールでの実例が一層世界の注目を浴びているのだろう。

IT時代に入った現代でも、クマリの存在はネパールの文化遺産として尊重されているようで、2018年にインドラ・ジャトラを見物しに行った旅行者の報告によれば、クマリの山車は、ガネーシュやバイラヴの山車と共に山羊の供犠を受けて、市街地への巡行に出たということであった。

クマリの能力についての疑問を持つ若者たちも当然増えたであろうが、一方で聖性への信仰を保っている人々もいる様子である。クマリの山車巡行に際しての往時の様子およびクマリに関するネパール人としての考察は、小説『神の乙女クマリ』（ビジャイ・マッラ著、寺田鎮子訳、新宿書房、1994年）を参照されたい。

2015年頃、私が友人に聞いた話では、アメリカの放送局が元クマリを呼び、アメリカに出国したので穢れてしまい（クマリはカトマンズ盆地の四至〔結界〕から出てはならないとされている）、神の怒りで大地震が起こったのだと言っている人々がいるということであった。現代の知識人としては、そのような話は信ずるに値しないというところだが、一部にはそうした観念を持つ人々がいても不思議ではない。要するに、「神」というものをどのように考えるのか、という問題に行きつく。ビジャイ・マッラ氏が深く考えるように、この現象世界で、地球の自然をいかに畏怖し、大切にするかという問題なのであり、原発を所有してしまった現代に生きる我々にとっても遠いネパールの話ではないというのは、私の考えすぎだろうか。

53

ネパーリー・チャルチットラ

★ネパールの映画・映画館★

ネパール語で映画を「チャルチットラ」という。「チャル」は動く、「チットラ」は絵・写真という意味で、モーション・ピクチャーの直訳、すなわち「活動写真」である。

ネパール映画の歴史は浅い。これは、長くネパールを鎖国状態においていたラナ家が、自らの国民が諸外国の映画をつうじて世界の趨勢を知ってしまうことをおそれ、国内での映画上映を（わずかな例外を除いて）禁じていたことが大きい。

1951年、カルカッタに住むネパール人、D・B・パリヤが、『サッティヤ・ハリスチャンドラ〈真実のハリスチャンドラ王〉』という映画をインドで撮影したのが、史上初のネパール語の映画とされるが、ラナ家の専制打倒・王政復古によって生まれた国王政府もまた、自らの情報統制政策の枠の外で誕生した本作の存在を黙殺し、一度は王宮に運び込まれたというフィルムの所在も不明となった。

国王政府は、インドで映画監督をしていたヒラ・シン・カトリを招聘して、3本の国策映画の製作にあたらせた。国産第一作、『アマ〈母〉』は、「母なる大地、ネパールの発展のために尽くそう」というスローガンのもと、パンチャーヤト体制を宣

初のネパール国産映画『アマ〈母〉』（1965）の一場面

撫するための映画だった。その公開は１９６５年のことで、リュミエール兄弟が世界初の映画の興行（１８９５年）を行なってから70年後である。

ロイヤル・ネパール映画公社が、１９８０年に公開したプラカス・タパ監督の『シンドゥール〈既婚女性の額の印〉』は、夫に先立たれた後に真実の愛に目覚めた女性が、ヒンドゥーの教義に背いて再婚してよいのかに苦しむメロドラマで、商業的に大成功をおさめた。民間会社のオム・プロダクションが１９８４年に公開した『カンチ〈末の娘〉』（B・S・タパ監督）は、農村の娘が契りを交わした男を追ってインドへ向かうも、運命に翻弄され非業の死を遂げる物語に、ふんだんな歌と踊りが盛り込まれたネパール・マサラ・ムービーの典型となった。マサラとは香辛料の意味。映画には、歌、踊り、ロマンス、アクション、道化という〈五つのマサラ〉を欠いてはならないというセオリーで、現在も引き継がれるネパール映画の根本様式である。

『アマ』以後、１９９０年までの四半世紀で制作されたネパール映画は48本と少ない。そのためネパール語の映画を求める国民からは常に大人気を博し、その上映館は長蛇の列にとり囲まれた。まさに映画は娯楽の王様であった。

ネパールではテレビ放送が始まるのも遅く（１９８５年から）、その放送開始以前に家庭用ＶＴＲが普及するという特異な現象が生じ、個人経営のビデオ映画館がいくつも出現した。ＶＨＳのビデオデッキとカメラを用いて撮影・上映されるビデオ映画が多数作られ、一時はフィルムによる映画製作の本

90年民主化運動を題材とした『バリダン〈犠牲〉』（1995）のDVD。サインはトゥルシ・ギミレ監督

数を上回った。

90年民主化運動後、ネパール映画の主題は次第にひろがり、ヤダブ・カレル監督の『プレムピンダ〈愛の供えもの〉』では、ラナ時代の華麗な宮廷絵巻が描かれたいっぽう、トゥルシ・ギミレ監督の『バリダン〈犠牲〉』は、政治風刺劇で人気の笑劇コンビ「マハ」の二人が、民主化運動の活動家を演じ、社会性の濃い作品となった。

２００１年以降の内戦激化で、映画産業も急速に縮小、それまで年間50本に達していたネパール映画の製作本数は、２００４年までに半減したが、２００６年の包括和平合意後、次第に回復した。

２００８年のブシャン・ダハール監督『カグベニ〈土地の名〉』は、高地の村に生きる男女の願いと苦しみを寓話的に描いた作品で、ネパール初のディジタル・シネマとなった。映画製作と興行のディジタル化は、これ以降のネパール映画に変革をもたらし、２０１５年の大地震以後のネパール映画界は大きな成熟を遂げるに至っている。

女優出身のディーパ・スリ・ニロウラ監督による抱腹絶倒のコメディ映画、『チャッカ・パンジャ〈六つも五つも〉』は、興収1億8千万ルピーというネパール映画最大のヒット作となり、その後シリーズ化された。このほか多くのヒット作が続き、いくつかは人気シリーズ化し、若手監督や女性監督の活躍が目立つ。いまでは、毎年１００本を超えるネパール映画が公開される活況ぶりだが、カトマンズには映画以外の娯楽も溢れ、ネットやスマホに映画館の観客が奪われている状況も垣間見え、採算のとれるネパール映画は必ずしも多くない。

一方、ネパールで映画を語るとき、抜かすことのできないのが、少数民族映画というジャンルの存在で、ネワール語、タマン語、グルン語、タルー語、そのほかの少数民族の言葉による映画が作り続けられている。文化と言語の記録・伝承という点でも貴重な活動であり、政府の映画開発局では常設の専門映画館とアーカイブの構築計画を発表している。

現在、ネパール全国では約100館、カトマンズには（改装中の2館を含め）20館の映画館がある。カトマンズの映画館の多くは複数のスクリーンを備えたシネマコンプレックスである。入館料は、映画館の格（施設の立派さ）、フロアや上映時間などでさまざまだ。同じ日に同じ映画を上映していても、大衆館のモーニングショーと、料理を食べながら映画を楽しむことのできる高級館とでは6倍ほどの価格差（100ルピーから600ルピーまで）がある。観光客として訪れるなら、その両方を覗いてみるとよいだろう。

10年ほど昔の大衆館には、老朽化し、シートが列ごと倒れているようなところもあった。アークランプのフィルム映写機は暗く、しばしば消えかかった。それでも観客の反応は熱烈で、映画にあわせて歌ったり踊ったりする光景がよく見られた。非日常的な祝祭の場としての映画館と、その熱気に応えるようなエネルギーの横溢したマサラ・ムービーに接することは、たとえ台詞や筋が理解できなくても楽しい体験だった。今は大衆館も全てディジタル上映となり、館内もすこし小綺麗になったとこ

映画鑑賞しながらダル・バートを食べる（シネ・デ・シェフにて）

ろが増えたという印象だ。

一方の高級館、例えばシビルモールのCDC（シネ・デ・シェフ）というシネコンでは、62席の全シートにマッサージ機能が備わり、水平にリクライニングする。場内が暗くなり、映画が始まるとウェイトレスが食事の注文をとりに来る。オーダーは映画館の厨房で調理され、上映中つぎつぎに運ばれて来る。ウェイトレスらはスクリーンを遮りながら歩き回り、観客は食事と酒を楽しみ、寝転んで映画を鑑賞する。インドで始まったスタイルのようだが、シリアスな作品を静謐《せいひつ》な環境で鑑賞するのが普通の日本の映画館とはまったく異質な体験ができ、映画とは本来、こうして楽しむものではないかとすら思えてくる。

ネパール映画の過去の名作の多くは現地でDVDやVCDが容易に購入できる。それらを仔細に観察すれば、ネパールの人々の暮らしや、その感性がより深く理解できる。ネパールを知るひとつの入り口として、ネパーリー・チャルチットラにも、ぜひ目をむけていただきたい。

（伊藤敏朗）

参考文献
伊藤敏朗 2011『ネパール映画の全貌――その歴史と分析』凱風社。

54

21世紀のネパール文学

★より広く、より平易に★

21世紀に入りネパールは激動の時代にあるといえる。政治体制や社会情勢の大きな変化、そしてそれに伴う人々の意識の変化、これらが作家の創作活動に大きな影響を与えるのは至極当然なことである。そういった視点から2000年以降のネパール文学に見られる主な特徴と傾向を観てみたい。

これまでネパールの文学を語るとき、それはほぼ韻文（詩）のことであり、その次が短編小説であった。ところが2000年以降には小説、中でも長編小説がより多くの読者を獲得しているようにみえる。販売数でも長編小説が最も売れているという事実がある。今では多くの長編作家が出てきてその中での切磋琢磨もある。そういう意味でいよいよ長編小説の黄金時代に入ったといってもよく、ネパール文学の幅が広がったといえるだろう。

2000年以降では、ナラヤン・ワグレの『パルパサ・カフェ』の出版は、これまでにあまりなかった広告による売り上げ増加という戦略で出版市場に新たな刺激を与えた。ワグレは当時民間最大手カンティプル新聞の編集主幹だったのだが、カンティプル紙に大々的に広告を打つことでネパールの書籍市場を目覚

ナラヤン・ワグレとマダン賞受賞長編小説『パルパサカフェ』の表紙

めさせたのだった。彼はこれまでの常識を覆し、良い文学を書けば職業的に成り立つのだということを証明して見せた。これによって読者層を広げ、若年層の読者を開拓することにも成功した。これは出版界に衝撃を与えただけでなく、これまで主に韻文を書いていた作家にさえ散文の創作意欲をかきたたせることになった。

　これに続いてナヤンラージュ・パンデの『熱波』、『蜻蛉』、ブッディ・サーガルの『カルナリブルース』、『風車』、アマル・ネウパネの『白い大地』、ラジャン・ムカルンの『ヘッチャクッパ』、クマール・ナガルコティの『ミスティカ』、ナラヤン・ダカールの『1000マイルの旅』、ガナシャム・カドカの『ニルバーナ』、アカンダ・バンダリの『マラヤ・エクスプレス』等々多くの話題作が発表されている。これらの小説の中には、内戦によってもたらされた苦悩、カースト差別、性差別やいじめなどを詳細に描き出しているものもある。特に底辺に苦しむ人々の声を文学的に表現している。

　短編小説の分野でも2000年以降、多くの短編集が出版されている。マオイスト問題を扱ったマヘシュビクラム・シャハの話題作「少女クマー」を含む『兵士の妻』、『カトマンズのカムレッド』の他、ラジェンドラ・パラジュリの『スクララージュ・シャーストリの眼鏡』、マヤ・タクリの『アマ　ジャヌホス』、バギラティ・シュレスタの『赤いバラ』、アンビカ・ギリの「コミュニスト」、ママタ・シャルマの『プタリコ　ダハ』などの作品が話題となった。短編小説の分野でも長編同様に政治・社会の問題が中心となっている。

　古くからネパール文学の本流は詩であり、その人気は今も根強いものがある。分かりやすさと高い政治意識がこの時代の詩作に見られる特徴といえる。２０００年頃からネパールの詩では革命や反逆の声がさらに大きくなってくる。今ある状況に不満や不安を抱え、それに抗う意識をもった詩が多く書かれている。内戦によって疲弊した社会生活の悲哀を主題にして書く詩人も多い。２００６年の民主化運動後には民族意識や民族の声がより顕著に表されている。民主化運動当時に発表されたスラワン・ムカルンの『ビセ・ナガルチの供述』は特に注目を集めた。この詩は虐げられた者たち、ダリットの声を強く代弁している。その後この詩から影響を受けた多くの若い詩人たちによって民族意識をテーマにした詩が多く作られている。この時期の詩は平易な言葉でつづられているのが特徴で、何世紀にもわたり社会の隅に追いやられていた人々に焦点をあてている。

ビプラブ・ダカールと詩集『キノコの森』の表紙

　ポストモダニズムや文化に対する意識、フェミニズム、また環境問題意識など、内戦後の社会が詳細に表現されているのも特徴といえる。この時期では、ビプラブ・ダカールの『カロ・マッデャンタル』『プロフェッサーシャルマの日記』『キノコの森』などの詩集が話題になった。この他ラメシュ・ティティージュ、クムナラヤン・ポウデル、ブパール・ライ、モミラ、マヌマンジル、ビシュマ・ウプレティ、ラメシュ・シュレスタ、ナワラージュ・ラムサール、チャンドラ・ギミレ、ブピン、サリタ・ティワリ、ウペンドラ・スッバ、ケシャブ・シルワール、ソプニル・スムリティ、ラーワト、チャンドラビール・トゥンバポ、シャシ・ルムンブ、プルナ・インファダ、ビマラ・トゥムケワ、ナワラージュ・パラジュリらもこの時代を特徴づける作品を発表している。過去の詩人らと比べて量的にも質的にも向上しており、社会に対峙し、底辺の人々の苦しみや政治意識が色濃く表現されているのが特徴といえる。

　エッセイの分野は確実に質が向上している。例えばビシュマ・ウプレティ、ブピン、ロシャン・セルチャン、クマリ・ラマらの名前をあげることができる。ビシュマ・ウプレティの『急いでいない、急いでいる』ブピンの『24リール』ロシャン・セルチャンの『ドビガートエクスプレス』クマリ・ラマの『明るい暗闇』などのエッセイ集が話題になった。

　エッセイ以外の分野では自伝が特筆されよう。国民的コメディーデュオ「マハ」の二人も相次いで自伝を出し、それぞれが出版市場を席巻した。ハリバンシャ・アーチャールヤの『チナをなくした男』、マダンクリシュナ・シュレスタの『マハのマ』である。これ以外にも初代大統領ラムバラン・ヤーダブの『頂に一人』や人気尼僧歌手アニ・チョイン・ドルマの『花の視点で』、ネパール随一の実業家ビノード・チョウダリの『自伝』、元国軍参謀総長ルクマンガド・

マダンクリシュナ・シュレスタの自伝『マハのマ』出版発表会で本の紹介をするハリバンシャ（左）と著者マダンクリシュナ（右）

日本で開催された「国際ネパール文学協会」の大会の一コマ

2018 年カトマンズで開催された「ヒマラヤ圏文芸大集会」の大会の一コマ

カトゥワールの『自伝』、人身売買被害者スニタ・ダヌワールの『涙の力』、制憲議会議員シャンタ・チョウダリの『農奴から議員へ』などの作品が多くの読者を惹きつけた。社会的に著名な人物らの人生から多くの読者が感銘を受けている。

これ以外にノンフィクション的な作品として、スディール・シャルマの『実験室』は特に最近の話題作の一つである。近年の政治にまつわり、内戦、王宮虐殺事件、共和制、タライ暴動、制憲議会、連邦制、世俗国家などのキーワードで社会の考察を試みている。一方ハリバハドゥル・タパは『汚職手術』や『政党間抗争』でネパールにはびこる汚職問題に鋭くメスを入れている。また多民族、多文化、多言語国家ネパールにおけるさまざまな社会問題との関連では、包摂によって国の分裂をふせぐことができるとしたのがドゥルバ・シムカダの『国のSOS』である。デベンドララージュ・バッタライは『砂漠日記』で湾岸諸国に出稼ぎに出ている多くのネパール人労働者の悲哀を描いている。小説や詩以外の分野ではこのほかにも数多くの作品が創作されている。

近年海外に移住したり出稼ぎに行ったりするネパール人が増え、その数、数百万人ともいわれている。そうした移住先で作品を執筆し発表する作家も増えている。2003年には「国際ネパール文学協会」がアメリカで設立され、その支部は日本を含め多くの国や地域に設立され、今も増えつつある。他方2018年にはオリ首相の肝いりでカトマンズにおいて3日間にわたり「ヒマラヤ圏文芸大集会」が世界13カ国から集まった100名以上の海外在住作家らも含め、大々的に開催された。近年はネパール系ディアスポラ文学に関する議論も活発で、今やネパールの文学も確実に世界へと広がりをみせているといえよう。

なお本稿執筆に際しては、自身ネパールを代表する現代詩人の一人であるビプラブ・ダカール氏から多くの貴重な示唆をいただいた。

（野津治仁）

参考文献

佐伯和彦 1988「ネパール詩小史」『現代ネパール名詩選』大学書林、1～45頁。
佐伯和彦 1992「ネパール短編小説小史」『ネパール短編小説選集』大学書林、xv～xxxi頁。
トゥラシ・ディワサ、野津治仁 1997「詩の伝統と現代」石井溥（編）『暮らしが分かるアジア読本 ネパール』河出書房新社、271～277頁。
野津治仁 1992「訳者あとがき」グルプラサッド・マイナリ著、野津治仁（訳・注）『ナソ忘れ形見』穂高書店、222～235頁。

コラム5 多様な布の芸術——美しさと実用性の智恵をみた

岡本有子

独自の文化を持つ100以上の民族が共存するネパールには、伝統舞踊を網羅した本が無いどころか、国レベルにおいて未知の舞踊すらあり舞踊研究の道程は厳しい。さらには近代化が伝統舞踊の衰退に拍車を掛け、昔を知る人も減り、自分の非力に溜め息が出るばかりである。

民族舞踊研究では所作・音楽はもとより歴史・信仰・人々の暮らしをも知る必要がある。なぜなら、舞踊の全ての所作はそこから生まれたものだからだ。子どもの遊び~大根の古漬けまであらゆるものが関わる。お陰で私の35年の舞踊研究は儘《まま》ならずとも、ネパール雑学のスキルは増幅している。装束文化もその一つだ。

8千mもの標高差やさまざまな気候など絶対的な環境の違い、文化・言語・信仰・歴史の違いが多様な装束文化を生み出している。衣裳のみならず装飾品も美しい。金銀製ばかりではなく、その種類は実に豊富だ。

西の中部山岳地帯のグルン女性は、好きな男性に贈るためカラフルに塗ったキュウリの干し種をビーズにし糸で繋《つな》げブローチを作る。整列した沢山の種がシャラシャラ揺れて可愛らしい。

コウゾが採れ紙漉《す》きが盛んな東の山岳地帯の先住民ライは、紙に赤色と青色で細かい縦縞《たてじま》を描き、縦縞に垂直方向に短冊《たんざく》切《ぎ》りして束ねた総《ふさ》を「紙の花」という名のブローチにする。

インドに接する南部熱帯地域のタルー女性は、半袖と脛《すね》丈の腰巻姿で手足にクジャクなどを象《かたど》った多くの刺青《いれずみ》を入れている。タルーの老女は「死ぬ時に身に着けるものは何もないけどこれさえあれば最期まできれいでしょう」と言っていた。これはまさに究極のアクセサリーだ。

コラム5

多様な布の芸術

身近なものを材料にそれぞれの環境にあった工夫が為され、なにより美しい。そして衣装文化も知るほどに驚かされる。一言でいうならそれは「布の芸術」だ。（イラスト参照）

インドから北上したパルバテ・ヒンドゥーとともにネパールに定着したと思われるサリーは現代、特にネパールの既婚女性や女子大生にとって民族問わずステータス・シンボル的存在である。私も国立女子大時代の2年間毎日サリーの制服を纏《まと》っていた。何と言ってもサリーの醍醐《だいごみ》味は着付け方だ。6mの布一枚であれほど綺麗な巻き方は一体誰が考案したのか。

山間《やまあい》ではヒンドゥー教女性も先住民女性も、東南アジアの土産品で今や定番となったルンギー以前は、サリーに似た巻き方のファリアーを着用していた。長さ5m、膝《ひざ》下丈で農作業に適している。民族地域によって色や模様が違う。

一方、ヒンドゥー教の司祭ブラーマン・南部先住民タルー男性が腰に巻く約4mの丈が長い布ドティーは片方の端を股下にくぐらせる以外は両者で巻き方が違う。ブラーマンの方はヒップホッパーがスウェットの片裾《すそ》をたぐし上げているように片足の脛《すね》を出して巻く。またどちらも片側に垂らしているギャザー部を持ち上げれば簡単に用を足せるという機能性がすごい。

マガル・グルン・タマン男性の腰巻カチョーラは膝《ひざ》丈ほどの約4mの布で、腹前で折り返しながら巻くことで足が開いて動きやすいように、山の暮らしならではの工夫がされている。

グルン・マガル女性の胸にあてがう布ガレックはファッション性と実用性を完備。ほぼ正方形の布の上辺の二つの角《かど》を小さく結び左肩上に引っ掛けて下辺は垂らすのが基本的な着方だが、その裾《すそ》を15㎝ほど折り返し下辺の角を脇腹で結べば折り返し部分がポケットになる。彼女たちは家事や農作業の時にそうやって結んでポケッ

Thakālī, Magar, Gurungの
Tikis（女性）
黒色の木綿地
輸入品ビロードも好まれた
三角に折りお尻側に
今はラリグラス（赤しゃくなげ）刺繍の赤地が人気
赤黒の縞模様が古いデザイン
Sherpa，移住Tibettanの（女性）
2つを前後に使う形とパンデンのみの形がある
出身地によって三角に折ってあてる場合もある
Gemsal
pāngden
色とりどりの横縞模様
Gurung, Magarの
Ghalek（女性）
端を小さく結び肩にかける
垂らすバージョン
端を結んで折り返す
ポケットのようにモノを入れる
Bhangra（男性）
現代は1〜2mの木綿製
昔はヒマラヤ・イラクサ製で大きめ
腕と頭を交差してくぐらせる
端と端に小さな結び目をつくり、
リュックサックのようにモノを入れる
［Patukā巻き方色々］
（帯）
グルンのガトゥ舞など
両端を垂らす
色々な民族オーソドックスな巻き方
タル族（ダン郡）女性
胸にななめに
グルン族やタル族など幾つかの民族
一方の端を前に垂らす
ネワール族農民の男性
ねじってヘソ前で輪をつくる
タカリー族ラマ僧
大きな輪を首にかける
Kachhar
いろいろな民族男性
4〜4.5m
Tāmāng（男性）
2.5m四方の布の端を結び交差して首をくぐらせる
Pugā
Chhetrī（女性）ほかの
Phariyā
布地の端を垂らすバージョン
布地の端を帯に挟み端を垂らすバージョン
Sārī
サリーは6m
ファリアやドティーは5m
Bāhunバージョン
薄いガーゼのような木綿地（白）
Thāruバージョン
バフンのより厚目の布
長さは同じだが巻き方がちがう
Dhotī（男性）
［長布巻き方色々］

［色々なブラウス］
赤系の布地
光沢のある東洋的花模様が多い
Thāruの
Cholyā
（黒地縞模様）
ヒモには花を形どったフサがついている
Thakālīの Nokon
細かくギャザーの入った袴型
Tāmāngの Jāmā
Thāruの
Cholyā
（白地）
オールドスタイル
ヒモを回わして結ぶ
Thāru
（チトワン郡）
12枚の布を重ねたレンガ
黒地に赤のボーダー
Gurung
Muminge
（Gunyū）
Cholo
サリーに着るブラウス
Newār農民女性
黒地に赤色のボーダー裾
Hāku
-Patāsī
Thāru女性
Sattkī
白地
Chaubandī Cholo（女性）
色々な民族
中で2箇所結んでいる
布地の端と端をうしろにまわし交差させる
Sherpa男性の
シルクの白地や黄地が多い
3箇所に豆ボタン
Tetunga
Newār
かつては女児がはいた
Bhān
-tān
-lan
足首だけ出るスタイルのズボン
Lahangā
（前側のみ）ギャザーの隅をつまんで広げながら舞う
（赤地）
Limbūの
結婚儀礼の礼服
Limbūの
Meklī
どちらも袖が長い
Sherpa女性の
大概はシルク製
Syāmjār
Sherpa
女性の
Āngī
ワンピースの耳の部分をうしろで交差させひもでしばる
右腕だけ、左腕だけのそれぞれのワンピースを重ねぎし、ひとつのワンピースに見せている
を

トには財布や携帯電話を入れるのである。

グルン・マガル男性がマントのように纏《まと》うバングラも素晴らしい。1・5mほどの四角い布の四隅の角《かど》どうしを結んで二つの輪を作り、一方の輪に左腕と頭を、もう一方は背中側から回して右腕と頭をくぐらせ結び目どうしを胸前でクロスさせると、マントに見えた背中の重なり部分が品物や射止めた山鳥を入れたりできるリュックサックなっているという優れものだ。

カトマンドゥの西の丘陵のタマン男性はバングラを約2m長くしたような布プガーを身に着ける。バングラ同様二つの輪に腕と頭をくぐらせ今度は結び目を肩にもってきてノースリーブの膝《ひざ》丈ワンピースのようにして腰を帯で結ぶ。着付け方は同じなのに布の活かし方が全く違う。

東の中部山岳地域の先住民リンブーの婚礼着メクリーは、男女とも右袖の無いワンピースと左袖の無いワンピースを重ねて一着の服として着るという驚きの構造になっている。

日本と酷似するものもある。東ヒマラヤ地域のシェルパ女性のアンギは着物に、カトマンズ盆地のネワール農民女児のバーンターンランはモンペに、西ヒマラヤ地域のタカリー女性が履く細かいギャザーのロングスカート＝ノコンは股が割れていて袴《はかま》そっくりだ。

モンゴリアンとアーリアンそれぞれの要素と、独自性も持ち合わせたネパール装束文化は実に多種多様で到底書ききれたものではない。

かつて多くの山岳民族は気の遠くなるような手間を掛けシスヌ（＝ヒマラヤ・イラクサ）から繊維を取り出して布を織った。シスヌ地は強度・吸湿・速乾・皮膚疾患にも効能があるとされていた。先人の智恵が結集し理に叶っていて美しい、それがネパールの伝統的装束である。

X

伝統と信仰

55

ネパールのヒンドゥー教

★信仰と日常的慣習★

ネパールは時代時代でさまざまな国に分割され、いくつもの王朝によって統治されてきた。キラータ族に続き勢力を持ったのはリッチャヴィ族だった。リッチャヴィ族は北インドのヴァイシャーリーからやってきて権力の座に上りつめた。彼らがヒンドゥー教をネパールに持ち込んだのである。

彼らの統治が強固なものとなるに連れて、ヒンドゥー教もまたネパールに定着していった。統治者たちはそれを国教とした。仏教も尊重されはしていたものの、古代、中世、近代のいずれの時代も歴代の王家はすべて敬虔なヒンドゥー教徒だった。そうして、紀元1769年に国家が統一された頃、国民の圧倒的多数はヒンドゥー教を信仰するようになっていたのである。統治者たる王をヒンドゥー教の三大神の一角を占めるヴィシュヌ神の化身とみなすこの宗教のシステムも、ネパールにおけるヒンドゥー教の基盤を確固たるものとするのに寄与した。

インド亜大陸に生まれたヒンドゥー教は南アジア一帯、さらにはそれを超えて広がった。それは世界で最も古い起源を持つ宗教であると信じられている。ヒンドゥー教はインドに展開したいくつもの異なった習俗・伝統――ヴェーダの宗教、インダ

第55章

ネパールのヒンドゥー教

ス渓谷の宗教、ドラヴィダ人たちの伝統、部族信仰、ハラッパーの文化その他の地域信仰が統合されてできたもので、それらの統合体が後世にヒンドゥー教として知られるようになったのである。

この宗教には開祖もいなければ、教主もいない。「ヒンドゥー」という名称はサンスクリット語の「シンドゥ（Sindhu：川）」に由来しており、近代のヨーロッパ人たちが、その習俗・伝統の総体をインド亜大陸の宗教と記述しようとして、この「ヒンドゥー」という言葉を用いたのである。

この宗教は人生の四大目的であるダルマ（真理）・アルタ（成功）・カーマ（情欲）・モークシャ（解脱）やカルマ（業と因果を説くヴェーダの教え）とサンサーラ（輪廻）、創造神と多神教のシステム、聖典の権威などを教えている。信徒たちは日課儀礼としての五大祭や年に一度の祖霊祭、聖紐式や結婚式など人生の節目節目に行なわれる12もしくは16の浄行（サンスカーラ：通過儀礼）を勤修する。神を崇拝し、献身を捧げ、バラモン僧への喜捨を行ない、祭礼を挙げ、巡礼を行なう。

後世ヒンドゥー教の名で知られることになる、このような構成をもつ古代の宗教は、移住者アーリア人たちがヒマラヤ地域に移り住んだことに伴い、遠い昔にネパールの地に到来した。そこには少なくとも二つの別の経路があり、一つはガンジス平原への、他方はヒマラヤ地域へのものといわれている。かつてはヒンドゥー教を国教としていたネパールだが、現在は世俗国家であることを宣言している。ヒンドゥー教人口は圧倒的大多数を占め、１９５２年から１９５４年にかけて実施された第一回国勢調査では、総人口の89％をヒンドゥー教徒が占めたと言われている。この数字は２０１１年の第七回国勢調査では81％へと変わったが、それでもまだ大多数を占めている。とはいえ、ネパールのヒンドゥー教徒は他の宗教に対してとても友好的である。

玄関先に灯明を供養する婦人

参詣者の前でのプージャー（ダクシン・カーリー寺院）

インドのヒンドゥー教と違って、ネパールのヒンドゥー教には党派意識が薄く、信仰の面でも十分に寛容で自由主義的である。こうした形態のヒンドゥー教は「スマールタ・ヒンドゥー教」（Smārta Hinduism：聖伝 smṛti である『家庭経』の規定に従う宗派）と呼ばれている。ネパールのスマールタ・ヒンドゥー教徒たちは、シヴァ（自在神）、ヴィシュヌ（維持神）、ガネーシャ［ガネシュ］（吉祥神）、シャクティ（女性神）、スールヤ（太陽神）という五神を尊び、プージャー［プジャ］（花・水・香・灯明・バターなどをお供えする礼拝供養）および日々の日課儀礼と通過儀礼とを各自の家庭で行なうことに重点をおいている。

バラモン僧は通過儀礼を行ない、さまざまな機会に祭式を司って、信徒の一族（檀家）をヒンドゥーの定めに沿って導く。人々を儀式や宗教的な行為に導くのが家庭僧の勤めとされており、その返礼として、檀家は特別な食事や妥当な額の謝金その他の物質的な贈り物を司祭に提供する。

司祭の多くはヒンドゥー教の哲学的、文献的な伝統について疎く、ほとんど知識を持ち合わせていないため、儀礼の式次第は司祭によってまちまちとなる。宗教的な知識がどの程度のものであれ、儀礼を行なわない人のいないヒンドゥー教徒の社会において司祭階級は尊敬を集める地位に置かれている。司祭階級はバラモンからなる職業集団で、彼らはヒンドゥー教の司祭として働くためにサンスクリット語とヴェーダの祭式を学び、カーストの序列の最上位を占める。司祭は通過儀礼や宗教儀式、またプラーナ（神話・古伝承）その他のヒンドゥー典籍に基いて宗教儀礼の解釈を述べる講話の場でパトロンや一般信徒を指導することが期待されている。彼らは個々人と神とを仲介するのであり、両者の接触は、マントラの詠唱を通じて具現化される。高いレベルまで学んであらゆる儀礼を執り行なうことのできる司祭もいる一方で、通過儀礼だけを行なうことが許されている司祭もいる。講話や読誦儀礼の導師には高度な素養が要求されている。

さて、今日では多種多様な民族が混在しているものの、本来のヒンドゥーが、バラモンおよびクシャトリヤとネワール族の一部、そしてアーリヤの不可触民であることは銘記しておきたい。1769年のシャハ王朝の登場でネパールは文化・習俗の面でも同質化に向かうが、その際、他の諸宗教も平等に扱われはしたものの、王権はヒンドゥー教を用いたのだった。ヒンドゥー教の教理が非ヒンドゥーの民にも浸透していることは、この国に宗教的・文化的な混成をもたらし、土着の社会を大きく変容させたのである。

ネパールのヒンドゥー教徒の生活においてもう一つ注目しておきたいのは、宗教的・民俗的な祭礼である。祭礼は総じてどこで行なわれているものも大体同じなのだが、そうしたなかで二、三のヒンドゥー教の祝祭だけが独自の地域色を備えたものとなっている。ヒンドゥーの宗教的・民俗的な祝祭や催事についてここで紹介しよう。

ヒンドゥー教徒だけでなく、仏教徒や他の民族も沢山の祭典や祝祭を持っていて、ネパールのいろどり豊かな文化的伝統を形成している。

ネパールには宗教的にかなり重要なヒンドゥー寺院が多くあるが、それらのほとんどがそれぞれの本尊に因んだ年次の祭礼を行なっている。重要なヒンドゥー聖地としては

○シヴァ寺院：ネパールには信徒がプージャーを行なっている現役の大小さまざまな何百ものシヴァもしくはバイラヴァの寺院がある。カトマンズのパシュパティナートはなかでも重要なシヴァ寺院の一つ。

○ヴィシュヌ寺院：カトマンズ盆地にはチャング・ナラヤン（ナーラーヤナ）、イチャング・ナラヤン、ヴィシャンク・ナラヤン、シェーシュ・ナラヤンという四つの有名なヴィシュヌ寺院がある。

○ガネーシャ寺院：カトマンズ盆地には四つの大きなガネーシャ寺院がある。その他、国内の至る所に大小さまざまな何千というガネーシャ寺院がある。ガネーシャは招福除災の神とされるため、彼の寺院は最大数を誇っているのである。ヒンドゥーのプージャーはすべて、この神格への供養と祈りから始められる。

○シャクティ寺院：カトマンズ盆地では八母神の信仰が非常に人気。この八母神はヒンドゥーと仏教とで共通している。

○聖域（川・池・森）：これらは崇拝をうける聖地と見なされており、ヒンドゥー教徒にとっては聖なるものである。

インドからの参詣者も多く訪れるパシュパティナート寺院

ホーリーを楽しむ人々

聖地を祀ることに加えて、祝祭の祭礼もヒンドゥー教徒にとっては宗教行為の一環であり、同様に重要である。祝祭の祭礼は太陰暦に沿って一年を通して祝われる。ネパール・ヒンドゥー教徒の大きな祭礼には次のようなものがある。

バイシャーカ（バイサク）月の新年祭、グル・プールニマー〔父母の日、教師の日〕、ナーグ・パンチャミー〔蛇祀り〕、ジャナイ・プールニマー〔聖紐の日〕、ジャンマ・アシュタミー〔クリシュナ生誕祭〕、ティージュ〔女性の日〕、ダサイン〔勝利の日〕、ティハール〔烏・犬・牝牛・雄牛および兄弟のお祭り〕、サラスワティー・プージャー〔弁財天祭り〕、シヴァ・ラートリー〔シヴァ神の夜〕、ヴィヴァーハ・パンチャミー〔ラーマの結婚の日〕、ホーリー〔色の祭り〕

これらの祭りとは別に、小規模な祭りや民間の祭りもある。

ネパールのヒンドゥー教は伝統的に鷹揚さを特徴としており、その宗教的信条は本性として習合的である。人々は寺院についても尊格や祭り等々についても、常に複数の伝統が重なり合い共存する環境のなかに暮らしている。ネパールのヒンドゥー教は原理主義の対極にあるものなのである。

（シャンカル・タパ／佐々木一憲 訳）

56

ブッダの故郷を探して

——★激動の時代を経て生まれた先駆的なブッダ思想★——

ネパールの人口約2900万人のうち約80%はヒンドゥー教で、ブッダ教は10%ほどであるが、相互に影響し合い共存している。従来ヒンドゥー教が国教とされていたが、2015年9月に制定・公布された新憲法では宗教の自由が明記された。

ブッダは紀元前623年頃（時期に関しては諸説あり紀元前7世紀から6世紀頃）に、現在のネパール南部のルンビニでシャキア（漢語表記「釈迦」）部族王国の王子シッダールタとして誕生し、29歳までカピラヴァストゥ（カピラ城、「ヴァストゥ」は「城」を意味）で育った。シッダールタは、悟りを開き〝ブッダ〟となり、ブッダ教の基礎となる思想を築いた。〝ブッダ〟は、サンスクリット語で〝賢者、または悟りを開いた者〟を意味し、漢語音写で「仏陀」と表記され、また「釈迦」族の王子であったことから「お釈迦様」の名で親しまれている。

ブッダの生誕地がルンビニとされる根拠は、アショカ王の石柱（アショカ・ピラー）が同地に遺跡として残っていることである。1896年12月、インド北西州等の考古学調査官フューラー博士がネパール政府の許可を得て、ルンビニにおいて「アショカ・ピラー」を発掘した。碑文には「シャキアの賢者ブッダがここに誕生した」とブラーフミー文字で刻まれている。

ブッダが誕生した紀元前6、7世紀頃、インド地域には「十六大国」が割拠していたが、ブッダが活動拠点としていた十六大国の一つであるマガダ国は、マウリヤ王朝のアショカ王（在位紀元前268～232年頃）の時代に、現在のネパール南部を含め、インド全域をほぼ統一したとみられる。しかしアショカ王は「カリンガの闘い」で大量の殺戮をしたことから、その報いを恐れ不戦と不殺生を誓い、ブッダ教に深く帰依し、ブッダゆかりの地をくまなく巡り、生誕地ルンビニなどに石柱を建立した。ルンビニは、ネパール南部タライ平野にあり、インド国境から北5㎞ほどのところで、ブッダの属するシャキア部族王国と同種族のコーリヤ部族王国との憩いの場、交流の場となる王園であったと言われている。

当時、出産は母の実家で行なうことが慣例であったので、母マヤ・デヴィ〔「デヴィ」は「王妃」の意〕

ありし日のルンビニの主要遺跡：上から「アショカ・ピラー」「沐浴したとされる池と上屋」その下の「マヤ・デヴィ寺院」

カピヴァラストゥ城址、正門と城内

ゴティハワとニグリハワのアショカ・ピラー

クダンの僧院遺跡

はカピラヴァストゥから故郷であるコーリヤ王国に向かう途中、王園であるルンビニでシッダールタ王子を出産した。ルンビニから西に約25kmのティラウラコート村にシャキア王国の城都カピラヴァストゥとされる城跡がある。城址は、概ね東西に400m、南北に520m位の規模である。

城址の周辺には二つの仏塔（ツイン・ストゥーパ）の他、半径15㎞ほどのところに二つの石柱（ゴティハワとニグリハワ）があり、アショカ王が何度もブッダの郷里に足を運んだ跡が残されている。また悟りを開いてブッダとなった後、父王スッドーダナと再会したクダン遺跡などがあり、ここがシャキア王国の城跡であることを裏付ける「古代ブッダ文化地帯」とも言うべき遺跡群があり、発掘と保存が期待される。

しかし、国境をまたいだ北インドのウッタル・プラデーシュ州ピプラワにもカピラヴァストゥとされる遺跡がある。さらにその南東1㎞ほどのガンワリアに「パレス」と表示されている遺跡がある。そこは城壁も無く、大きな仏塔（ストゥーパ、日本ではこれが卒塔婆に形を変えた）を中心とする僧院群である。

これらは貴重なブッダ関連遺跡ではあるが、カピラ城址とは映らない。では、真実は何処にあるのか。ブッダが育ったシャキア王国が「ヒマラヤ南麓」に築かれたとの記録はあるが、その居城カピラヴァストゥの所在地については、それ以上詳細な記録は無い。ブッダがシッダールタ王子として青年期まで過ごしたカピラヴァストゥはネパールのものかインド側のものか、未だに両国間で問題となっており、両国間では決着していない。

とはいえ西暦5世紀に中国の僧侶法顕《ほっけん》がブッダの聖地を訪問し、さらに7世紀には玄奘《げんじょう》が訪問した。法顕は『仏国記』、玄奘は『大唐西域記』を残した。

特に法顕は仏国記の「カピラヴァストゥ城」の項で城跡の様子を記述し、「城の東50里に王園がある。王園の名は論民（ルンビニのこと）という」と記述している。中国の「里」を換算し、ルンビニを基点

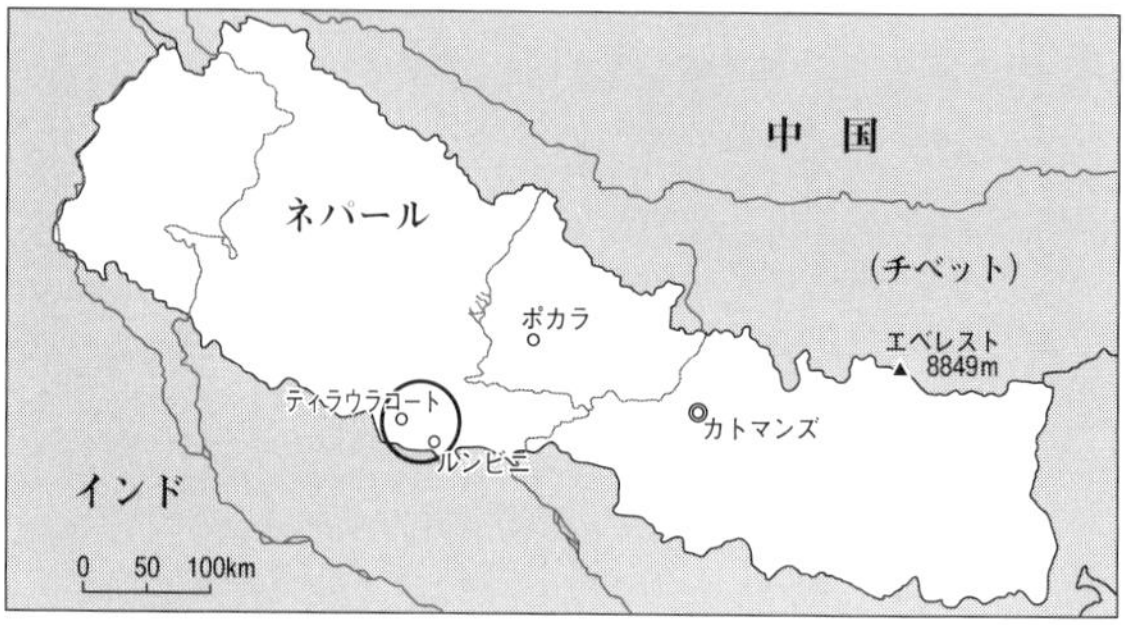

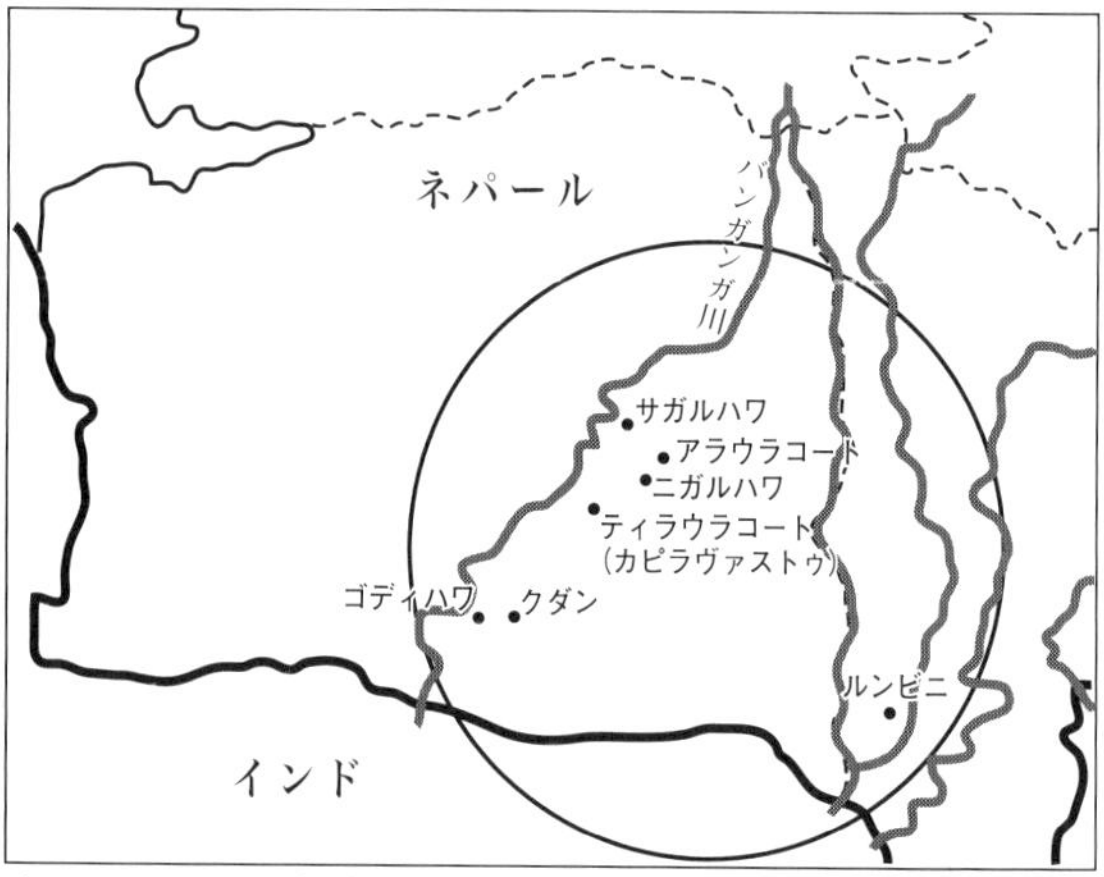

ネパールの地図(上)と、ルンビニ・ティラウラコート(カピラヴァストゥ)周辺遺跡群(下)

とすると25km西に「カピラヴァストゥ城」があることになる。実際に丁度そこがティラウラコート村で城跡がある。これこそがカピラヴァストゥに関する歴史上残された最も信頼できる記述である。

玄奘もカピラヴァストゥを訪問しているが、『大唐西域記』の「カピラヴァストゥ国」の項では、「国」として記述している。玄奘の場合、法顕の同地訪問後200年以上も経過していたので、別の場所に案内された可能性が高い。

これらの事実は、カピラヴァストゥ城址およびその周辺の諸遺跡の発掘により明確になっていくであろう。

第56章
ブッダの故郷を探して

シッダールタ・ゴータマ王子（ゴータマは氏姓）は、悟りを開いてブッダとなる前は、29歳までカピラヴァストゥで何不自由なく生活していたが、王宮外で貧しい生活を強いられ、あるいは病、老、死に悩む多くの村民を目の当たりにし、悟りを極めるため修行することを決断し、王宮を出た。

インド北西地域には、紀元前２０００年頃からアーリア人がイラン高原を経由して長い年月をかけて大量に流入し、先住民との熾烈な抗争を繰り返しながら南東方向に浸透した。そして紀元前10世紀頃からインダス川東岸の先住民との融合が始まった。ブッダの時代は「十六大国」が存在し相対的な安定期と言えようが、部族間の抗争は継続しており、未だ流動的な時代にブッダ思想が生まれた。インド亜大陸が統一されたのはその後7世紀以上も経てから、マガダ国マウリヤ王朝時代のアショカ王の頃だった。

このような時代背景の中でシッダールタは、各所で問答をしつつ、南東に向かいマガダ国（現在のビハール州）に入り、城都ラージャグリハ（現在のラージギル）からブッダガヤに行き、数名のバラモン教の修行者と共に諸欲抑制の苦行を6、7年行ない、限界的な断食瞑想に入り、遂に悟りを開いた。

ブッダはまず、過度の抑制をしても解脱は困難と悟り（中道の法）、生きることを前提に悟りを完成させた。ブッダの基本思想は、生まれや地位にとらわれない人類平等であり、病・老・死への取り組みや不殺生などであるが、これらは時代とともに掟や宗教、そして民主主義的思想や福祉思想の根源となり、国家が組織化されるに従って法律、制度となっていった。今日の世界でも多くの諸国の制度、法律の根底にあり、広く認識されている先駆的な思想である。

シッダールタは「ブッダ」となり、マガダ国と隣国のコーサラ国（現在のインドのビハール州とウッタル・

プラデーシュ州）の間を説法して回り、故郷であるカピラ城周辺にも何度も足を運んでいる。80歳まで説法を続け、クシナガル（現在のインド側ウッタル・プラデーシュ州に位置）で故郷のある北西に向けるよう床を敷かせ、故郷に思いを馳せながら入滅した。

ブッダの教えはその後弟子たちにより口伝えで広められたが、解釈が異なったことから100年後、さらに200年後くらいに文章化されサンスクリット語の経典等として編纂されたとも言われている。この教えが、西のアフガニスタン地域、そして一方で中国等にもたらされ、他方でアーリア人（ヨーロッパ・インド語族）のルーツである西方にも伝播したとみられる。中国にもたらされたこの経典類は、西暦4世紀頃から、西域出身の通訳や僧により本格的に漢語に翻訳されたが、「仏陀」などサンスクリット語が漢語で音表記（音写）された部分も多い。

こうして中国で編纂された経典などは、朝鮮半島を介して、西暦6世紀頃日本にも伝来したのである。

（小嶋光昭）

参考文献
小嶋光昭 2011『お釈迦様のルーツの謎——王子時代の居城カピラヴァストゥは何処に？』東京図書出版会。
Kojima, Mitsuaki. 2015. *The Mystery over Lord Buddha's Roots*. New Delhi: Nirala Publications.

ルンビニとティラウラコートの最新調査

――釈迦族の王城はどこか？

村上東俊　コラム6

　釈尊生誕の地ルンビニと釈迦族の王城カピラ城跡として有力視されているティラウラコートに対する保護と管理を目的としたプロジェクトが、ユネスコの主導により2010年から開始されている。このプロジェクトの考古学調査は、ロビン・カニンガム教授（ダラム大学）とネパール政府考古局前局長コシュ・アチャールヤ氏が中心になり、ネパール政府考古局・ルンビニ開発トラスト・国内外の多数の機関が協力し、2021年3月まで継続の予定である。

ルンビニ発掘　右：カニンガム教授　左：アチャールヤ氏（提供：UNESCO Chair, Durham University）

　一次調査（2010〜13年）ではルンビニを対象とし、二次調査以降はティラウラコートをメインに「大ルンビニ・エリア」（GLA）と称するルンビニを中心とした東西約60㎞の圏内に点在する11箇所の仏教遺跡にまで範囲を広げて、過去に例を見ない大規模な調査を展開している。

　まず、ルンビニの調査では、釈尊の母である摩耶夫人（マヤ（マーヤー））の名を冠したマヤ堂において、1990年代に全日本仏教会が中心となって行なった調査を踏まえながら、さらなる発掘調査を試みている。そして、アショカ（アショーカ）王以前の建造物の柱跡を発見して、

アショカ時代のマヤ堂復元図（提供：UNESCO Chair, Durham University）

最初期のマヤ堂は聖樹を祀り、周辺を木材のフェンスで囲った祠堂（Timber shrine）であると結論した。また、マヤ堂の中心部で出土した木片の炭素測定により、紀元前6世紀中頃には祠堂が存在したと考えられることから、釈尊滅後に仏教徒によるルンビニへの巡礼が始まったと推測して、仏滅年代を紀元前543／544年とする南伝説を支持し、考古学的見地から初めて釈尊の生存年代に関する見解が提示されたことは特筆すべき点である。

宮殿跡と推定される堅牢な北門（提供：UNESCO Chair, Durham University）

次に、ティラウラコートでは、まず予備的な調査（2012～13年）として遺跡の南端からほど近い鉄の精製所と目されるマウンドにおいて、土壌調査や大量のスラグ（鉱滓）を採取し、鉄の生産活動が紀元前4世紀頃に始まったと推定した。加えて、1962年にインドのデバラ・ミトラ女史による北側城壁発掘の再検証も行なわれた。ミトラ女史が、ティラウラコートを紀元前2世紀以前に遡る遺跡ではないとの主張をしたのに対して、今回の再発掘では北側城壁の煉瓦層の下から9個の柱跡を発見し、紀元前6世紀にはティラウラコートの城塞化が始まったと結論づけ、釈尊の時代に遡る遺跡であることを証明してミトラ説を否定した。

二次調査（2014～17年）に入ると、ティラウラコートと周辺遺跡を対象に磁気探査を行なって遺跡の全体像が初めて明らかにされた。それによれば、ティラウラコートは東西と南北を走る複数の道路によって区分され、建物・住居・貯水タンク・祠堂・広場などが計画的に配置されていることが確認された。これは南アジアにおいて最も初期に計画的に整備された城塞遺跡であると考えられている。また、人間の定住時期に関しては、サマイ・マイと呼ばれる祠堂の北側の発掘で約20個の柱跡を発見し、紀元前8世紀と推定している。

ティラウラコート全体図　遺跡内の城壁・遺構・道路などが明らかに（提供：UNESCO Chair, Durham University）

さらに、ティラウラコート中央部に東西100m・南北100mの四方が壁で囲われた巨大建造物の存在が明らかになった。この建造物は5世紀にこの地を訪れた法顕が「白浄王の故宮」と称し、7世紀の玄奘が「浄飯王の正殿」と記録した宮殿跡に比定されるものであり、今回のハイライトともいうべき発見であった。

また、ティラウラコートの東門からほ

サマイ・マイ北側で確認された約20の柱跡（提供：UNESCO Chair, Durham University）

ど近いカンタカ塔と呼ばれる仏塔南のエリアにマウリヤ期に遡る大規模な僧院跡の存在も明らかになり、そこでは約５００枚のパンチマークコイン（銀貨）が出土している。三次調査（２０１８年〜）に入ると、このカンタカ塔への調査が本格的に開始された。

以上の如く、プロジェクトは未だ継続中であり、最終的な報告が待たれるところであるが、これまでに得たさまざまな考古学的発見は、我々に通説を問い直す新たな情報や視点を提供している。そして、ティラウラコートがカピラ城である蓋然性は高まっており、今回のユネスコによる調査が釈迦族の失われた王城の解明に大きな光を当てていることは間違いないであろう。

壺に貯蔵された状態で出土した約500枚のパンチマークコイン（提供：UNESCO Chair, Durham University）

【参考文献】
Coningham, R.A.E. et al. 2013. "The Earliest Buddhist Shrine: Excavating the Birthplace of the Buddha, Lumbini (Nepal)" *Antiquity* 87 (338).
村上東俊２０１６「ティラウラコットにおける近年の考古学調査について」『印度学仏教学研究』65巻1号。

57

景観を読み解く

★『王統譜』が語るカトマンズ盆地の成り立ち★

ネパールの玄関口、トリブバン空港に降り立つと跪坐するガルダ像が迎えてくれる。街中のいたるところに顔をのぞかせる仏塔や寺院など、この国随一の文化都市カトマンズに足を踏み入れた者はその瞬間からその独特の景観のうちにさまざまな文化的ないとなみの歴史を感じることになるだろう。一体どのような人々の営為が、ヒマラヤの山々に抱かれたこの盆地に、これほどの世界的にも稀な景観を生み出したのだろうか？

カトマンズ盆地の古都バクタプルの景観

トリブバン空港のガルダ像

我々はそのヒントを「王朝王統譜」(Vaṃśāvalī：以下『王統譜』)とよばれるジャンルの文献群から得ることが出来る。『王統譜』はカトマンズに都した歴代の王朝の代々の王の事績を綴ったもので、そこにはこの国が、カトマンズ盆地の開闢から、世々代々どのような王の

文殊菩薩が排水のため開鑿したといわれるチョーバールの谷

治世を経て今日に至っているのかということが、大まかな時間軸に沿って濃淡さまざまにつづられている。我々は、この『王統譜』において、ヒンドゥー教と仏教とが融合したカトマンズという文化空間がどのように形成されてきたのかということを、代々のネパール王の記録に直接尋ねることができるのである。では実際のところカトマンズのさまざまな建築物や文化・習俗はどのように読み解くことができるのだろうか。二、三の例についてそのいわれを『王統譜』の記述の中に辿ってみよう。

カトマンズ盆地はヒマラヤの山間にできた盆地の一つに過ぎなかったものの、インドとチベット、さらにはその先の中国を結ぶ通商路の中間地点に位置するという立地の妙で、さまざまな文物の集まる文化都市として発展を遂げることとなった。古くは「ネパール」といえばこの盆地のことのみを言い、また盆地の中では、外から来た者を「外国人」(videśī)と呼んでいたということからも、この都市がこの地域一帯の中核となっていたことを窺い知ることができる。

さて、古い民間伝承によればそのカトマンズ盆地も太古には龍が住み、人を寄せ付けない大きな湖であったと言われている。『王統譜』は冒頭、カトマンズ盆地の開闢の様子を伝える一節を設けて、湖が人の住む盆地となった経緯を以下のように伝えている。

何万年も昔のこと、この湖は神龍がすみ、仏陀や天人たちが身を清める沐浴池であった。あるとき湖の西の端に浮かぶ小さな島に、ヴィパシー仏が蓮の花の種を植えた。種は芽吹き、やがて千の花弁を備えた花が咲いた。その花の上に、「自ら生じた輝き」（スヴァヤンブー・ジョーティルーパ）が現れた。この光から東西南北と上方に五色の光が放たれ、それぞれから五仏が現れた。

さて、この出来事を聞きつけて中国の五台山から文殊菩薩がやってきた。文殊菩薩はその神々しい光景を目にすると、湖を自力で渡ることができない人間たちにもこの光を見せてあげたいと考え、湖の水を抜くことにした。

文殊はナガルコートの山々に腰かけると右手の剣を振り下ろした。すると湖の水は剣の一撃で深い谷となったチョーバールの丘から盆地の外に流れだし、やがて湖底が顔を覗かせた。こうして湖は人が住める肥沃な湿原となった。

文殊菩薩はここに人を住ませ、ダルマンカラという人物を彼らの王として据えた。文殊は彼らに仏教の伝統を伝え、学問・技能を教えて文明化した……


カトマンズ盆地に今も残る見事な建築物や文化財の数々を作り上げたネワール族はここに語られる文殊が住まわせた最初の住人の子孫であると信じられていて、それがこの地の発展の礎が仏教徒によって築かれたとする伝承に繋がっているのだが、その根拠は『王統譜』のこの箇所に認められる。このようにして、カトマンズに特徴的な文化的景観のいわれのほとんどはその根拠を『王統譜』に辿ることができるというわけである。

ボーダナート周辺では「オーム・マニ・ペーメー・フーン」という観音菩薩のマントラをよく耳にする。カトマンズ盆地の周辺には当初、さまざまな民間信仰があったと伝えられているが、それがチベット建国に関わる仏教の尊格である観音菩薩の信仰のもとに糾合されていったと考えられている。

さて、その観音菩薩だが、ネパールでは雨と実りをもたらす尊格として知られている。カトマンズ盆地は雨水と肥沃な農地に恵まれた豊穣な土地であることを誇りとしてきたが、その豊かな恵みも、観音菩薩が盆地に止住しているためにもたらされていると信じられているのである。

観音止住のいわれについて『王統譜』は、リッチャヴィ朝のバラデーヴァ王（実在は未確認）の時代に起こったとされる、12年もの間続いた大旱魃に因んだ逸話として伝えていて、観音菩薩は、旱魃に苦しむ住民を見かねた前王ナレーンドラデーヴァと密教僧バンドゥダッタが命懸けでアッサム地方から招請してきたものと信じられている。12年に一度の大祭では高さ10mになんなんとする山車が盆地を練り、山車を引く人、見物する人で町中が大変な盛り上がりを見せることで知られるブンガマティのラタ・ジャトラ（山車巡行）祭は、盆地に観音菩薩を迎え入れた時の様子を再現するものである。

さて観音菩薩はその『王統譜』の逸話のなかで、ヒンドゥー教徒が信仰する聖者マツェンドラナートと習合されている。マツェンドラナートは後述するゴルカ王朝の尊崇する聖者ゴーラクナートの師とされる聖者であり、そのことに因んでゴルカ王家は観音菩薩の招請を祝う仏教徒の祭典の一つであるラタ・ジャトラを国の公式行事としたのだが、ここにも王家の宗教であり国民の大多数も信仰するヒンドゥー教と、盆地文化の主導的な役割を担ってきたネワール族に多い仏教という両者の融和を図るネパール人の知恵をみることができるだろう。

さて、ヒンドゥー教と仏教、王家と民衆の融和の工夫をしめすもっとも象徴的な存在といえばクマリをおいてほかにない。『王統譜』はカトマンズ盆地が太古からシヴァ神の聖地でもあったことを伝えている。国際空港のすぐ近くにあるパシュパティナート寺院こそがその聖地であり、今日も世界中から多くのヒンドゥー教徒の巡礼者を集めている。14世紀のジャヤスティティマッラ王はカーストを仏教徒にも導入し、ネパールのヒンドゥー化を強めるものの、ヒンドゥーの社会体制を強要するこの動きは仏教徒の反発を招き、両者の融和が喫緊の課題となった。このような時代背景のもとで語られるのが、マッラ王朝最後の王ジャヤプラカーシャマッラ時代のこととされるクマリの逸話である。

　マッラ王朝はタレジュと呼ばれる、西インドのトゥルジャプルに顕現したドゥルガー女神の化身を王家共通の守護神としているが、あるとき王が女神との約束を破り、女神がへそを曲げてしまうという事態が起こった。王は平身低頭ひたすらに謝り、女神も一応これを許すものの、完全には許さない。その後は直接王の前に姿を現すことをやめ、仏教徒カーストであるシャーキャ（サキャ）の家系に生まれる幼女に宿ることとした。ここに説かれる女神の宿った幼女というのがクマリである。

　これにより、ヒンドゥーの王が仏教の在家信徒シャーキャの少女を礼拝するという状況が生じることになる。ネパール最大の祭典の一つであるインドラ・ジャトラ祭は、こうした状況下での王の女神との謁見の様子を再現するものである。

バクタプル王宮入口の門に掲げられた女神タレジュ

　ところでこの王は結局女神に見限られてしまうことになる。『王統譜』は女神が彼に代わる統治者として山地民の王を指定したと伝えている。このエピソードが、山地民のゴルカ王が１７６９年のインドラ・ジャトラ祭の日を選んでカトマンズを征服し、王朝交代を実現したことに託《かこつ》けたものであることは明らかだろう。

山地民ゴルカの王宮

『王統譜』は南アジア圏によくみられる歴史書の作り方で、ネパールでも各時代にさまざまなものが編纂されたようだが、そのほとんどは散逸して、現存するものは最後のゴルカ王朝期に作られたものが大半を占めている。近代になって、そうした『王統譜』のいくつかが、ヨーロッパ人による合冊と学問的な編集を経て一冊の本にまとめられ、ネパールの歴史書として出版されたのだが、ここまで見てきて分かるように、それは客観的な史実を記した純然たる史書ではない。むしろ、我々が今日現地で目にする姿の由緒や縁起を綴ったものとみる方が事実に近い。

ネパールの歴史情報の宝庫ともいえるこの『王統譜』だが、近年ドイツのグループが厳密な校訂を加え翻訳し直しているのに対し、全体が日本語に訳されたものは残念ながらまだ出版されていない。翻訳が待たれるところである。

（佐々木一憲）

参考文献

Bajracharya, M. and A. Michaels (eds). 2015. *History of Kings of Nepal: A Buddhist Chronicle*. Kathmandu, Himal Books.

佐々木一憲 2017「カトマンズ――ネワール族が支えたヒマラヤ山中の文化・芸術の町」『地図中心』543号、日本地図センター。

58

伝統が残る唯一の場所

★儀礼の中に生きるサンスクリット経典★

19世紀後半、イギリスの在ネパール駐在員であったホジソン（1800〜94）は、カトマンズにて大量のサンスクリット写本を見出した。インド本土においては13世紀初頭に仏教の伝統が途絶えていたことから、この「発見」はその後の近代仏教学の発展に大きく寄与するものとなった。ただし、ネパールに今も生きるサンスクリット語による仏教の伝統は、インドで失われてしまった仏教の伝統そのものをそのままに伝えるものではない。歴史的に見てネパールにおける仏教の伝統はその地で変容を遂げ、「ネワール仏教」（Newar Buddhism）という独自の宗教文化を発展させたものである点に注意が必要である。

ところで、現在世界に存在する伝統的仏教を、その使用言語という点から分類した場合、サンスクリット語を使用している仏教が行なわれている地域とは、具体的にはネパールのカトマンズのみということになる（図表1参照）。つまり、ネパール独自の仏教であるネワール仏教は小規模ながらも、伝統的仏教世界の全体から見て、サンスクリット語による仏教の伝統が生きる唯一の地としてきわめて貴重なものであることがわかる。

図表1　現存する伝統的仏教

- 上座部仏教
  - パーリ仏典圏（スリランカと東南アジア：ミャンマー、タイ、ラオス、カンボジアとその周辺）
- 大乗仏教
  - サンスクリット仏典圏（ネパール）＝ネワール仏教
  - 漢訳仏典圏（中国の大半、台湾、ベトナム、朝鮮半島、日本）
  - チベット訳仏典圏（チベット自治区を中心とした青海省、四川省・甘粛省・雲南省の一部、ブータン、モンゴル、ロシアの一部、インド北部のラダック地方）

出典：馬場紀寿 2015「パーリ仏典圏の形成――スリランカから東南アジアへ」新川登亀男（編）『仏教文明の転回と表現――文字・言語・造形と思想』勉誠出版、p.2-32 に「サンスクリット仏典圏」を追記して作成。

ネワール仏教の特色として、「九法」（ナヴァ・ダルマ、またはナヴァ・グランタ）と三宝マンダラ供養をあげることができる。ナヴァ・ダルマとは九つの法を、またナヴァ・グランタとは九つの典籍を意味する。つまり九法とは九つの大乗経典を指し、それは仏法僧の三宝マンダラのうち、法マンダラを内実とするものである。この儀礼において、九つの経典のうち、『八千頌般若経』が中央に置かれ、残りの八つはその四方四維に配される。ネワール仏教僧（ヴァジュラ・アーチャーリヤ）は、儀礼において仏法僧の三宝に帰依することを表明するとともに、三宝マンダラを描く、もしくは観想する。この三宝マンダラは、ニティヤ・カルマと呼ばれる日常勤行から、ヴラタ祭など、種々の複雑な儀礼にまで用いられる。例えば、ニティヤ・カルマとは本尊供養の伝授を受けた人が毎日早朝に家の中で行なわなければならない儀礼であり、その儀礼において根本マンダラとしてグルマンダラの供養を行なうが、それに先立って三宝に帰依し、自身を浄化するために三宝マンダラの供養が行なわれる。その際、八幅の三宝マンダラを実際に描くか観想し、尊格の真言を唱えながらそれぞれの尊格に華を捧げるというものである（スダン・シャキャ「ネパール仏教における三宝帰依と三宝マンダラ――梵語及び梵語・ネワール

図表2　新旧二種の九法（法マンダラ）

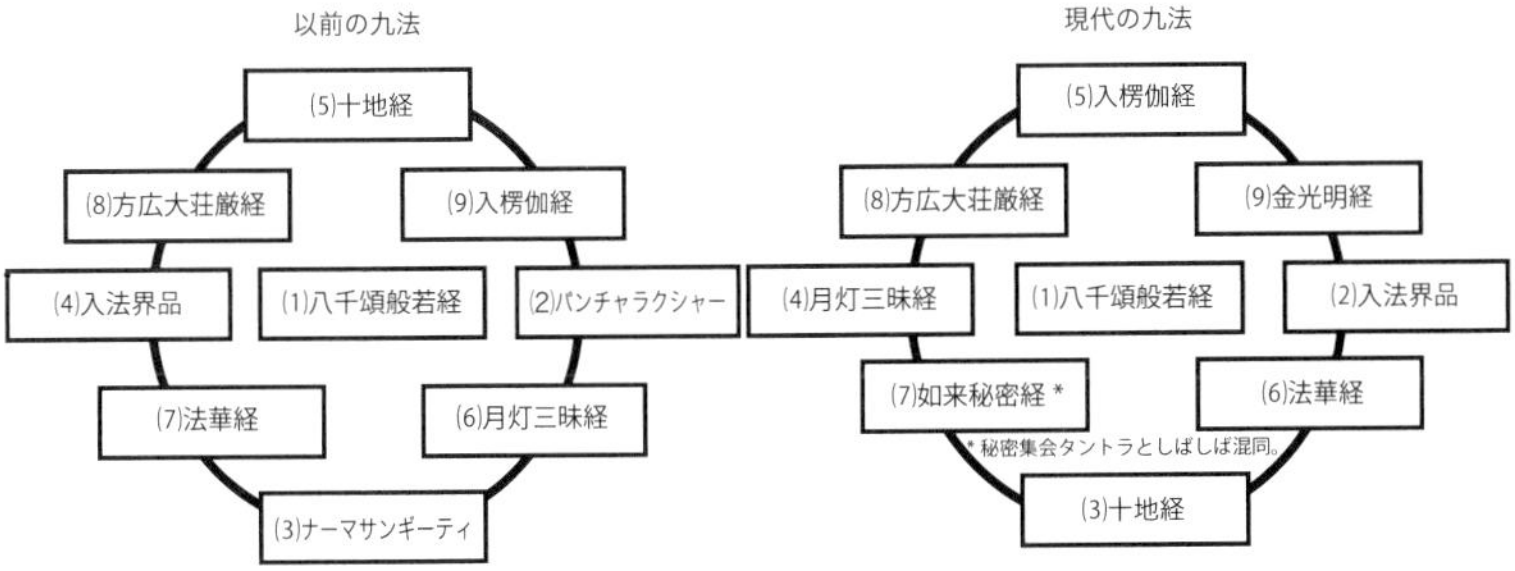

出典：Tuladhar-Douglas, Will, *Remaking Buddhism for Medieval Nepal: The Fifteenth-century Reformation of Newar Buddhism*. London: Routledge, 2006, p.145 に基づき作成。

語混成資料を中心に」『密教学』第51号、2015年、211〜227頁より）。なお、九法は歴史的に次のように変遷したことが指摘されている（図表2参照）。

さて、新旧それぞれの九法において、変わらずその中心に位置づけられるのが『八千頌般若経』（般若心経や金剛般若経など、数ある般若経の一種）であり、この経典はかつてインド仏教において広く流布し、現在もチベット仏教やネワール仏教で読誦されるものである。そしてこの経巻がラリトプル（パタン）市のクワ・バハ（ヒランヤヴァルナ・マハーヴィハーラ、通称ゴールデン・テンプル）と呼ばれる仏教寺院にあり、それがほぼ毎日読誦されている。印象はやや異なるが、日本の伝統仏教において漢訳された般若心経の読誦や大般若経の転読が行なわれている点に類するものといえる。ただし、クワ・バハではサンスクリット語で般若経が読誦されていることになる。またクワ・バハの経巻は紺色に染色した料紙に金の絵具で文字を記した写本（ニーラパトラと呼ばれ、この形態は常用経典に多く用いられる）であり、これは日本の紺紙金泥経のイメージと重なるものである。ネワール仏教においては、施主（発

写真１　クワ・バハでの経典読誦の様子

写真２　ネパールに伝えられているサンスクリット写本（入楞伽経）（シャンカル・タパ・コレクションより）

願者）の要望に応じて、早朝、八人前後の僧侶が紺紙金泥文字の『八千頌般若経』を分担して読誦している（写真1参照）。経典を載せる小さな机の下には、各々燈明が置かれ、色とりどりの華等の供物が捧げられる。また読誦する僧侶たちの傍らでは、供養僧が、経典を載せる台の前で、燈明を灯し、真言を唱えながら華や米等の供物を捧げる。

これは、密教的供養法であるが、経典供養の伝統そのものは大乗経典の記述にまで遡るものである（佐久間留理子２０１９「般若波羅蜜女神の供養法等――インド・チベット・ネパール」小峰彌彦ほか（編）『般若経大全』春秋社、２８８～２９９頁）。また約3年に1度の閏月の1カ月間に限りこの儀礼は休みとなり、この間に『八千頌般若経』写本の修理作業を行なうことが知られるが、その修理作業の際には、インドで近年出版された同経典の校訂テキストをたよりに写本原典の文言を修正しているとの報告もある。

現在ネパールで行なわれている仏教には、ネワール族による伝統的な仏教であるネワール仏教のほか、古くからチベット仏教があり、また20世紀前半に受容されたテーラヴァーダ仏教（上座部仏教）がある。この中でも特筆すべきは、世界で唯一サンスクリット語による仏教の伝統を今に伝えるネワール仏教の存在であろう。近代以降、ネパールのサンスクリット写本はすでにその多くがヨーロッパやインド、日本へと流出している現状がある。そのようななか、ネパール・ドイツ写本保存計画や、世界宗教高等研究所（ニューヨーク）、そしてチベット高等中央研究所（サールナート）における写本の保存活動が進められてきた。日本では曹洞宗徳林寺（名古屋）の高岡秀暢師によるネパールの仏教文化の保存活動が進められている。

また近年ではネパール内部による保存プロジェクトとして、トリブバン大学シャンカル・タパ教授によるサンスクリット写本のデジタルデータ化が進められている。この活動の特徴は、寺院や個人宅における仏教儀礼の中に今も生き続ける経典のデジタル化を行なう点にある。文化を動態保存するという点で新しい試みとして注目される。

（庄司史生）

参考文献
田中公明・吉崎一美 1998『ネパール仏教』春秋社。
Tuladhar-Douglas, Will. 2006. *Remaking Buddhism for Medieval Nepal: The Fifteenth-century Reformation of Newar Buddhism*. London: Routledge.

コラム7

梵語写本

堀伸一郎

ネパールで伝承されてきた梵語写本の最大の特色は、大乗仏教を中心とする仏教文献の豊富さである。インドで仏教の伝統がいったん途絶えてしまったのに対し、カトマンズ盆地ではネワール仏教徒が今日まで連綿と梵語で仏教を伝え、多くの仏教文献が梵語写本という形で保存されてきた。ネパール写本は梵語で書かれた仏教文献の最大の供給源である。中央アジアやアフガニスタン・パキスタン等で発見された梵語写本は出土品でありほとんどが断簡であるが、ネパールの梵語写本は伝世品で完本が多い。高温多湿な気候のため写本の物理的劣化が速いインドに比べ、温和なカトマンズ盆地の気候条件のおかげで10世紀以前にも遡る写本が残されている。奥書に年代を記す最古のネパール写本は、西暦811年に作成されたヒンドゥー教文献『スカンダプラーナ』の写本であるが、書体から見て6世紀頃のものと推定される大乗経典『十地経』の写本もネパール国立文書館に保管されている。西暦879年10月20日を暦元とし、インドの太陰太陽暦に基づくネワール暦の成立後は、奥書で年代がネワール暦で記されるようになった。インドで一般的なヴィクラマ暦やシャカ暦が奥書で見られるようになるのは、ゴルカ朝がカトマンズ盆地を支配するようになった18世紀後半以降である。なお、ネパールで伝承された梵語写本は、すべてネパールで作成されたわけではなく、11～15世紀に東インドで作成された後、カトマンズ盆地にもたらされた写本も含まれている。東インドに由来する梵語写本は、奥書に見られる暦・地名・寺院名・王名等がネパール製写本と明らかに異なる。

コラム7

梵語写本

古い時代に作成されたネパール写本の筆記媒体は、加工したコウリバ・ヤシ（学名 *Corypha umbraculifera L.*）の葉である。ただし、コウリバ・ヤシの北限は北緯19度であり、内陸部ではなく海岸付近で栽培される。当然カトマンズ盆地では生育しないため、インドの臨海地域から輸入されていたものと考えられる。16世紀後半になると、媒体はヤシ葉から紙に移行した。写本に使われた紙は、数枚を張り合わせたやや厚いもので、両面または片面に防虫用に雄黄を成分とする黄色い塗料が塗られている。媒体が紙に移行した後も、筆記用具はペンと黒インクが引き続き使われた。表面が濃紺色の紙写本には、金色・銀色等のインクが使われる。写本のフォーマットもヤシ葉の形式が踏襲され、横長のものがほとんどである。ヤシ葉写本には一カ所か二カ所に穴があけられ、穴に糸を通して落丁・乱丁を防ぐ。紙写本には穴があけられることもあるが、穴のないものも多い。写本は二枚の木板に挟み、布に包んで保管されていることが多い。

ネパール写本で使われた書体は、インドのブラーフミー文字の流れをくむが、時代とともに変遷した。前述の6世紀の『十地経』写本は後期グプタ文字で書かれている。その後は、日本の梵字の原型でもあるプロト・シャーラダー文字（シッダマートリカーともいいネパールではリッチャヴィ文字と呼ばれる）とその発展形を経て、10世紀には、横方向の直線と波線が文字上部に見られるネパール文字（ネワール文字ともいう）の原型ができ上った。11世紀前半、東インドのパーラ朝下で開発された装飾性の強い書体は、ネパールでランジャナー文字と呼ばれ現代でも使用され続けている。11世紀中葉には、ネワール語でブジモル（「ハエの頭」の意）と呼ばれる上部の丸いかぎ型を特徴とする書体が登場し、17世紀頃まで使われた。ネパール文字、ランジャ

11 世紀中葉にインドのナーランダー寺院で作成され、後にネパールにもたらされた『八千頌般若経』梵語写本。ヤシ葉。ランジャナー文字。ロサンゼルス郡美術館（www.lacma.org）所蔵 M.72.1.20a-b（https://collections.lacma.org/node/238275）

ナー文字、ブジモル文字の三書体は同時代に並行的に使われた。北インドで使われるデーヴァナーガリー文字で書かれたネパール写本は比較的新しいものが多い。

カトマンズ盆地で作成された写本は、古い時代は梵語写本のみであるが、時代が下るにつれて筆写者の母語でもある現地語、ネワール語の写本が増加する。梵語写本の奥書も、古くは梵語で書かれていたが、徐々にネワール語で書かれることが多くなった。ネワール語写本で使われる文字は梵語写本と全く同じ複数の書体であるが、ネワール語には独特の表記法がある。例えば、-e/-ye/-ya, -o/-vo/-va, kh/ṣ, r/l, ś/s などが区別なく表記される。このようなネワール語の表記法が、時代が経るにつれて梵語写本の表記にも使われるようになるため解読の際注意が必要である。

ネパールで作成された写本は現在、本国ネ

パールの他、ヨーロッパ・インド・日本の図書館・研究機関に散在し保管されている。19世紀初頭にネパールで仏教文献が梵語で伝わっていることがヨーロッパの研究者に知られるようになって以来、多くの大乗経典・論書がネパール写本を利用して出版されたが、仏教説話や密教文献を中心に未出版の梵語テキストも少なくない。今後もネパール製梵語写本の研究進展が期待される。

【参考文献】

石井 溥 2001「ネワール文字」河野六郎・千野栄一・西田龍雄編著『言語学大辞典 別巻 世界文字辞典』三省堂。

田中公明・吉崎一美 1998『ネパール仏教』春秋社。

Bendall, Cecil. 1883. *Catalogue of the Buddhist Sanskrit Manuscripts in the University Library, Cambridge: With Introductory Notices and Illustrations of the Palaeography and Chronology of Nepal and Bengal*. Cambridge: Cambridge University Press. Reprint (Publications of the Nepal-German Manuscript Preservation Project 2; Verzeichnis der Orientalischen Handschriften in Deutschland, Supplementband 33), Stuttgart: Franz Steiner Verlag, 1992.

Lienhard, Siegfried. 1988. *Nepalese Manuscripts. Part 1: Nevārī and Sanskrit, Staatsbibliothek Preussischer Kulturbesitz, Berlin*, described by Siegfried Lienhard, with the collaboration of Thakur Lal Manandhar (Verzeichnis der Orientalischen Handschriften in Deutschland, Band 33.1). Stuttgart: Franz Steiner Verlag Wiesbaden.

59

人の数よりも神の数が多い盆地

★多様・多重な信仰★

ヒマラヤ山脈をはるかに望むカトマンズ盆地には、仏教やヒンドゥー教の諸尊がひしめき合うように鎮座し、人々から厚い信仰を受けている。道端にある小祠堂の神仏にも、人々は立ち止まってそっと手を合わせる。隣国のインドでは、13世紀初頭にイスラーム教徒の侵入によって仏教が滅亡したが、ネパールでは現在に至るまで、「ネワール仏教」と呼ばれる伝統的仏教が、先住民のネワール族によって受け継がれてきた。それはインドの大乗仏教や密教の要素を色濃く伝えるとともに、現在でもヒンドゥー教と平和的に共存する。

ネパール仏教最大の聖地は小高い丘の上にあるスヴァヤンブー（スワヤンブー）であり、「スヴァヤンブー・ナート」と呼ばれる仏塔（写真1）が人々の信仰を集めている。またガンジス河の支流の一つであるバグマティ川の岸辺には、ヒンドゥー教の聖地パシュパティ・ナートがあり、そこでは遺体を荼毘に付して死者を送る光景が見られる。このように神仏の溢れるカトマンズ盆地であるが、本章では特にネワール仏教の諸尊を中心に、その多様な姿や性格について概観する。

仏（如来）　密教仏は仏塔の四方やトーラナ（仏龕の上に掲げら

れた装飾）、また寺院の門等に表される。例えば、スヴァヤンブー・ナートの仏塔にある仏龕には、中期密教の金剛界五仏、即ち中尊の大日（本来は中央に配置。この場合、東南に配置）、阿閦《あしゅく》（東）、宝生（南）、阿弥陀（西）、不空成就（北）が安置される。そしてこれらの五仏を統合する第六の仏として、金剛薩《こんごうさつ》埵《た》が想定されている。それはトーラナに、仏の上に金剛薩埵が表されていることからも窺える（写真2）。なお五仏は装飾物を付けない僧形の場合と、装飾物を付けた多面多臂の菩薩形の場合（写真3）とがある。

一方、密教的な色彩の濃いネワール仏教ではあるが、そこには釈迦や過去仏といった密教成立以前の仏の信仰もみとめられる。例えば、釈迦が生誕地のルンビニーを訪問したという伝説があり、ウク・バハの壁画（写真4）には、その様子が描かれる。龍に乗る釈迦の背後には傘をさすインドラが描かれ、釈迦の前方には、左から順に、鉢を持つ比丘、太鼓と三叉戟《さんさげき》を持つシヴァ、法螺貝と輪を持つヴィシュヌ等が描かれている。またサンミャク（正しい大布施）と呼ばれる年中行事では、燃燈仏（過去仏）の像

写真１　スヴァヤンブー・ナートの仏塔

写真２　大日如来（下）と金剛薩埵（上）、スヴァヤンブー・ナートのトーラナ

写真３　阿閦如来（菩薩形）（クワ・バハ、パタン市）

が市中を巡り、在家者から布施を受ける。

守護尊・忿怒尊　後期密教の聖典の本尊であり、チベットでは「守護尊（イダム）」と呼ばれる仏がネパールでも信仰されている。ただしそれは寺院の密教堂に安置され、一般の人々は見ることができない。ネパールでは主として、チャクラサンヴァラやヘーヴァジュラ（写真5）といった母タントラの守護尊が知られる。後者は通例十六臂を具え、右手に不幸の象徴である馬、ラクダ、鼠等の動物を、左手にそれらに勝利する神々を髑髏の杯の中に入れて持つ。一方日本の不動明王に相当する忿怒尊も信仰される。それは激しい怒りの表情を示し、右手に剣を、左手に羂索を持つ。この姿は、教化するのが難しい生類を力づくで教え導くことを表す。ネパールの不動は、妃を伴う場合（写真6）と伴わない場合とがあるが、前者は、後期密教の影響を受けている。

菩　薩　日本と同様にネパールでも観音菩薩は人気が高い。その基本的な姿は、右手で願いをかな

写真4　釈迦のルンビニ訪問（ウク・バハ、パタン市）

写真5　ヘーヴァジュラ（パタン博物館蔵）

写真6　不動明王（チャウニー・ネパール国立博物館蔵）

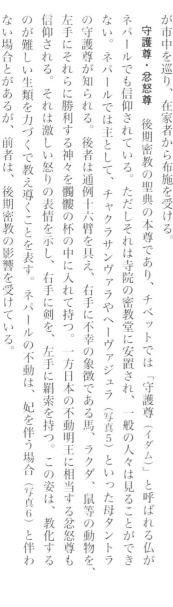

えるしぐさの与願印を示し、左手で蓮華を持つ。このような姿は、リッチャヴィ朝時代の7世紀頃の作例にもみとめられるが（写真7）、それはインド・グプタ朝時代における5世紀頃の一面二臂の聖観音像の影響を受けているようである。

観音経典と言えば、日本では『法華経』「普門品」（『観音経』とも）が有名であるが、ネパールでは「普門品」よりも『カーランダ・ヴューハ経』（大乗荘厳宝王経）の方が流布している。この経典は、観音の精髄である「オーム　マニパドメー（宝珠と蓮華よ）　フーム」という六字真言とその功徳を説くとともに、六字真言を神格化した六字大明と呼ばれる四臂の女神についても述べている。またこの女神をもとに成立した六字観音は、後期密教における観想法の集成である『サーダナ・マーラー』に説かれる。ネパールでは、これらの経典や観想法に由来する六字観音や六字大明が信仰されている（写真8）。さらに『カーランダ・ヴューハ経』には、諸天生成観音が説かれる。この観音は、その両眼、額、肩、

写真7　聖観音（7世紀、ドーカ・バハ、カトマンズ市）

写真8　六字観音（中央）と六字大明（右）とマハーマニダラ（左）（**17**世紀、ドゥガン・バヒ、カトマンズ市）

写真9　諸天生成観音（1837年、チャウニー・ネパール国立博物館蔵）

写真10　ナーマサンギーティ文殊（15世紀、パタン博物館蔵）

写真11　般若仏母（15世紀、チュシャ・バハ、カトマンズ市）

写真12　マハーカーラ（スヴァヤンブー博物館蔵）

心臓等の身体の各部から、太陽、月、シヴァ、ブラフマー等の神々を生成するが、その姿はポーバーと呼ばれる布製絵画にも見出される（写真9）。この他、千手観音や不空羂索観音等の密教系の変化観音も信仰されている。

ネパールでは観音に次いで文殊の信仰も盛んであり、右手で智慧の剣を持ち、左手で経典を持つ二臂《ひ》像が流布している。また大日如来の化身とされる法界語自在文殊は、六臂や八臂等の多臂を具え、大日如来のように獅子に乗る。さらに一般信者の間では文殊の徳を賛嘆する『ナーマサンギーティ』（聖文殊真実名義経）という経典が読誦されており、それに由来するナーマサンギーティ文殊も信仰される。この文殊は合掌する両手を頭上に掲げるが、特に一面十二臂像はネパール独自の姿と言われる（写真10）。

女　神　インドやチベットと同様に、ネパールでも女神の中ではターラーが最も人気が高い。右手で与願印を示し、左手で蓮華もしくは青蓮華（青い睡蓮）を持つ二臂像が多く、しばしば観音の妃となる。

また豊穣と財宝をもたらす女神ヴァスダーラーも人気があり、穀類の穂を持つ六臂像として表される。さらにネパールでは般若経典類を読誦し礼拝する伝統が残るが、この経典に説かれる般若波羅蜜（智慧の完成）を神格化した般若仏母も信仰される（写真11）。

護法神　護法神は、元来ヒンドゥー教の神であったものが仏教に取り込まれ、仏法を守護するようになったものである。例えばマハーカーラは、破壊神シヴァの一側面を取り入れたものであり、その名称は元来、シヴァの別名であった。ネパールでは、寺院入口の門衛として象頭のガネーシャ神と対になって配されることが多い（写真12）。またカトマンズ市トゥンディケルに、マハーカーラを本尊として祀るヴァジュラ・ヴィーラ・マハーカーラ寺院がある。この寺院は仏教徒によって管理されているが、仏教、ヒンドゥー教を問わず人々の礼拝対象となっている。このように護法神は両宗教の間の摩擦を緩衝する役割を果たしている。

以上のごとく、ネワール仏教には、仏、守護尊・忿怒尊、菩薩、女神、護法神といった諸尊のグループがあり、それらは仏を頂点とする重層的な組織体を形成する。このような重層性は、仏教信仰の多様性を示すとともに、カトマンズ盆地において仏教がヒンドゥー教と平和的に共存する上で有効に機能している。

（佐久間留理子）

参考文献

立川武蔵 2004『曼荼羅の神々――仏教のイコノロジー』ありな書房。
立川武蔵（編著）2015『ネパール密教――歴史・マンダラ・実践儀礼』春秋社。
田中公明・吉崎一美 1998『ネパール仏教』春秋社。

観音・マツェンドラナート信仰

コラム8　佐久間留理子

カトマンズ盆地には、代表的な四つの観音が知られている。それらは、⑴パタン市郊外のブンガマティ村のラト（赤）・マツェンドラナート、⑵カトマンズ市内のアサン地区にあるセト（白）・マツェンドラナート、⑶カトマンズ市郊外の丘陵にあるチョーバール・マツェンドラナート（アーディナートとも呼ばれる）、⑷カトマンズ盆地の東の丘陵の縁にあるナラ・マツェンドラナートである。各々の観音には「マツェンドラナート」（魚の王）という名称がつけられているが、これは元来、観音とは関わりがない。

インドでは11～12世紀頃、超能力を持つとされるナート（導師）に対する崇拝が興隆したが、こうしたナートの一人にシヴァを崇拝していたゴーラクナートというヒンドゥー教のヨーガ行者がいた。彼は、自らの師であるマツェンドラナートのあとを追ってカトマンズ盆地を訪れ、そこにいくつかの活動拠点を設けてそれらに彼の師の名をつけた。後に、これらのマツェンドラナートは、カトマンズ盆地における観音信仰の隆盛とともに、観音と同一視されるようになった。観音に「マツェンドラナート」という名称が付けられているのは、観音信仰がナート崇拝の上に接合されたことを意味している。

四つの観音の中で最も有名なものは⑴であり、それはブンガ・デオとも呼ばれる。雨を降らせる神として仏教徒やヒンドゥー教徒から絶大な信仰を集めるが（写真1）、後者の間ではシヴァと同一視されることもある。本尊は、毎年、沐浴され赤く塗り直された後、山車に載せられて巡行し、季節ごとにブンガマティ村のブンガ・バハとパタン市のタ・バハにある各々の祠堂に

写真1　ラト・マツェンドラナートの観音堂（ブンガマティ村、2015年の大震災で倒壊）

写真2　セト・マツェンドラナート（ジャナ・バハ、カトマンズ市）

安置される（12月頃～5月頃はパタン市）。この巡行は、旱魃に見舞われた盆地に雨を降らせるため、観音を山車に載せて運んで来たという伝説に由来する。

(2)は、ジャナ・バハとも呼ばれ、百八観音の寺として有名であるが、狭義では、ジャナ・バハの中庭に立つ二層の塔形式の建造物と、そこに祀られた白い姿の本尊のみを指す（写真2）。この塔の四方の軒下の南、西、北には一〇八種類の観音（一〇八観音）の彩色画が並べられている。これらは、古い板絵の代わりに、ネワール仏教の僧侶・故アモーガヴァジュラ師の研究に基づき1966年に新たに描き直されたものである。軒下の南側の最初の位置に、「百八観音」の第一〇八番の馬頭観音の図絵が掲げられ、北の最後の位置に、第一番の聖観音菩薩の図絵が掲げられている。寺の参詣者は右回りに回廊を巡って一〇八観音を参拝する。従って、参拝者

写真3　チョーバール・マツェンドラナート（チョー・バハ、キルティプル市）

は馬頭観音から始めて、最後には本尊のセト・マツェンドラナートを象徴する第一番の聖観音に至ることになる。また、近年では、二層の塔形式の建造物の壁にも一〇八観音を表した金属製の板が張られているが、図像的特徴は、彩色画に基づく。一方中庭には、「カナカ・チャイトヤ」と呼ばれる極めて古い仏塔があり、これも本尊とともに厚く信仰されている。

(3)は、カトマンズ市の南西約5キロのところに位置するキルティプルにある。三層の屋根のある建物には赤い観音が安置され、その建物の壁には、多数の皿等が打ち付けられている（写真3）。現地の人に聞くと、これらは死者が生前に使用していたもので、寺に奉納するのは慰霊のためであるという。壁には皿等とともに遺影も飾られていた。

寺院の中庭中央には、「ガンダルヴェーシュヴァラ（ガンダルベソル）」、もしくは「ガンデーシュヴァラ（ガンデソル）・ヴィタラーガ」と呼ばれる祠堂がある。J・ロックの調査によれば、現地の人々の間では、これはシヴァと同一視されている。このように仏教寺院の中庭中央にヒンドゥー教の神を祀るのはネパールでも珍しいが、元来マツェンドラナートが、シヴァを崇拝する行者によって設置されたことを考え合わせれば、自然なことのように思われる。

(4)は、カトマンズの東、約25キロの所に位置するバネパ近郊にある。この観音の礼拝場所は元来、上述の(1)のブンガ・バハにあったとされ、現在でもこの寺院と関わりが深い。それは、(4)の因縁物語からも窺われる。かつてキラーティ族の王がこの地を治めていた時、盗人たちがブンガ・バハの本尊ブンガ・デオを盗んでナーギリー国のプンヤマーター聖地まで運んでいたところ急に嵐に遭い、ブンガ・デオを川に捨てて逃げて行ってしまった。夢のお告げで観音が川に捨てられていることを知った王や人々は、その像を川から引き上げ、お堂の中に祀り、ナーギリーの慈悲の盟主である観音、ナラ・デオと呼んで礼拝したという(アモーガヴァジュラ・ヴァジュラーチャールヤ著『百八観音紹介』)。

以上のように、四つの観音は、いにしえより人々の願いに寄り添う身近な存在として厚い信仰を集めてきたのである。

60

民間信仰の諸相

★霊媒による問題の診断と解決★

ヒマラヤ地域にひろく憑依現象が見られることに人類学者は1970年代半ばから注目してきた。憑依とは超自然的存在がひとの身体に乗り移る現象で、一般の人にも憑依はおこるが、ダミ（dhami）・ジャンクリ（jhankri）と総称される専門的霊媒が存在する。霊媒は人間界と超自然界とを媒介し、病気や不幸を引き起こすと信じられる超自然的力をうまく扱うことによって共同体に奉仕する。人類学的に見ると、ネパールの中・東部に見られるジャンクリやボンポはシャーマン、ネパールの西部に見られるダミは託宣者と類別される（筆者は80年代から断続的にカルナリ流域のジュムラで調査を行なってきた）。シャーマンと託宣者との主要な違いは、前者が長く苦しい徒弟修業（タマン族のシャーマンの場合には7年）を要するのに対し、後者はグル（師）も持たないし、意志によって憑依状態に入ったり出たりする技術を獲得する訓練も受けず、自らの身体を神の容器として提供することである。シャーマンは守護神を持っているが、それは当人が個人的に信奉するもので、共同体の守護神ではなく、集合的にまつられることもない。西ネパールで託宣者ダミに憑依するのは、マスト（mast）神とよばれるクル・デヴァタ（kul devata）、すなわち父系出自集団の守護神で、その祠は当該出自集団の成員によって維持され、その祭りも出自集団の成員によって催される。ダミは神によって父系出自集団の成員から選ばれる。

霊媒がクライアントや信者に施す治療や処方は、現地の人々が共有している病気や不幸な出来事を説明する因果論に基づいている。ヒンドゥー教的世界では不幸を引き起こす原因は、神格的エージェンシー（当該地域の固有の神々）、人格化されたエージェンシー（死霊、魔女、妖術師、邪視）と非人格的なエージェンシー（グラハ、カルマ）に分類される。霊媒はこれらすべてのエージェンシーを操れるわけではない。霊媒はローカルな神に憑依されるが、非業の死を遂げた者の家族はその死霊に憑依される。魔女に憑依されるのは女性だけとされる。誕生時の星の位置（グラハ）やカルマを変えることはできず、霊媒はグラハやカルマを扱うことはない。以下、それぞれのエージェンシーと憑依する神との関係を明らかにする。

憑依して踊るダミ

ネパールの多くの地域では、人が死ぬとその日のうちに火葬され、火葬から13日間、喪主は河原で喪の儀礼を行なう。10日目には危険なプレータ（preta）から善良な祖先霊ピトリ（pitri）になると信じられる。しかし、凍死、焼死、溺死、餓死、転落死など不慮の死を遂げた者は火葬後10日目にも肉体を得ることなく、プレータのままこの世にとどまる。西ネパールでマユ

憑依後、ジュニ（382 頁参照）をあらわすダミ祭で太鼓をたたくダマイ（不浄カースト）

(maiyu) と呼ばれる横死者の霊は、現世で果たせなかった望みを儀礼的にかなえられ、家族とその子孫によって定期的に食べ物を与えられる。しかし、横死者の霊はさまざまに宥められても祖先霊になることはない。残された家族は注意深くこのような霊を宥めるが、時間が経つうち、村人を見境なく攻撃することがあり、家族の手を離れてしまう。そうした霊は家族の悲しみの具現ではなく、邪悪さそのものとして立ち現れる。攻撃された者から相談されたダミは、マユの正体を明らかにし、その望みを聞いて、また送り返す。中部ネパールでは不慮の死に遭ってさまよう霊を宥めるために、当該父系出自集団の男性の成員の中からそれに憑依される霊媒を選ぶ。霊媒を獲得することによってさまよえる霊はバユ (bayu) として顕現したと見なされ、その祭壇が設置され、その後定期的に礼拝される。選ばれた霊媒は公衆の面前で火渡りを行なう。それは二度目の火葬ともいえる。中部ネパールでは霊媒を作り出すことが制度化されており、西ネパールでは死者にかわって儀礼的に食事をとる者を選び出すことが重視される。

魔女は中部ネパールではボクシ (boksi) ないしボクシニ (boksini) と呼ばれる。西ネパールではコプティニ (kaptini) である。コプティニは性質において邪悪で、新生児、出産中の女性や牝牛など「脆弱な」

犠牲者を探し求めており、満月や新月などの「脆弱な」時間に最も活動的になる。コプティニによる神秘的攻撃のエージェントはコプトと呼ばれ、魔女とは別のものとして扱われる。魔女は三つの文脈で見出される。おびただしい物語、実際の妖術の犠牲と魔女告発とである。多くの物語は、火葬場で悪霊を引きつれて裸で踊る女、血を吸ったり、肝臓を食べる女、客人をもてなすのに悪意を秘めた主婦などを描く。物語ではなく実際の生活では妖術の犠牲者が多くいる。ダミの役目は、犠牲者の体からコプトを取り出し治療することである。治療儀礼において、誰がコプトを送ったかは問題にしない。最後に魔女告発はめったに起こらない。１８５４年の法律には、根拠なく魔女告発した者は罰金を科されるか投獄されると記されている。

ローカルな神々は、人々を守ると同時に罰する。この力は無差別に作用するのではない。神の相反する性格は、道徳秩序における人の位置を反映する。善行には恩恵で報い、悪行には罰を加える。とりわけマスト神は、父系出自集団の社会道徳的規範を喚起する。地域固有の伝統と習慣を守ることを人々が怠れば立腹し、不幸と疾病をもたらして罰する。

人々のあいだの言い争いは、しばしば土地と女性に関わる問題を巡って生じる。弱くて貧しいがゆえに不正義を蒙ったと感じる人々は、正義の実現に神の力が発揮されるよう招請する。弱者を悩ます問題の多くは、土地所有、相続や駆け落ちなど人事に関わるもので、その一般図式は「大人が小人を抑圧する」と表現される。小人は、パンチャ（顔役）の調停や法廷での判決に不服なとき、またそうした世俗的解決を利用することができないとき、その争いに「呪い」を通して神の介入を求める。神罰は加害者の上に下ると信じられているので、不正義に復讐するために同神を呼び寄せるのである。

定期的な祭りに際してだけでなく要請に応じて行なわれる巫儀において、マスト神は二つの役割を果たす。まずは診断者として、相談者の抱える問題に治癒手段を見出すために問題の原因を探す。第二の役割は、問題解決者として、ドス（道徳的過失）を見つけるや否や問題の人物を「捕える」または「攻撃する」。神の人事への介入の全過程は、懲らしめ、課罰、清めという連続した流れであるので、懲らしめを受けた人物は神に「罰金」を払い、神を儀礼的に浄化することが期待される。

1996年から10年に及んだマオイスト人民戦争は、宗教的な行為を禁止した。村ではダミのジュニ（頭頂の髪）を切るという乱暴も行なわれたが、戦争後は、徐々に託宣者も活動を再開している。全国的な政治のエスニシティ化のなかで、高カーストのあいだで、マスト神に注目する動きが見られる。ヒンドゥー以外に起源を持つマスト神を自分たちのクル・デヴァタとしているのは、彼らがネパールにヒンドゥー化以前から居住してきた――アディヴァシ（adivasi）である――証しであるとの声が高まっている。

（安野早己）

参考文献
Hitchcock, John T. and Rex Jones (eds). 1976. *Spirit Possession in the Nepal Himalayas*. Warminster : Aris & Philips Ltd.
安野早己 2000『西ネパールの憑依カルト――ポピュラー・ヒンドゥーイズムにおける不幸と紛争』勁草書房。

編者あとがき

『ネパールを知るための60章』の初版が発行されたのは2000年9月である。その数年前に始まったマオイストによる人民戦争から2015年憲法が発布されるまでの20年間は、ネパール近現代史のうえで特筆すべき大変革の時代であった。やっと合意された和平協定の後も、二度の制憲議会と八度の政権交代という混沌とした政治状況が続き、閉塞感のなかで若者の海外出稼ぎ労働に拍車がかかった。一方で、先が見通せないなかにあっても、新しい国が形づくられることへの人々の期待感は強く、投資を含め経済活動は徐々に広がりを見せていた。また、被抑圧者や少数民族、慣習的な差別に対する社会運動や意識の高まりは、2015年憲法のなかで差別廃止や権利の保護として明文化され、着実に民主化は進んだ。

このような大きな変革のなかで、ネパール社会とそこに暮らす人々の意識や生活は、どのように変化したのだろうか。公益社団法人日本ネパール協会に『60章』改訂版作成のアイデアが持ち込まれたのは、2018年3月であった。ちょうど新憲法のもとで初めての地方・下院議員選挙が行なわれ、オリ政権が発足して間もないころである。日本ネパール協会では、小嶋会長のもとに編集委員会を組織して準備にとりかかるとともに、数カ月後に石井溥会員に編集協力を依頼して作業を本格化させた。2年がかりではあったが、ここにようやく『現代ネパールを知るための60章』の発行に漕ぎつけることができた。本書では61人の方々から68編にわたってネパールを紹介いただいている。この20年のなかで変化した事柄もあれば、時代の変化にもかかわらず、人々の生活の一部として脈々と受け継がれているることもある。本書を通じて多様なネパールへの理解を深めていただくとともに、ネパールの新たな胎動を感じていただければ幸いである。

（中川寛章）

編集委員
小嶋光昭（代表）、中川寛章、佐々木一憲、大蔵喜福、石田洋子、齋藤英子
編集顧問
石井　溥
編集協力
田中雅子

現代ネパールを知るための参考文献

（各章に特に関係の深い参考文献は各章末に掲載。ここにはその他の単行本とウェブサイトのみを示す。なお【総記、通史、辞書、語学等】の枠内の文献の配列は項目・出版年順。他の枠内の文献は2000年以降のものに限定し、配列は出版年順。）

【総記、通史、辞書、語学等】

日本ネパール協会（編）２０１４『50年の歩みと展望――日ネ50周年記念誌』（公益社団法人）日本ネパール協会

薬師義美（編）２０１１『新選・ヒマラヤ文献目録』自家版（白水社１９９４刊の改訂版）

佐伯和彦２００３『ネパール全史』明石書店

Whelpton, J. 2005. *A History of Nepal*. Cambridge: Cambridge University Press.

三枝礼子（編）１９９７『ネパール語辞典』大学書林

三枝礼子（編）２００６『日本語ネパール語辞典』大学書林

Sharma Nepal, Va.K., P.R. Khatiwada, & Vi.K. Sharma Nepal (eds). 2010. *Nepali English Comprehensive Dictionary*. Kathmandu: Bhabha Prakashan.

Lohani, S.P. & R.P. Adhikary (eds). 2010. *Ekta Comprehensive English-Nepali Dictionary*. Kathmandu: Ekta Books.

石井溥１９８６『基礎ネパール語』大学書林

野津治仁２００２『旅の指さし会話帳・ネパール』情報センター出版局

野津治仁２００６『ＣＤエクスプレス・ネパール語』白水社

デウコタ　ラクチミープラサード（大橋美子、樋口妙子、柚口豊夫 訳）２００８『《ネパールの物語詩》ムナーとマダン』日本ネパール協会

【政治、社会】

山本 真弓 ２００２『牡牛と信号――〈物語〉としてのネパール』春風社
Gellner, D.N. (ed). 2003. *Resistance and the State: Nepalese Experiences*. New Delhi: Social Science Press.
Sharma, P.R. 2004. *The State and Society in Nepal: Historical Foundations and Contemporary Trends*. Kathmandu: Himal Books.
Lawoti, M. 2005. *Towards a Democratic Nepal: Inclusive Political Institutions for a Multicultural Society*. New Delhi: Sage.
石井 溥（編著）２００５『流動するネパール――地域社会の変容』東京外国語大学アジア・アフリカ言語文化研究所／東京大学出版会
タパ　マンジュシュリ（萩原律子、川村真宏 監訳）２００６『ネパールの政治と人権――王政と民主主義のはざまで』明石書店
小倉 清子 ２００７『ネパール王制解体――国王と民衆の確執が生んだマオイスト』ＮＨＫ出版
Ishii, H., D.N. Gellner, & K. Nawa (eds). 2007. *Political and Social Transformations in North India and Nepal*. New Delhi: Manohar.
Ishii, H., D.N. Gellner, & K. Nawa (eds). 2007. *Nepalis Inside and Outside Nepal*. New Delhi: Manohar.
Pfaff-Czarnecka, J. & G. Toffin (eds). 2011. *The Politics of Belonging in the Himalayas: Local Attachments and Boundary Dynamics*. New Delhi: Sage.
Einsiedel, S. von, D.M. Malone, & S. Pradhan (eds). 2012. *Nepal in Transition: From People's War to Fragile Peace*. Cambridge: Cambridge University Press.
Lecomte-Tilouine, M. (ed). 2013. *Revolution in Nepal: An Anthropological and Historical Approach to the People's War*. Oxford: Oxford University Press.
Pettigrew, J. 2013. *Maoists at the Hearth: Everyday Life in Nepal's Civil War*. Philadelphia: University of Pennsylvania Press.
Joshi, N.P., K.L. Maharjan, & L. Piya. 2013. *Understanding Maoist Conflict in Nepal: Initiatives of Civil Societies on Social Capital Development for Peacebuilding in Hills*. Beau Bassin (Mauritius): Lap Lambert Academic Publishing.
Jha, P. 2014. *Battles of the New Republic: A Contemporary History of Nepal*. London: Hurst & Co.
Jha, K. 2017. *The Madhesi Upsurge and the Contested Idea of Nepal*. Springer.

【経済、開発、援助、移住、環境、防災等】

Adhikari R. 2000. *Migrant Health Professionals and the Global Labour Market: The Dreams and Traps of Nepali Nurses*. London: Routledge.

山本 紀夫、稲村 哲也（編著）２０００『ヒマラヤの環境史――山岳地域の自然とシェルパの世界』八坂書房

定松 栄一 ２００２『開発援助か社会運動か――現場から問い直すＮＧＯの存在意義』コモンズ

国際協力事業団 ２００３『ネパール国別援助研究会報告書――貧困と紛争を越えて』国際協力事業団、国際協力総合研修所

近藤 亨 ２００６『《秘境に虹をかけた男》ネパール・ムスタン物語』新潟日報事業社

中尾 正義 ２００７『ヒマラヤと地球温暖化――消えゆく氷河』昭和堂

清沢 洋 ２００８『ネパール――村人の暮らしと国際協力』社会評論社

青木 千賀子 ２０１３『ネパールの女性グループによるマイクロファイナンスの活動実態――ソーシャル・キャピタルと社会開発』日本評論社

Fujikura, T. 2013. *Discourses of Awareness: Development, Social Movements and the Practices of Freedom in Nepal*. Kathmandu: Martin Chautari.

Toffin, G. & J. Pfaff-Czarnecka (eds). 2014. *Facing Globalization in the Himalayas: Belonging and the Politics of the Self*. New Delhi: Sage.

Gurung, S. N. 2015. *Nepali Migrant Women: Resistance and Survival in America*. Syracuse: Syracuse University Press.

宮原 巍 ２０１５『ヒマラヤにホテルを三つ――ネパールの開発ヴィジョンを語る』中央公論新社

日本建築学会 ２０１６『２０１５年ネパール・ゴルカ地震災害調査報告書』日本建築学会

亀井 温子 ２０１６『未来をひらく道――ネパール・シンズリ道路40年の歴史をたどる』佐伯印刷

Subba, T.B. & A.C. Sinha (eds). 2016. *Nepali Diaspora in a Globalized Era*. London: Routledge.

Gellner, D.N. & S.L. Hausner (eds). 2018. *Global Nepalis: Religion, Culture, and Community in a New and Old Diaspora*. Oxford: Oxford University Press.

Sharma, J. R. 2018. *Crossing the Border to India: Youth, Migration, and Masculinities in Nepal*. Philadelphia: Temple University Press.

安居 裕司、陳 秀茵、森 佳子（編著）２０１９『防災、教育、民族からみた多相なるネパール――神戸ユネスコ協会・２０１７年ネパール国際ボランティア』ふくろう出版

【教育、医学・保健、福祉、ジェンダー等】

中村 修一（編）／奥野 真人（構成）２００６『遥かなる天空の村で――ネパール歯科医療協力活動17年間の記録』草風館

畠博之 2007『ネパールの被抑圧者集団の教育問題——タライ地方のダリットとエスニック・マイノリティ集団の学習阻害／促進要因をめぐって』学文社
長谷川まり子 2007『少女売買——インドに売られたネパールの少女たち』光文社
小野一男・湯舟貞子 2009『途上国における国際保健——ネパールの保健医療』ふくろう出版
Bhatta, P. (ed). 2009. *Education in Nepal: Problems, Reforms, and Social Change*. Kathmandu: Martin Chautari.
Pradhananga, R.B. et al. (eds). 2012. *Children Rights and Justice in Nepal*. Kathmandu: Tribhuvan University, Faculty of Law, Criminal Law Subject Committee.
Rothchild, J. 2012. *Gender Trouble Makers: Education and Empowerment in Nepal*. London: Routledge.
田村光三 2013『岩村昇——ネパールの人々と共に歩んだ医師 ひかりをかかげて』日本基督教団出版局
吉岡大佑 2018『ヒマラヤに学校をつくる——カネなしコネなしの僕と、見捨てられた子どもたちの挑戦』旬報社
K．C．アンジャナ・小嶋美代子 2018『でこぼこの道』Books & Company.
Rai, S. 2018. *Conflict, Education and People's War in Nepal*. London: Routledge.

【登山、探検、旅、観光】

野村董夫 2000『ヒマラヤ巡礼——ネパール8000m峰8座をめぐる山旅』東京新聞出版部
東野良 2002『ヒマラヤ・チベット縦横無尽——NHKカメラマンの秘境撮影記』平凡社
薬師義美 2006『大ヒマラヤ探検史——インド測量局とその密偵たち』白水社
藤田弘基 2006『ヒマラヤ百高峰——標高7000mを超える氷雪の山々』平凡社
尾形好雄 2009『ヒマラヤ初登頂未踏への挑戦』東京新聞出版部
池田常道 2015『現代ヒマラヤ登攀史——8000メートル峰の歴史と未来』山と溪谷社
野口健 2016『ヒマラヤに捧ぐ』集英社インターナショナル
薬師義美 2017『ヒマラヤは黒部から——わが山旅の記』茗溪堂
Liechty, M. 2017. *Far Out: Countercultural Seekers and the Tourist Encounter in Nepal*. Chicago: The University of Chicago Press.
中村保 2019『空撮ヒマラヤ越え——山座同定』ナカニシヤ出版

【民族誌、紀行、生活、人等】

名和克郎 2002『ネパール、ビャンスおよび周辺地域における儀礼と社会範疇に関する民族誌的研究――もうひとつの〈近代〉の布置』三元社

田村善次郎 2004『ネパール周遊紀行』（MAUライブラリー）武蔵野美術大学出版局

八木澤高明 2004『ネパールに生きる――揺れる王国の人びと』新泉社

貞兼綾子 2007『風の記憶――ヒマラヤの谷に生きる人々』春秋社

根深誠 2007『ヒマラヤにかける橋』みすず書房

Toffin, G. 2007. *Newar Society*. Kathmandu: Social Science Baha (Himal Books).

渡辺和之 2009『羊飼いの民族誌――ネパール移牧社会の資源利用と社会関係』明石書店

橘健一 2009『〈他者／自己〉表象の民族誌――ネパール先住民チェパンのミクロ存在論』風響社

森本泉 2012『ネパールにおけるツーリズム空間の創出――カトマンドゥから描く地域像』古今書院

佐藤斉華 2015『彼女達との会話――ネパール・ヨルモ社会におけるライフ／ストーリーの人類学』三元社

Shneiderman, S. 2015. *Rituals of Ethnicity: Thangmi Identities between Nepal and India*. Philadelphia: University of Pennsylvania Press.

渡部瑞希 2018『友情と詐欺の人類学――ネパールの観光市場タメルの宝石商人の民族誌』晃洋書房

三瓶清朝 2018『みんなが知らないネパール――文化人類学者が出会った人びと』尚学社

高山龍三 2020『河口慧海――雲と水との旅をするなり』ミネルヴァ書房

【宗教、儀礼、文化等】

Gellner, D.N. 2001. *The Anthropology of Buddhism and Hinduism: Weberian Themes*. Oxford: Oxford University Press.

Lecomte-Tilouine, M. & P. Dolfus. 2003. *Ethnic Revival and Religious Turmoil: Identities and Representations in the Himalayas*. Oxford: Oxford University Press.

山口しのぶ 2005『ネパール密教儀礼の研究』山喜房佛書林

LeVine, S. & D.N. Gellner. 2005. *Rebuilding Buddhism: The Theravada Movement in Twentieth Century Nepal*. Cambridge, Massachusetts: Harvard University Press.

Slusser, M.S. 2010. *The Antiquity of Nepalese Wood Carving: A Reassessment*. Seattle and London: University of Washington Press.

Gutschow, N. 2011. *Architecture of the Newars: A History of Building Typologies and Details in Nepal*. 3vols. Chicago: Serindia Publications.

佐藤正彦２０１２『ヒマラヤの寺院――ネパール・北インド・中国の宗教建築』鹿島出版会
マジュプリア　Ｔ．Ｃ．（西岡直樹 訳）２０１３『ネパール・インドの聖なる植物事典』八坂書房
寺田鎮子２０１４『ネパール文化探検』（私家版）
Hutt, M. & P. Onta (eds). 2017. *Political Change and Public Culture in Post-1990 Nepal*. Cambridge: Cambridge University Press.

【ウェブサイト】

［公益社団法人 日本ネパール協会］http://www.koeki.or.jp/
［時事］「ネパール評論」（日本語）http://pax.starfree.jp/（ネパール等の新聞へのリンクも）
［ネパール政府関係］
各省庁（例）外務省：http://mofa.gov.np/
財務省：https://mof.gov.np/
教育科学技術省：https://moe.gov.np/
法司法国会省：http://www.moljpa.gov.np/
労働雇用社会保障省：https://moless.gov.np/
国家計画委員会　https://www.npc.gov.np/en/#Home
統計局 https://cbs.gov.np/
観光局 https://www.welcomenepal.com/
国立銀行 https://www.nrb.org.np/
在日本ネパール大使館 https://jp.nepalembassy.gov.np/ja/
［日本政府関係］
外務省 https://www.mofa.go.jp/mofaj/area/nepal/index.html
在ネパール日本大使館 https://www.np.emb-japan.go.jp/itprtop_ja/index.html
［国際協力機構（ＪＩＣＡ）］http://www.jica.go.jp/nepal/index.html
［国際機関］
世界銀行 https://data.worldbank.org/
国連開発計画 https://www.np.undp.org/

アジア開発銀行 https://www.adb.org/
国際連合児童基金（ＵＮＩＣＥＦ） https://www.unicef.org/
[各国事情] https://www.cia.gov/library/publications/the-world-factbook/geos/np.html
[統計情報] https://jp.knoema.com/atlas/nepal
[学術情報] http://www.digitalhimalaya.com
[男女共同参画と災害・復興ネットワーク] http://iwndrr.org
[ネパールの日本人・会社関係サイト] http://www.cometonepal.com/

吉崎　一美（よしざき・かずみ）［12］
ネパール仏教研究家

渡辺　和之（わたなべ・かずゆき）［49］
阪南大学国際観光学部准教授

藤井　牧人（ふじい・まきと）［50］
農業（在ネパール）

藤倉　達郎（ふじくら・たつろう）［11、43］
京都大学大学院アジア・アフリカ地域研究研究科教授

古川　不可知（ふるかわ・ふかち）［45］
九州大学大学院比較社会文化研究院講師

プン、マハビール（Mahabir Pun）［48］
National Innovation Centre, Nepal

別所　裕介（べっしょ・ゆうすけ）［38］
駒澤大学総合教育研究部准教授

堀　伸一郎（ほり・しんいちろう）［コラム 7］
国際仏教学大学院大学国際仏教学研究所副所長

マテマ、ケダール・バクタ（Kadar Bhakta Mathema）［32］
元トリブバン大学副学長

マハラジャン、ケシャブ・ラル（Keshav Lall Maharjan）［51］
広島大学教授

湊　直信（みなと・なおのぶ）［13］
公益財団法人国際通貨研究所客員研究員

三宅　隆史（みやけ・たかふみ）［35］
シャンティ国際ボランティア会教育事業アドバイザー

村上　東俊（むらかみ・とうしゅん）［コラム 6］
法華宗（陣門流）学林教授／立正院住職

森本　泉（もりもと・いずみ）［1、5］
明治学院大学国際学部教授

安野　早己（やすの・はやみ）［60］
山口県立大学名誉教授

山上　亜紀（やまがみ・あき）［52］
株式会社ヴィジュアルフォークロア　制作

山本　愛（やまもと・あい）［39、コラム 3］
公益財団法人とよなか国際交流協会

竹内　麻衣子（たけうち・まいこ）［10］
JICA 職員

橘　健一（たちばな・けんいち）［46］
立命館大学政策科学部非常勤講師

＊＊田中　雅子（たなか・まさこ）［17、18、37］
上智大学総合グローバル学部教授

田中　由美子（たなか・ゆみこ）［36］
城西国際大学国際人文学部特命連携教授

タパ、シャンカル（Shankar Thapa）［55］
トリブバン大学歴史学科教授

寺田　鎮子（てらだ・しずこ）［52、コラム 4］
著述業

富松　愛加（とみまつ・あいか）［34］
JICA 職員

長岡　智寿子（ながおか・ちずこ）［33］
田園調布学園大学人間科学部准教授

中川　加奈子（なかがわ・かなこ）［44］
追手門学院大学社会学部准教授

＊中川　寛章（なかがわ・ひろあき）［19、編者あとがき］
立命館大学大学院国際関係学研究科客員教員

永見　光三（ながみ・こうぞう）［25］
JICA 職員

丹羽　充（にわ・みつる）［47］
共愛学園前橋国際大学国際社会学部専任講師

野津　治仁（のづ・はるひと）［54］
ネパール語通訳・翻訳者／ネパール語講師

バッタチャン、クリシュナ（Krishna Bhattachan）［16］
社会学者

ブサール、ラム　C.（Ram Chandra Bhusal）［20］
農業専門家

勝井　裕美（かつい・ひろみ）［コラム 2］
特定非営利活動法人シャプラニール＝市民による海外協力の会

上村　光弘（かみむら・みつひろ）［27］
独立行政法人国立病院機構災害医療センター統括診療部長

K.C. カドガ（Khadga K.C.）［6］
トリブバン大学教授

＊小嶋　光昭（こじま・みつあき）［56］
元駐ルクセンブルク大使、公益社団法人日本ネパール協会代表理事 / 会長

ゴータム、クリシュナ（Krishna Gautam）［41］
Independent Living Center, Lapitpur

小林　正夫（こばやし・まさお）［2］
東洋大学社会学部教授

小林　真樹（こばやし・まさき）［コラム 1］
有限会社アジアハンター

＊齋藤　英子（さいとう・えいこ）［26］
国立がん研究センター研究員

佐伯　孝志（さいき・たかし）［24］
JICA 専門家（給水省）

佐久間　留理子（さくま・るりこ）［59、コラム 8］
大阪観光大学観光学部教授

＊佐々木　一憲（ささき・かずのり）［57、翻訳 55］
立正大学仏教学部非常勤講師

シュレスタ、バララム（Balaram Shrestha）［14］
外国法事務弁護士事務所代表

庄司　史生（しょうじ・ふみお）［58］
立正大学仏教学部准教授

高田　洋平（たかた・ようへい）［40］
仙台白百合女子大学人間学部心理福祉学科講師

高橋　紘美（たかはし・ひろみ）［28］
駒ヶ根ネパール交流市民の会

【執筆者紹介】（［　］は担当章・コラム、50音順、＊は編集委員、＊＊は編集顧問・協力者、2020年3月現在）

相川　政夫（あいかわ・まさお）［21］
特定非営利活動法人ラブグリーンジャパン理事長

＊＊石井　溥（いしい・ひろし）［はじめに、42、翻訳6］
東京外国語大学名誉教授

石﨑　明人（いしさき・あきと）［9］
弁護士／元JICA専門家（法・司法・国会省）

＊石田　洋子（いしだ・ようこ）［31、翻訳32］
広島大学ダイバーシティ・アンド・インクルージョン推進機構特命教授

石田　龍吉（いしだ・りゅうきち）［29］
Jaljala Hospital and Research Center, Thabang Rolpa（Management Director）

伊藤　敏朗（いとう・としあき）［53］
映画監督

上杉　妙子（うえすぎ・たえこ）［15、翻訳16］
明治学院大学社会学部付属研究所研究員

大泉　泰雅（おおいずみ・やすまさ）［22］
JICA専門家

＊大蔵　喜福（おおくら・よしとみ）［3］
登山家

岡本　有子（おかもと・ゆうこ）［コラム5］
ネパール舞踊研究家／和光大学非常勤講師／尼僧

奥川　由紀子（おくがわ・ゆきこ）［30］
JICA専門家

小倉　清子（おぐら・きよこ）［7、8］
ジャーナリスト（在ネパール）

尾崎　行義（おざき・ゆきよし）［23］
元JICA専門家（ネパール電力公社）

春日山　紀子（かすがやま・のりこ）［4］
ヒマラヤン・アクティビティーズ代表（在カトマンズ）

【編者紹介】
公益社団法人 日本ネパール協会（The Japan Nepal Society）
1964年12月設立。ネパールとの交流、研究、協力、情報提供を行なう公益法人　代表理事 / 会長 小嶋光昭。
〒141-0032 東京都品川区大崎3-6-21　ニュー大崎702号
TEL/FAX 03-3491-0314
http://www.koeki.or.jp/

エリア・スタディーズ178
現代ネパールを知るための60章

2020年5月20日　初版 第1刷発行
2023年5月10日　初版 第2刷発行

編　者　公益社団法人 日本ネパール協会
発行者　大　江　道　雅
発行所　株式会社 明石書店
〒101–0021 東京都千代田区外神田6-9-5
電話 03（5818）1171
FAX 03（5818）1174
振替　00100-7-24505
https://www.akashi.co.jp/
組版／装丁　明石書店デザイン室
印刷／製本　モリモト印刷株式会社

（定価はカバーに表示してあります）　ISBN978-4-7503-5015-8

エリア・スタディーズ

1 **現代アメリカ社会を知るための60章**
明石紀雄、川島浩平 編著

2 **イタリアを知るための62章【第2版】**
村上義和 編著

3 **イギリスを旅する35章**
辻野功 編著

4 **モンゴルを知るための65章【第2版】**
金岡秀郎 著

5 **パリ・フランスを知るための44章**
梅本洋一、大里俊晴、木下長宏 編著

6 **現代韓国を知るための60章【第2版】**
石坂浩一、福島みのり 編著

7 **オーストラリアを知るための58章【第3版】**
越智道雄 著

8 **現代中国を知るための52章【第6版】**
藤野彰 編著

9 **ネパールを知るための60章**
日本ネパール協会 編

10 **アメリカの歴史を知るための65章【第4版】**
富田虎男、鵜月裕典、佐藤円 編著

11 **現代フィリピンを知るための61章【第2版】**
大野拓司、寺田勇文 編著

12 **ポルトガルを知るための55章【第2版】**
村上義和、池俊介 編著

13 **北欧を知るための43章**
武田龍夫 著

14 **ブラジルを知るための56章【第2版】**
アンジェロ・イシ 著

15 **ドイツを知るための60章**
早川東三、工藤幹巳 編著

16 **ポーランドを知るための60章**
渡辺克義 編著

17 **シンガポールを知るための65章【第5版】**
田村慶子 編著

18 **現代ドイツを知るための67章【第3版】**
浜本隆志、髙橋憲 編著

19 **ウィーン・オーストリアを知るための57章【第2版】**
広瀬佳一、今井顕 編著

20 **ハンガリーを知るための60章【第2版】** ドナウの宝石
羽場久美子 編著

21 **現代ロシアを知るための60章【第2版】**
下斗米伸夫、島田博 編著

22 **21世紀アメリカ社会を知るための67章**
明石紀雄 監修　赤尾千波、大類久恵、小塩和人、落合明子、川島浩平、高野泰 編

23 **スペインを知るための60章**
野々山真輝帆 著

24 **キューバを知るための52章**
後藤政子、樋口聡 編著

25 **カナダを知るための60章**
綾部恒雄、飯野正子 編著

26 **中央アジアを知るための60章【第2版】**
宇山智彦 編著

27 **チェコとスロヴァキアを知るための56章【第2版】**
薩摩秀登 編著

28 **現代ドイツの社会・文化を知るための48章**
田村光彰、村上和光、岩淵正明 編著

29 **インドを知るための50章**
重松伸司、三田昌彦 編著

30 **タイを知るための72章【第2版】**
綾部真雄 編著

31 **パキスタンを知るための60章**
広瀬崇子、山根聡、小田尚也 編著

32 **バングラデシュを知るための66章【第3版】**
大橋正明、村山真弓、日下部尚徳、安達淳哉 編著

33 **イギリスを知るための65章【第2版】**
近藤久雄、細川祐子、阿部美春 編著

34 **現代台湾を知るための60章【第2版】**
亜洲奈みづほ 著

35 **ペルーを知るための66章【第2版】**
細谷広美 編著

36 **マラウィを知るための45章【第2版】**
栗田和明 著

37 **コスタリカを知るための60章【第2版】**
国本伊代 編著

38 **チベットを知るための50章**
石濱裕美子 編著

39 **現代ベトナムを知るための63章【第3版】**
岩井美佐紀 編著

40 **インドネシアを知るための50章**
村井吉敬、佐伯奈津子 編著

41 **エルサルバドル、ホンジュラス、ニカラグアを知るための45章**
田中高 編著

エリア・スタディーズ

42 パナマを知るための70章【第2版】 国本伊代 編著
43 イランを知るための65章 岡田恵美子、北原圭一、鈴木珠里 編著
44 アイルランドを知るための70章【第3版】 海老島均、山下理恵子 編著
45 メキシコを知るための60章 吉田栄人 編著
46 中国の暮らしと文化を知るための40章 東洋文化研究会 編
47 現代ブータンを知るための60章【第2版】 平山修一 著
48 バルカンを知るための66章【第2版】 柴宜弘 編著
49 現代イタリアを知るための44章 村上義和 編著
50 アルゼンチンを知るための54章 アルベルト松本 著
51 ミクロネシアを知るための60章【第2版】 印東道子 編著
52 アメリカのヒスパニック=ラティーノ社会を知るための55章 大泉光一、牛島万 編著
53 北朝鮮を知るための55章【第2版】 石坂浩一 編著
54 ボリビアを知るための73章【第2版】 真鍋周三 編著
55 コーカサスを知るための60章 北川誠一、前田弘毅、廣瀬陽子、吉村貴之 編著
56 カンボジアを知るための60章【第3版】 上田広美、岡田知子、福富友子 編著
57 エクアドルを知るための60章【第2版】 新木秀和 編著
58 タンザニアを知るための60章【第2版】 栗田和明、根本利通 編著
59 リビアを知るための60章【第2版】 塩尻和子 編著
60 東ティモールを知るための50章 山田満 編著
61 グアテマラを知るための67章【第2版】 桜井三枝子 編著
62 オランダを知るための60章 長坂寿久 著
63 モロッコを知るための65章 私市正年、佐藤健太郎 編著
64 サウジアラビアを知るための63章【第2版】 中村覚 編著
65 韓国の歴史を知るための66章 金両基 編著
66 ルーマニアを知るための60章 六鹿茂夫 編著
67 現代インドを知るための60章 広瀬崇子、近藤正規、井上恭子、南埜猛 編著
68 エチオピアを知るための50章 岡倉登志 編著
69 フィンランドを知るための44章 百瀬宏、石野裕子 編著
70 ニュージーランドを知るための63章 青柳まちこ 編著
71 ベルギーを知るための52章 小川秀樹 編著
72 ケベックを知るための54章 小畑精和、竹中豊 編著
73 アルジェリアを知るための62章 私市正年 編著
74 アルメニアを知るための65章 中島偉晴、メラニア・バグダサリヤン 編著
75 スウェーデンを知るための60章 村井誠人 編著
76 デンマークを知るための68章 村井誠人 編著
77 最新ドイツ事情を知るための50章 浜本隆志、柳原初樹 著
78 セネガルとカーボベルデを知るための60章 小川了 編著
79 南アフリカを知るための60章 峯陽一 編著
80 エルサルバドルを知るための55章 細野昭雄、田中高 編著
81 チュニジアを知るための60章 鷹木恵子 編著
82 南太平洋を知るための58章 メラネシア ポリネシア 吉岡政德、石森大知 編著
83 現代カナダを知るための60章【第2版】 飯野正子、竹中豊 総監修 日本カナダ学会 編

エリア・スタディーズ

84 **現代フランス社会を知るための62章**
三浦信孝、西山教行 編著

85 **ラオスを知るための60章**
菊池陽子、鈴木玲子、阿部健一 編著

86 **パラグアイを知るための50章**
田島久歳、武田和久 編著

87 **中国の歴史を知るための60章**
並木頼壽、杉山文彦 編著

88 **スペインのガリシアを知るための50章**
坂東省次、桑原真夫、浅香武和 編著

89 **アラブ首長国連邦（UAE）を知るための60章**
細井長 編著

90 **コロンビアを知るための60章**
二村久則 編著

91 **現代メキシコを知るための70章【第2版】**
国本伊代 編著

92 **ガーナを知るための47章**
高根務、山田肖子 編著

93 **ウガンダを知るための53章**
吉田昌夫、白石壮一郎 編著

94 **ケルトを旅する52章** イギリス・アイルランド
永田喜文 著

95 **トルコを知るための53章**
大村幸弘、永田雄三、内藤正典 編著

96 **イタリアを旅する24章**
内田俊秀 編著

97 **大統領選からアメリカを知るための57章**
越智道雄 著

98 **現代バスクを知るための50章**
萩尾生、吉田浩美 編著

99 **ボツワナを知るための52章**
池谷和信 編著

100 **ロンドンを旅する60章**
川成洋、石原孝哉 編著

101 **ケニアを知るための55章**
松田素二、津田みわ 編著

102 **ニューヨークからアメリカを知るための76章**
越智道雄 著

103 **カリフォルニアからアメリカを知るための54章**
越智道雄 著

104 **イスラエルを知るための62章【第2版】**
立山良司 編著

105 **グアム・サイパン・マリアナ諸島を知るための54章**
中山京子 編著

106 **中国のムスリムを知るための60章**
中国ムスリム研究会 編

107 **現代エジプトを知るための60章**
鈴木恵美 編著

108 **カーストから現代インドを知るための30章**
金基淑 編著

109 **カナダを旅する37章**
飯野正子、竹中豊 編著

110 **アンダルシアを知るための53章**
立石博高、塩見千加子 編著

111 **エストニアを知るための59章**
小森宏美 編著

112 **韓国の暮らしと文化を知るための70章**
舘野晳 編著

113 **現代インドネシアを知るための60章**
村井吉敬、佐伯奈津子、間瀬朋子 編著

114 **ハワイを知るための60章**
山本真鳥、山田亨 編著

115 **現代イラクを知るための60章**
酒井啓子、吉岡明子、山尾大 編著

116 **現代スペインを知るための60章**
坂東省次 編著

117 **スリランカを知るための58章**
杉本良男、高桑史子、鈴木晋介 編著

118 **マダガスカルを知るための62章**
飯田卓、深澤秀夫、森山工 編著

119 **新時代アメリカ社会を知るための60章**
明石紀雄 監修 大類久恵、落合明子、赤尾千波 編著

120 **現代アラブを知るための56章**
松本弘 編著

121 **クロアチアを知るための60章**
柴宜弘、石田信一 編著

122 **ドミニカ共和国を知るための60章**
国本伊代 編著

エリア・スタディーズ

123 シリア・レバノンを知るための64章　黒木英充 編著

124 EU（欧州連合）を知るための63章　羽場久美子 編著

125 ミャンマーを知るための60章　田村克己、松田正彦 編著

126 カタルーニャを知るための50章　立石博高、奥野良知 編著

127 ホンジュラスを知るための60章　桜井三枝子、中原篤史 編著

128 スイスを知るための60章　スイス文学研究会 編

129 東南アジアを知るための50章　今井昭夫 編集代表　東京外国語大学東南アジア課程 編

130 メソアメリカを知るための58章　井上幸孝 編著

131 マドリードとカスティーリャを知るための60章　川成洋、下山静香 編著

132 ノルウェーを知るための60章　大島美穂、岡本健志 編著

133 現代モンゴルを知るための50章　小長谷有紀、前川愛 編著

134 カザフスタンを知るための60章　宇山智彦、藤本透子 編著

135 内モンゴルを知るための60章　ボルジギン・ブレンサイン 編著　赤坂恒明 編集協力

136 スコットランドを知るための65章　木村正俊 編著

137 セルビアを知るための60章　柴宜弘、山崎信一 編著

138 マリを知るための58章　竹沢尚一郎 編著

139 ASEANを知るための50章　黒柳米司、金子芳樹、吉野文雄 編著

140 アイスランド・グリーンランド・北極を知るための65章　小澤実、中丸禎子、高橋美野梨 編著

141 ナミビアを知るための53章　水野一晴、永原陽子 編著

142 香港を知るための60章　吉川雅之、倉田徹 編著

143 タスマニアを旅する60章　宮本忠 著

144 パレスチナを知るための60章　臼杵陽、鈴木啓之 編著

145 ラトヴィアを知るための47章　志摩園子 編著

146 ニカラグアを知るための55章　田中高 編著

147 台湾を知るための72章【第2版】　赤松美和子、若松大祐 編著

148 テュルクを知るための61章　小松久男 編著

149 アメリカ先住民を知るための62章　阿部珠理 編著

150 イギリスの歴史を知るための50章　川成洋 編著

151 ドイツの歴史を知るための50章　森井裕一 編著

152 ロシアの歴史を知るための50章　下斗米伸夫 編著

153 スペインの歴史を知るための50章　立石博高、内村俊太 編著

154 フィリピンを知るための64章　大野拓司、鈴木伸隆、日下渉 編著

155 バルト海を旅する40章　7つの島の物語　小柏葉子 著

156 カナダの歴史を知るための50章　細川道久 編著

157 カリブ海世界を知るための70章　国本伊代 編著

158 ベラルーシを知るための50章　服部倫卓、越野剛 編著

159 スロヴェニアを知るための60章　柴宜弘、アンドレイ・ベケシュ、山崎信一 編著

160 北京を知るための52章　櫻井澄夫、人見豊、森田憲司 編著

161 イタリアの歴史を知るための50章　高橋進、村上義和 編著

エリア・スタディーズ

――以下続刊

◎各巻2000円（一部1800円）

〈価格は本体価格です〉